THETAHEALING® AVANÇADO

Utilizando o Poder de Tudo o Que É

Vianna Stibal

THETAHEALING®
AVANÇADO

Utilizando o Poder de Tudo o Que É

Tradução:
Giti Bond e Gustavo Barros

MADRAS®

Publicado originalmente em inglês sob o título *Advanced ThetaHealing – Harnessing the Power of All That Is*, por Hay House.

Anteriormente publicado por Rolling Publishing, Idaho.

Editor:
Wagner Veneziani Costa

Produção e Capa:
Equipe Técnica Madras

Tradução:
Giti Bond e Gustavo Barros

Ilustrações e Imagens:
Rolling Thunder Publishing

Revisão da Tradução:
Larissa Ono

Revisão:
Maria Cristina Scomparini
Jerônimo Feitosa

Dados Internacionais de Catalogação na Publicação (CIP)
(Câmara Brasileira do Livro, SP, Brasil)

Stibal, Vianna
Thetahealing® avançado: utilizando o poder de tudo o que é/Vianna Stibal; tradução Giti Bond e Gustavo Barros. – São Paulo: Madras, 2017.
Título original: Advanced thetahealing: harnessing the power of all that is

ISBN 978-85-370-0979-6

1. Autorrealização (Psicologia) 2. Cura espiritual 3. Medicina energética 4. Mente e corpo – Terapias I. Título.

15-06042 CDD-615.8

Índices para catálogo sistemático:
1. Cura energética: Terapia holística 615.8

MADRAS EDITORA LTDA.
Rua Paulo Gonçalves, 88 – Santana
CEP: 02403-020 – São Paulo/SP
Caixa Postal: 12183 – CEP: 02013-970
Tel.: (11) 2281-5555 – Fax: (11) 2959-3090
www.madras.com.br

Agradecimentos

Um agradecimento especial a Giovanni Vota pela assistência no capítulo de Trabalho de Escavação.

Gostaria de agradecer também a todos os clientes e alunos maravilhosos que me deram a oportunidade de aprender a informação que finalmente chegou aqui. Este manuscrito se concentra em experiências com o trabalho de crenças encontradas em algumas das milhares de sessões que realizei. Este conhecimento pode ser um presente a todas as almas corajosas que estão por aí e que ousam acreditar.

Nota dos tradutores:

Para os leitores de Portugal, Cabo Verde, Angola, Moçambique, Açores, Madeira e Macau, por favor, notem que mantivemos o estilo brasileiro de ortografia, gramática, pontuação e sintaxe da impressão mais recente deste livro, que foi publicado no Brasil.

Nota do editor internacional:

A autora deste livro não dispensa o conselho médico ou prescreve o uso de qualquer técnica como forma de tratamento para problemas físicos ou médicos sem o aconselhamento de um médico, direta ou indiretamente. As informações dadas neste livro não devem ser tratadas como um substituto para aconselhamento médico profissional; sempre consultar um médico. A intenção da autora é apenas oferecer informações de caráter geral para ajudá-lo em sua busca de bem-estar emocional e espiritual. Qualquer uso das informações contida neste livro é a critério e risco do leitor. Nem a autora nem o editor podem ser responsabilizados por qualquer perda, reclamação ou danos decorrentes do uso, ou abuso, das sugestões feitas ou a incapacidade de seguir o conselho médico.

Índice

Prólogo por Guy Stibal 12
Prefácio 14
Introdução 16
1. Revisando o Trabalho de Sentimentos do ThetaHealing 21
2. Descubra o Sétimo Plano 24
Subindo ao Sétimo Plano 25
O Criador 27
3. A Leitura Avançada 29
A leitura 30
Com suavidade e delicadeza 32
Foco 33
A imagem 34
Verdade 36
A projeção das crenças 39
A projeção da percepção 40
Aceitação consciente 41
Livre-arbítrio e liberdade de escolha 42
4. Cura Avançada 45
Testemunhar a cura do Criador 45
A fusão do curador com o sensitivo 46
O processo da cura 47
Amor incondicional 48
Cura instantânea 49
Curando crianças 50
Crencas e doenças 51
5. A Criação dos Sentimentos 53
Downloads 54

6. Trabalho Avançado de Crenças, Sentimentos e *Digging* (Escavação) 84
Trabalho de crenças 84
Princípios do trabalho de crenças 86
Sistemas de crenças conectados às emoções 89
Trabalho de *digging* (escavação) 92
Programas genéticos e crenças raízes 95
7. Sessões de Trabalho de *Digging* 99
Trabalho de *digging* – Exemplo 1: câncer 99
Trabalho de *digging* – Exemplo 2: procurando um amor 101
Trabalho de *digging* – Exemplo 3: amor, abundância e questões com a mãe 103
Trabalho de *digging* – Exemplo 4: abundância e questões com a mãe 106
Trabalho de d*igging* – Exemplo 5: a deusa egípcia 108
Trabalho de *digging* – Exemplo 6: questões com o pai 109
Trabalho de d*igging* – Exemplo 7: cura 111
Trabalho de *digging* – Exemplo 8: intuição e habilidades intuitivas 113
Trabalho de *digging* – Exemplo 9: pessoas mais fracas se aproveitam para tirar vantagens 118
Trabalho de *digging* – Exemplo 10: abundância 124
Trabalho de *digging* – Exemplo 11: diabetes 131
Trabalho de *digging* – Exemplo 12: rins 133
Trabalho de *digging* – Exemplo 13: abuso 135
Trabalho de *digging* – Exemplo 14: manter uma promessa 142
Trabalho de *digging* – Exemplo 15: amor 145
8. Os Sete Planos da Existência 151
Conectando-se com os planos 153
9. O Sétimo Plano 157
Entendendo o Sétimo Plano 157
Curando a partir do Sétimo Plano 159
10. O Sexto Plano 160
Chamando pelas Leis 160
Curando a partir do Sexto Plano 161
Vórtices do Sexto Plano 162
11. O Quinto Plano 165
Filhos dos mestres 169
Curando a partir do Quinto Plano 172
Proteção e orientação dos anjos 174

12. O Quarto Plano 175
O reino do espírito 181
Curando a partir do Quarto Plano 181
Espíritos e antepassados 183
13. O Terceiro Plano 186
Vivendo em todos os planos 187
Curando a partir do Terceiro Plano 187
14. O Segundo Plano 188
Espíritos da natureza – elementais 193
Vivendo em harmonia com o Segundo Plano da Existência 195
15. O Primeiro Plano 198
A vida no Primeiro Plano da Existência 200
Cristais e pedras de cura 203
16. Curando com os Planos 208
A estrutura da vida nos planos 209
Utilizando os planos para curar 212
17. Memórias Flutuantes 215
18. Enviando Amor ao Bebê no Ventre 218
Concepção 218
Exercício de "Enviar Amor ao Bebê no Ventre" 219
19. Curando a Alma Partida 221
Curando a alma partida 224
20. O Canto do Coração 227
O tom do coração: o canto do coração 228
21. Trabalho de Limpeza e de Crenças em Materiais Não Orgânicos 232
22. Manipulando o Tempo 234
23. Lembrando Seu Futuro 236
24. Tempo Divino 238
Iniciações e portas da morte 239
25. Crenças, *Downloads* e Sentimentos 242
26. Pré-requisitos para o DNA 3 275
27. Frases de Vianna 280

Posfácio por Guy Stibal 282
Sobre a Autora 284
Sobre os Tradutoes 285
Informações Adicionais 286

Prólogo

Eu sou uma testemunha viva da pureza deste trabalho. Essa informação veio por meio de conversas com o Criador, de milhares de leituras e curas, sem mencionar a interação de Vianna com seus alunos e instrutores da técnica durante anos de aulas de ThetaHealing®. A formulação das ideias e dos processos foi espontânea e nunca concebida por abuso de informações de outras modalidades de cura energética estabelecidas ou não. As fontes definitivas e recursos usados no ThetaHealing estão disponíveis para todos que desejam conhecê-los.

O ThetaHealing nasceu em uma comunidade conservadora dos Estados Unidos e tornou-se uma modalidade de cura em todo o mundo. Levando-se em conta os desafios consideráveis que experimentamos desde sua concepção, estou constantemente admirado em ver como triunfou. Contra todas as probabilidades, ele realmente se tornou uma luz na escuridão, um presente do divino.

Existem muitas pessoas, cada uma a seu modo, que têm contribuído para que o ThetaHealing seja a modalidade de cura energética que se tornou. São os clientes, estudantes, praticantes e instrutores certificados que, em graus variados, fizeram contribuições que não podem ser negadas. No entanto, não importa quantas pessoas foram envolvidas no ThetaHealing, não importa quantas pessoas tenham tomado estes ensinamentos para si mesmos, o fato inevitável ainda permanece que tudo veio da determinação, da coragem e da pura fé de uma pessoa: *Vianna.*

Tendo testemunhado o desenvolvimento em primeira mão, posso confortavelmente dizer que eu nunca tinha visto tal verdade, fé e determinação em um ser humano como tenho visto em Vianna. Para mim, é por isso que ela é a líder amorosa do ThetaHealing e a única pessoa qualificada a ser assim. Acredito que é por isso que a informação vem por intermédio dela. Muitas pessoas amam a Deus, mas tenho visto poucos que estão na luz e na presença do divino com a convicção de que Deus o Criador é *verdadeiro*.

O conteúdo deste livro vem das experiências visionárias e físicas de Vianna. É oferecido como um guia para desenvolver habilidades curadoras da mente por meio do Criador de Tudo o Que É. O restante cabe a você e a suas crenças.

Guy Stibal

Prefácio

ThetaHealing Avançado é um livro que complementa os livros *ThetaHealing*,* e *ThetaHealing: Diseases and Disorders*. No primeiro livro, *ThetaHealing*, explico o passo a passo dos processos de leitura, cura, trabalho de crenças, trabalho dos sentimentos, escavação (*digging*), trabalho dos genes, e ofereço uma introdução aos Planos da Existência e informações adicionais ao iniciante. Este livro oferece um guia detalhado para o trabalho de crenças, de sentimentos e para a técnica de escavação e novas perspectivas para os Planos da Existência e as crenças que acredito que são essenciais para a evolução espiritual. Nele não se incluem todos os processos específicos do ThetaHealing com passo a passo, embora seja necessário chegar a um entendimento desses processos, a fim de utilizar plenamente este livro.

ThetaHealing é um processo de meditação que cria a cura física, psíquica e espiritual usando as ondas cerebrais *Theta*. Ao permanecer em um puro e divino estado mental Theta, somos capazes de nos conectar pela oração focada com o Criador de Tudo o Que É.

Há uma exigência absoluta ao uso dessa técnica: você deve ter uma crença central no Criador. Como você o nomeia não tem tanta importância – percebo que o Criador tem muitos nomes diferentes: Deus, Buda, Shiva, Deusa, Jesus, Javé e Allah são todos correntes de liderança em um fluxo em direção ao Sétimo Plano da Existência e Energia Criadora de Tudo o Que É. O ThetaHealing não tem filiação religiosa, tampouco seus processos são específicos para qualquer idade, sexo, raça, cor, credo ou religião. Qualquer pessoa com uma crença pura em Deus ou na força criadora pode acessar e usar os ramos da árvore ThetaHealing.

O Criador nos deu o conhecimento fascinante que você está prestes a receber. É uma compilação de informações dos cursos DNA

*N.E.: Obra publicada pela Madras Editora.

Avançado, o *Manual Avançado DNA* 2 e de gravações. É a introdução ao DNA 3.

Mesmo que eu esteja compartilhando esta informação com você, não aceito qualquer responsabilidade pelas mudanças que possam surgir de seu uso. Essa responsabilidade é sua, a responsabilidade que você assume quando percebe que tem o poder de mudar sua vida, bem como a vida dos outros.

Introdução

Olá, eu sou Vianna.

Em uma noite escura sem lua de 2003, eu estava dirigindo pela estrada em um longo caminho do trabalho até a minha casa de campo. De repente, tive a mais incrível epifania. Percebi que tinham se passado nove anos desde o início da minha jornada com o ThetaHealing e eu havia percorrido um longo caminho. Durante esses nove anos, eu havia feito milhares de leituras e curas, ensinado inúmeros cursos e escrito livros sobre a técnica ThetaHealing. Mas eu tinha aprendido uma verdade inegável: ainda tinha muito a aprender.

Dirigindo por daquela estrada solitária ao longo do Rio Snake, ouvi a voz do Criador me dizendo que eu tinha terminado meu trabalho de aprendizado de nove anos e estaria entrando em um período de três anos para ser professora. A mim seria ensinado o ThetaHealing para estudantes avançados, a preparação para o DNA 3. Isto me assustou um pouco, porque, cada vez que novas informações do ThetaHealing chegavam a mim, aconteciam grandes mudanças em minha vida. No entanto, eu me acalmei e disse: "OK, Deus, do que se trata o DNA 3?".

Foi-me dito que o DNA 3 envolveria o conhecimento de como se mover e mudar a matéria orgânica e não orgânica, bem como a forma de trabalhar com as mitocôndrias para criar curas instantâneas. Eu já tinha experimentado manifestações e curas instantâneas com outras pessoas próximas a mim, então isso não me surpreendeu.

Foi-me dito que, quando cem pessoas entendessem a informação avançada, a implementação de seus conceitos seria muito mais fácil, assim como a capacidade de fazê-la se espalharia através da consciência coletiva da humanidade. Eu saberia quando verdadeiramente cem pessoas o entendessem; e, quando mil pessoas acreditassem, conhecessem e vivessem isso, o conhecimento avançado por si só se espalharia ao longo de nossa consciência coletiva e despertaria nossas habilidades latentes.

Foi-me dito: "Primeiro você acredita nos conceitos, então você os conhece, e, depois, você os vive. A informação avançada abrirá caminhos neurais que nunca tinham sido acordados antes".

Ao ouvir isso, não pude fazer nada, mas pude desejar que os desafios mundanos do meu cotidiano fossem mais parecidos com os do meu trabalho. Fazendo leituras e curas e estando dentro do corpo humano era onde eu estava mais confortável, movendo-me em torno das células e ossos no estado de êxtase de Theta. Era quando eu estava *fora* do corpo lidando com o estresse diário que as coisas se tornavam estranhas.

Em resposta a este desejo, o Criador explicou:

Vianna, dentro ou fora de Theta, dentro ou fora do corpo, é tudo a mesma coisa. Quantas pessoas pensam sobre as funções do corpo e como funcionam seus sistemas internos? A qualquer momento existem numerosos impulsos elétricos do cérebro para o resto do corpo que lhe dizem para respirar, crescer, sentir fome, digerir o alimento e todos os demais atos inconscientes que continuam. Da mesma maneira, o cérebro e a alma estão conectados ao sistema nervoso gigante da Terra. A Terra, por sua vez, está conectada ao sistema nervoso do Universo, nosso infinito corpo "exterior". Essa ligação externa para o Universo é semelhante à conexão interna para nosso corpo. Podemos efetuar mudanças no Universo, fora do nosso espaço, da mesma maneira como fazemos internamente. A razão pela qual isso não está acontecendo hoje é porque centenas de crianças foram criadas com as crenças de que tinham limitações. E aceitamos essas limitações dentro, ao redor e através do DNA nos níveis espiritual, mental, emocional e físico.

Foi nesse momento que comecei a ter uma compreensão mais profunda do plano do Criador para a informação do ThetaHealing e como era para ser retransmitida e implementada.

Você vê, quando me foi dado o trabalho de crenças e de sentimentos, me foi mostrado que todos nós temos a capacidade de dissolver as nossas limitações e estar verdadeiramente ligados à Divindade que está dentro de todos nós. Entendi isso como uma forma que nos tomou séculos para coletar essas limitações, ou "programas", nos níveis físico, emocional, mental e espiritual. Sem um meio de libertá-los, levaria séculos para nos livrarmos deles. No passado, foi assim que evoluímos – nível por nível, de geração em geração e vida após vida. Só evoluímos um pouco durante cada vida para que pudéssemos entender tudo que a vida tem a nos dar. Mas agora, pela *evolução espiritual*, percebi que estávamos desenvolvendo a capacidade de olhar além dos limites de nossa realidade e nos abrir para outros aspectos da criação. Estavam nos dando uma maneira de eliminar *nesta vida* os sistemas de crenças que já não nos servem.

Agora sei que todos temos a oportunidade de alcançar um novo estágio de desenvolvimento em que nos serão dadas as chaves para destrancar as comportas da represa que têm impedido o nosso "carma" de avançar. Nossa genética, doenças, programas de infância, influências energéticas e questões da consciência coletiva têm impedido a todos de desenvolver nosso pleno potencial como cocriadores com o Criador de Tudo o Que É. Mas agora podemos evitar ser afetados pelas escolhas de nossos antepassados e até mesmo pelas influências de nossas vidas do presente dia. É hora de começar a usar nosso poder como centelhas divinas de Deus.

Neste livro, apresento a vocês o ThetaHealing Avançado, que tem sido ensinado desde 2003 e é a preparação para o curso DNA 3. A regra de ouro do ThetaHealing Avançado é ter cuidado com este trabalho. Uma vez que suas habilidades intuitivas estejam desenvolvidas, é imperativo que esteja consciente das formas de pensamento que você projeta enquanto em um estado Theta. Por isso é importante usar o trabalho de crenças para remover e substituir programas negativos, além de "baixar" os sentimentos do Criador para trazer você para um lugar de pureza em seus pensamentos.

Sua mente é incrível. Ela move seu corpo com impulsos elétricos. Com essas técnicas, você irá aprender a usar os impulsos elétricos que movem as coisas *fora* do corpo também. Você deve também desenvolver a sabedoria para usar suas habilidades sem medo e saber a diferença entre suas emoções e a *verdade*.

A maioria dos alunos e instrutores que estão fazendo um trabalho Theta são pessoas maravilhosas. Entretanto, ocasionalmente pode haver um indivíduo que é desequilibrado ou excessivamente egoísta; a vida pode simplesmente se apresentar assim. Essa é uma das razões para apresentar as informações avançadas. Essa informação é destinada a classificar as pessoas que deveriam estar fazendo o trabalho Theta daquelas que não devem.

Lembre-se sempre, o *livre-arbítrio* é um dom maravilhoso, mas não se deve interferir no *livre-arbítrio* de outra pessoa.

Em 2002, tive um sonho que agora vejo que tinha a ver com este assunto. No sonho me foi dada a tarefa de proteger um bebê. Havia um mistério envolvendo essa criança. No começo, pensei que alguém estava tentando matá-la, já que todos que chegavam perto dela eram cortados em pedaços. Entrei na sala no justo momento em que algo terrível estava acontecendo com alguém e percebi que a causa era o bebê. Você vê, ele tinha um poder psíquico muito descontrolado; assim, qualquer pessoa que o deixasse com raiva ou chateado era fatiada. Aquele bebê era um símbolo de nossas habilidades psíquicas descontroladas, de nosso mau uso e ignorância dessas habilidades; o mesmo acontece à pessoa que vive amaldiçoando a qualquer um que cruze seu caminho. A criança era incrivelmente intuitiva, mas não tinha ganhado sabedoria juntamente com o poder. Não tinha tido tempo para desenvolver a sabedoria.

A moral dessa história é que, se você tem o poder sem a sabedoria, é possível utilizá-la incorretamente. Neste tempo e espaço, muitas pessoas têm programas de crenças que irão levá-las ao mau uso das habilidades que vêm com ThetaHealing. Esses programas podem ser mantidos em diferentes níveis de crenças. Para algumas pessoas, os programas de autossabotagem existem em um nível inconsciente. Em outros casos, o ego negativo de um praticante pode estar limitando seu desenvolvimento como um ThetaHeale®. Equilíbrio é a chave para se tornar um curador intuitivo utilizando o trabalho de energia. Se o curador é desequilibrado, é possível que as leituras e curas não sejam eficazes.

O amor incondicional também deve ser projetado nas leituras, nas curas e nos ensinamentos deste trabalho. Se você não amar verdadeiramente as pessoas que você está curando, elas podem sentir isso. Se você olhar no íntimo e descobrir que não gosta de certas pessoas, talvez deva utilizar o trabalho de crenças até ver a *verdade* sobre as pessoas, e ainda aceitá-las e amá-las pelo que elas são. Podemos reconhecer traços nos outros que achamos irritantes, mas é com a maestria desses traços dentro de *nós* que iremos superar o círculo interminável de competição no mundo. Liberando as crenças raízes e aceitando os sentimentos essenciais do Criador é que você se libertará.

Bem-vindo ao ThetaHealing Avançado!

A própria natureza da vida pode ser percebida como pura energia. Os Sete Planos da Existência são a dança e o círculo dessa energia. Essa energia divina é interminável, simplesmente muda de forma através das diferentes frequências de vibração. Nenhum plano de existência é mais importante do que outro. O objetivo é tornar-se equilibrado com a energia de cada plano através do Sétimo Plano do Criador de Tudo o Que É, o espírito universal que anima e liga todas as coisas na existência.

O propósito deste livro não é só explicar isso, mas focar a energia que traz os melhores e mais rápidos resultados e mostrar que o que é criado pode ser "descriado" e, depois, recriado novamente.

ThetaHealing Avançado é a compreensão da natureza espiritual dos átomos e do conhecimento de que somos seres magníficos criando a realidade.

1

Revisando o Trabalho de Sentimentos do ThetaHealing

Neste livro, você irá aprender a curar a partir do *Sétimo Plano da Existência*. Essa é a *essência de Tudo o Que É*.

Você também saberá mais detalhes sobre todos os planos, como eliminar juramentos, votos e compromissos que não estão mais lhe servindo e como curar as almas partidas.

Você trará sentimentos que pode nunca ter experimentado antes. Abrirá um espaço na mente que é desperdiçado guardando emoções negativas aleatórias, como raiva, vingança, ressentimento, tristeza, agressividade, ciúme, inveja e amargura. Isto irá permitir que você utilize mais energia, para alcançar curas mais rápidas, para a evolução da espécie humana e para se conectar ao divino.

Antes de começar este livro, por favor entenda que você é responsável por suas próprias decisões e por sua própria vida. Os conceitos estabelecidos aqui são maravilhosos e irão ajudá-lo a crescer, mas não podem ser usados para substituir o livre-arbítrio de outra pessoa. Não importa quem você seja, não importa o que você pensa, a verdade é que estamos *todos* aqui para aprender pela experiência e que *todos* temos o livre-arbítrio. O livre-arbítrio é uma Lei do Universo. Ela apenas é. Se você está lendo este livro com outras ideias em mente, então talvez essa informação não seja para você. Qualquer pessoa que usa este trabalho e abusa dele deve entender que existem outras Leis que estão conectadas ao livre-arbítrio, como a Lei da Verdade e a Lei da Justiça. Para quebrar uma Lei como livre-arbítrio significaria estar em oposição direta à Lei da Verdade e à Lei de Justiça. Todas as Leis trabalham sinergicamente uma com a outra para incrementar os atributos que são inerentes a cada Lei individual. Isso é algo essencial para ter em mente quando você realizar este trabalho.

◊◊◊◊◊

Em 2003, foi-me dito que haveria um curso de ThetaHealing chamado DNA 3. A fim de avançar para este curso e compreender e utilizar as informações, os alunos precisariam de certos *downloads* (sentimentos que talvez nunca tivessem conhecido) do Criador de Tudo o Que É. Estes *downloads* foram oferecidos no que veio a ser chamado de curso de ThetaHealing Avançado e estão nesta obra. Este livro ensina você a "baixar" esses sentimentos em si mesmo, acessando a mais alta definição deles do Criador de Tudo o Que É. Entendo que muitos de vocês já tenham alguns destes sentimentos e crenças, e é possível que não experimentem mudanças estremecedoras ao baixá-los. No entanto, compreender corretamente esses sentimentos pode criar mudanças positivas em sua vida.

Assim é como acreditamos que funciona: a partir do instante da concepção até o presente momento, as nossas células têm sido treinadas a saber o que esperar em termos de mensagens que entram através de seus receptores. Toda célula tem receptores. Eles estão lá para receber nutrição, hormônios e comunicação. Elas agem como pontos de recebimento de ancoragem e distribuição, assim as células podem funcionar.

As células também foram treinadas por mensagens *emocionais* enviadas a elas desde muito jovens. Se você cresceu em um lar em que a maioria da família era cronicamente deprimida, por exemplo, você pode ter receptores que são projetados a fazer com que você seja cronicamente deprimido. Por isso, à medida que você envelhecer, eventualmente se criará uma situação em que as células do corpo não irão se sentir normais, a menos que você esteja deprimido. Na verdade, você não pode se sentir normal, a não ser que fique deprimido com algo pelo menos uma vez por dia. Nessa situação, o corpo foi treinado para estar cronicamente deprimido pela influência de membros da família.

A fim de ajudar uma pessoa com depressão usando ThetaHealing, podemos utilizar o trabalho de crenças, como expliquei no meu primeiro livro. No entanto, retirar a crença de "Eu estou deprimido" e substituí-la por outro programa não pode limpar a questão. É aqui que o trabalho dos sentimentos entra. O que deve ser feito neste caso é ensinar o corpo a *viver sem depressão* da melhor e mais elevada forma. Isto retreina os receptores a fechar as minúsculas portas que permitem que mensagens para a depressão entrem e abram novos caminhos na célula para emoções e sentimentos benéficos. Quando você insere um novo programa de sentimento, esses novos caminhos receptores serão criados ao mesmo tempo. Então agora a célula entende como viver sem depressão. E alterações nas células são registradas no DNA; por isso, quando a célula se reproduz, a nova célula também terá novos caminhos.

Da mesma forma que alteramos os receptores nas células com o trabalho de sentimentos, quando introduzimos um novo conceito ou modificamos uma determinada crença, novos circuitos neuronais são criados no cérebro. O cérebro é um transmissor eletromagnético biológico e um receptor de informações – uma característica que nos permite aprender. Por exemplo, se você liberar o programa de crença de que você é feio e substituí-lo pela crença de que é bonito, os neurônios seguirão um novo padrão. No entanto, primeiramente você deve entender qual é a *sensação* de ser bonito.

Na maioria dos casos, a *técnica de escavação* (*digging*) deve preceder as inserções de sentimentos ou a liberação dos programas. Essa técnica nos permite compreender quais conexões neuronais precisamos mudar. Então temos de ter certeza de que podemos mudar quaisquer padrões associados que possam interferir com o novo conceito. Em meu primeiro livro, discuto o escavar (*digging*) para encontrar as crenças raízes. Neste livro, darei uma explicação mais aprofundada do processo.

Usar a técnica da escavação não significa pedir ao Criador para mudar e pronto. Isso implica uma conversa com o cliente; o simples fato de falar sobre o assunto o libertará de parte de sua questão. Será, na realidade, trazer os programas para a luz da mente consciente a fim de serem liberados espontaneamente. O ponto-chave está na interação cliente-profissional, mas o cliente não deve se concentrar muito na ideia de que seu cérebro está sendo reprogramado ou que o subconsciente pode tentar substituir o novo programa por um antigo.

Quando você encontrar um novo programa ligado a um receptor, peça ao Criador tanto para retirá-lo, substituí-lo ou simplesmente apagar alguns de seus aspectos. Nunca substitua programas sem o discernimento adequado. O que pode a princípio ser percebido como um programa negativo pode, na verdade, ser benéfico. Os programas não devem ser liberados de forma aleatória.

Ensinar o subconsciente a se comportar de outra maneira não é uma ideia nova para mim. Muitas pessoas usam diferentes processos, tais como ler a mesma coisa por 30 dias, para mudar a mente subconsciente. No ThetaHealing, no entanto, acreditamos que as mudanças são quase instantâneas. Crenças são retiradas, enviadas ao Criador, substituídas por novos programas e sentimentos instalados a partir do Criador, e pronto. Acreditamos que por meio do trabalho de crenças e sentimentos é possível fazer mudanças físicas para o corpo e curar doenças. Tenho visto muitas mudanças de vidas simplesmente por meio do *download* de sentimentos do Criador.

2

Descubra o Sétimo Plano

Nos cursos de ThetaHealing, enquanto ensino as pessoas, observo-as não somente no sentido físico, mas também no sentido espiritual divino. Uso a percepção visual intuitiva que me permite ver para onde direcionam a consciência ao realizarem os exercícios. Lembre-se, no ThetaHealing nos imaginamos subindo acima de nosso espaço para ativar a onda cerebral Theta, razão pela qual este trabalho funciona. Mas não demorou muito para eu perceber que parecia que cada um estava indo para um lugar diferente.

Durante um desses cursos, uma de minhas alunas, frustrada com seus resultados, perguntou-me para onde *eu* ia para cocriar as leituras e curas. Expliquei-lhe o melhor que pude, mas percebi que o processo tinha se tornado tão natural para mim que aquelas palavras poderiam facilmente não fazer sentido. No entanto, de alguma forma, tive de colocá-lo em palavras. Isso me motivou a sentar e escrever o processo passo a passo, que ficou conhecido como *o caminho para o Sétimo Plano*.

Eu já tinha descrito este processo em meu livro *ThetaHealing*, mas irei descrevê-lo aqui novamente, sabendo que é somente subindo até o Sétimo Plano que você pode ter acesso à energia Criadora de Tudo o Que É. É nesse lugar que a energia da criação existe; assim você pode "descriar" doenças e recriar saúde instantaneamente. É para onde os *ThetaHealers* devem ir e de onde devem curar.

Quando você se imagina subindo para além de seu espaço, para o Sétimo Plano, está deixando para trás seu paradigma pessoal e as percepções limitadas do mundo. Esse processo irá ativar novas conexões em todo seu cérebro e quase virar do avesso sua consciência, permitindo-lhes olhar para tudo à sua volta com clareza.

Subindo ao Sétimo Plano

O Criador deu esse processo para que você pudesse treinar Tudo o Que Você É a se conectar e entender Tudo o Que É. Uma vez que você aprende o processo, irá de forma consistente ao Sétimo Plano e não precisará passar por todo o processo novamente, pois simplesmente reconhecerá que já está lá.

Imagine a energia subindo, vinda do centro da Terra, entrando pela planta de seus pés e alcançando o topo de sua cabeça, formando uma linda bola de luz. Você está dentro dessa bola de luz. Dedique algum tempo a perceber qual é sua cor.

Agora, imagine-se subindo e vá além do Universo.

Agora, imagine-se indo para dentro da luz, além do Universo. É uma luz grande e bela.

Imagine-se subindo através dessa luz e você verá outra luz brilhante, e outra, e outra. Na verdade, existem muitas luzes brilhantes. Continue a subir. Entre as luzes há um pouco de luz escura, mas essa é apenas uma camada antes da próxima luz, então continue.

Finalmente, há uma grande luz dourada e brilhante. Passe por ela. Quando você atravessá-la, verá uma energia, uma substância gelatinosa que contém todas as cores do arco-íris. Quando você entrar nela, verá que muda de cor: essas são as Leis. Você verá todos os tipos de formas e cores.

A distância, há uma luz branca iridescente: é uma cor branco-azulada, como uma pérola. Dirija-se para essa luz. Evite a luz de um azul-profundo, porque ela é a Lei do Magnetismo.

À medida que você se aproximar da luz branca iridescente, avistará uma névoa de coloração rosa. Prossiga até vê-la. Essa é a Lei da Compaixão, que o levará para a luz.

Você verá que a luz perolada tem a forma de um retângulo, como uma janela. Essa janela é realmente a abertura para o Sétimo Plano. Agora, passe por ela. Vá fundo dentro dela. Veja um brilho profundo e esbranquiçado passar por seu corpo. Sinta-o. É uma sensação leve, mas com essência. Você pode senti-lo passando por você; é como se você já não pudesse sentir a separação entre seu próprio corpo e essa energia. Você se torna Tudo o Que É. Não se preocupe. Seu corpo não desaparecerá. Ele irá se tornar perfeito e saudável. Lembre-se de que há apenas energia aqui, não há pessoas nem coisas. Então, se você vir pessoas, vá mais alto.

É desse lugar que o Criador de Tudo o Que É pode executar a cura instantânea a qual você pode gerar em todos os aspectos de sua vida.

Pratique essa forma de ir ao Sétimo Plano da Existência. Isso irá abrir muitas portas em sua mente, estimular os neurônios em seu cérebro e conectá-lo com a energia da criação. Ele não o leva para além do vasto Universo, mas para uma parte interna de seu ser que talvez você nunca tenha experimentado, o seu universo interior. É por isso que algumas pessoas se veem como em uma imagem refletida no espelho quando vão pela primeira vez ao Sétimo Plano.

Você está realmente indo para onde todas as coisas se iniciam. E lá você perceberá que está conectado com *tudo*.

O método de expansão

Outra maneira de chegar ao Sétimo Plano é pelo método de expansão. Mas não se deve experimentar este método até que você já tenha a experiência do primeiro e tenha, portanto, percebido que há energia em torno de você e que você é parte integrante de Tudo o Que É.

> Sente-se em uma cadeira ou sofá confortável e respire profundamente. Imagine que você e a cadeira se tornaram um só, em um nível molecular. Suas moléculas e as da cadeira estão se conectando. Você não está se esticando, mas, sim, conectando suas moléculas, fundindo-se com a cadeira.
>
> Agora imagine que, em um nível molecular, você é uma parte de tudo que há na sala. Expanda-se e torne-se um com o mundo exterior.
>
> Imagine que você é uma parte da região, e então do país onde você está.
>
> Imagine que você é uma parte de toda a Terra; conecte-se com ela, com o solo e com o mar, com todas as criaturas, com todas as nações neste planeta, até que você e a Terra sejam um só.
>
> Imagine que você e o Universo sejam um só.
>
> Imagine que você é uma parte de todas as luzes claras e brilhantes.
>
> Imagine que você é uma parte da substância gelatinosa.
>
> Finalmente, imagine que você é uma parte de uma luz branca iridescente que é o Sétimo Plano da Existência. Torne-se um só com essa luz iridescente.

Respire fundo e abra os olhos. Bem-vindo ao Sétimo Plano da Existência. Pois eis que vocês não estão separados, você é uma parte de Deus – de Tudo o Que É.

Como pegar um atalho

Uma vez tendo passado por esse processo, você descobrirá que é capaz de ir ao Sétimo Plano de maneira instantânea comandando que você está lá. É uma chave que é acionada no cérebro.

Lembre-se, você está indo ao Sétimo *Plano*, não ao sétimo *nível*. Há muitos níveis dentro dos planos de existência e, se você comandar para ir ao sétimo nível, você irá para o Quinto Plano.

Enraizamento

Quando você voltar do Sétimo Plano, trazendo sua consciência de volta a seu espaço, há uma maneira apropriada de *enraizar-se*. É importante que você, mais uma vez, envie sua consciência energética para o centro da Terra, trazendo-a em seguida de volta para seu espaço.

Em uma cura ou leitura, algumas pessoas, depois de enviarem sua consciência ao espaço de outra pessoa, voltam a seu espaço e, antes de se reconectarem a seu corpo, não filtram sua essência através de Tudo o Que É. Quando voltar ao seu espaço, é melhor se conectar ao Tudo o Que É.

O Criador

Muitas pessoas acreditam que o que estão fazendo quando vão ao Sétimo Plano é ascender ao cosmos. O que estão fazendo, de fato, como já foi explicado, é ativar algo *em seu interior*, na energia, no núcleo e na estrutura de um átomo. Este ato é a memória da alma com a qual estamos conectados ao Criador de Tudo o Que É.

Em muitas culturas, o Criador é considerado masculino, ou um deus masculino. Mas, quando você atinge o Sétimo Plano, alcança a energia que cria *Tudo*. Aqui não há masculino nem feminino, apenas a energia da criação que reside em todos nós.

Uma de minhas alunas e professora de ThetaHealing nunca pôde entender o conceito de que o Criador estava em todos os lugares e que éramos todos parte desse Criador. Lembro-me de que fazia de tudo para levá-la até o Sétimo Plano a fim de que ela pudesse compreender. Ela caiu aos prantos, dizendo-me que era muito longe, que o Criador estava muito longe dela. Eu lhe disse: "Uma vez que você chega ao Sétimo Plano e abre os olhos para a energia do Tudo o Que É, você verá um reflexo de si mesma". Porém, durante aquele curso todo que eu estava ministrando, ela nunca chegou a entender o conceito. Nunca se desapegou de suas crenças antigas para se permitir ouvir o que eu estava dizendo.

Parte do objetivo do ThetaHealing é usar o trabalho de crenças para limpar qualquer bloqueio que o esteja impedindo de perceber que você acessa e *é parte* do Sétimo Plano e de Tudo o Que É. Essa é a energia que você precisa entender para utilizar a consciência do DNA 3.

Conexão com o Divino

Também é possível se elevar e expandir sua consciência para se conectar diretamente com o Criador. A melhor maneira que encontrei para fazer isso é a seguinte:

1. Comece abaixo dos seus pés e puxe a energia do centro da Terra,
2. Puxe essa energia para dentro de si mesmo.

Isto abre automaticamente os chacras e ativa a energia da *kundalini*. Com essa energia, a conexão é feita com o Criador de Tudo o Que É do Sétimo Plano da Existência.

É importante que este procedimento seja seguido, porque ele abre os chacras e a *kundalini* ascende de forma segura e correta. Em minha experiência, se a *kundalini* é ativada muito rapidamente, há a possibilidade de criar tensão nos órgãos físicos.

3

A Leitura Avançada

As leituras no ThetaHealing usam as ondas cerebrais Theta, as quais foram descobertas por terem várias propriedades interessantes. Os cientistas descobriram que certas frequências cerebrais (especialmente nas frequências Alpha, Theta e Theta-Gama):

- aliviam o estresse e promovem a redução duradoura e substancial da ansiedade;
- facilitam o profundo relaxamento físico e a clareza mental;
- aprimoram a habilidade verbal e o desempenho verbal do QI;
- sincronizam os dois hemisférios do cérebro;
- trazem o imaginário mental vívido e espontâneo e o pensamento criativo imaginário, reduzem dor, promovem bem-estar e estimulam a liberação de endorfina.

Toda vez que se conectar com o Criador de Tudo o Que É em um estado Theta, você ativa caminhos neurológicos no lobo frontal do seu cérebro. Essa é a parte que é ativada quando você recebe uma resposta placebo. Quanto mais você mantém uma onda Theta, mais desenvolvida se torna aquela parte de seu cérebro, fazendo com que você se sinta um pouco eufórico depois de ter estado em Theta.

Manter a onda Theta pode não ser fácil no início, mas com a prática um praticante avançado ThetaHealing será capaz de manter uma onda Theta com 50 pessoas em uma sala, em uma rua movimentada ou no meio de qualquer tipo de barulho ou caos. Obviamente, é muito mais fácil chegar a um estado divino meditativo em um ambiente pacífico e harmônico, mas nem sempre temos este tipo de luxo. O importante é sermos capazes de usar nossas habilidades intuitivas mesmo em meio à agitação. Nossa mente deve ser treinada a mudar para o estado Theta divino instantaneamente, antes que nossa mente consciente possa nos distrair com medos e dúvidas sobre nossas habilidades.

A leitura

A fim de treinar o cérebro a fazer uma leitura ou uma cura, use o seguinte processo (essa é uma versão simplificada de um processo mais elaborado e extenso que é ensinado ao iniciante no livro *ThetaHealing*):

1. Comece no chacra do coração.
2. Envie sua energia até o centro da Mãe Terra.
3. Traga a energia de volta para seu corpo a fim de abrir os chacras e criar a *kundalini*.
4. Envie a energia para cima e para além de seu chacra da coroa.
5. Passe por todos os planos da existência usando o caminho para Tudo o Que É.
6. Faça a conexão com o Sétimo Plano da Existência e com o Criador de Tudo o Que É.
7. Faça o comando para testemunhar a leitura.
8. Vá para o espaço da pessoa e testemunhe o interior de seu corpo.
9. Quando terminar, mova sua consciência para fora do espaço da pessoa através do chacra coronário, desconecte-se enxaguando-se em uma corrente de água ou luz branca entrando pelo seu corpo através de seu chacra da coroa. Envie sua consciência para dentro da Mãe Terra para se aterrar e puxe a energia através de seu corpo para sua coroa.

Uma vez que este processo se torne algo espontâneo e sincrônico, você não sentirá necessidade de passar mecanicamente pelo passo a passo do processo. Em um momento qualquer, a conexão da energia que parte do centro da Terra será enviada até a coluna vertebral para o chacra coronário. Com essa consciência Theta, você irá passar por todos os planos da existência usando o caminho ao Criador. Então, a qualquer momento, você se unirá com a energia divina do Criador de Tudo o Que É do Sétimo Plano da Existência.

A recompensa do caminho

O caminho serve como um foco para a consciência e é destinado, em parte, para evitar que você se distraia pelo fascínio dos seis primeiros planos de existência. Também, dentro do processo do caminho, há um padrão oculto de ativação que irá estimular seu cérebro e melhorar sua capacidade de realizar leituras e curas.

O uso contínuo do caminho irá ajudá-lo a entender e usar a energia de Tudo o Que É. Isto ocorre porque, cada vez que você sobe para as luzes claras, luzes escuras e através da escuridão para a luz branca mais brilhante, diferentes partes do cérebro são "ligadas" aos sete planos e ao Criador de Tudo o Que É.

Enquanto você se sente subindo para o Criador, testemunhe a ativação de seu lobo frontal, sua glândula pineal, sua pituitária e seu hipotálamo. Uma onda de energia irá enxaguar essas partes do cérebro. Enquanto usa a meditação do caminho, você estará exercitando os "músculos" do cérebro que talvez não tenham sido usados por algum tempo.

Você pode perguntar: "Qual é a recompensa por isso?". O que você está procurando é a recompensa. Você encontrará paz, pureza e uma alegria que não pode imaginar. Estes sentimentos ficarão com você. Então será de sua responsabilidade compartilhá-los com algumas das pessoas a seu redor (porque é bom fazê-lo).

Ascensão

Acredito que, quando subimos ao Sétimo Plano, na verdade estamos indo em uma jornada interior *ao mesmo tempo* em que estamos viajando para o exterior, até as infinidades da Criação. Estamos realizando dentro de nosso próprio cérebro uma jornada pelos neurônios, os mensageiros, e seguindo os caminhos dos circuitos neuronais do corpo para ir profundamente até a energia atômica que reside em cada molécula.

Somos estimulados por uma consciência – a consciência de que estamos conectados a cada molécula, a cada átomo e à energia associada com as partículas subatômicas. Este é o primeiro passo para a ascensão. Será essa consciência interior que nos trará à conclusão de que não temos mais a necessidade da incrível competição que existe atualmente no mundo, e a batalha da dualidade terá um fim. O poder massivo do Universo está dentro de nós, esperando para fundir-se a nós. Uma vez reconhecido esse poder interno, através do acesso da onda cerebral Theta, ele fluirá em direção ao macrocosmo de nossas vidas cotidianas, expandindo-se através dos planos da existência ao imenso macrocosmo do Criador de Tudo o Que É.

O comando

No ThetaHealing, somos ensinados a *comandar* a nossa mente inconsciente a fazer algo. Isto é então testemunhado pela visualização. O que devemos perceber é que, ao fazer esse comando, não questionamos, tanto com a mente consciente quanto com a mente inconsciente, se isso será feito – esse processo remove todas as dúvidas sobre o nosso próprio valor, habilidades ou outra coisa. O comando por si só traz a realização de nossa participação na cura.

No entanto, não devemos perder de vista o que o comando é e não é. Temos de nos treinar para saber a diferença entre um *comando* e um pedido quando nos comunicamos com o divino.

Uma das coisas mais importantes que ThetaHealing nos dá é a habilidade de *comunicação com* o divino – não de *exigir* do divino. Ele não foi projetado para ser usado como uma *lista* dos menores ou mais expansivos desejos do ego.

Além disso, ThetaHealing não se trata de falar *ao* Criador. Trata-se de falar *com* o Criador e *ouvir* o Criador. Essa é a verdadeira comunicação com o divino.

Testemunhar o comando

É por meio do *testemunho* de uma cura ou manifestação que o *comando* realmente funcionará. Existe uma Lei que diz: "*Se não for testemunhado, não acontecerá*".

Percebo que muitos curadores têm uma grande pressa e deixam o corpo antes mesmo de terminarem de testemunhar o processo. Se você não testemunhar o processo como concluído, *não será* concluído.

O enxágue

Ao iniciante é ensinado enxaguar toda a energia residual do cliente com uma corrente de água ou luz branca quando retornar a seu próprio espaço. Porém, quando o praticante avançado tiver chegado ao ponto da verdadeira comunicação, não será necessário enxaguar a energia residual psíquica. Isto ocorre porque as leituras e as curas serão feitas a partir da energia perfeita de Tudo o Que É.

Com suavidade e delicadeza

É desnecessário atuar com gestos físicos ao se tratar de uma onda cerebral Theta focada e filtrada pelo Criador, pois ela é algo muito suave. Tenho visto muitos dos meus alunos revirarem os olhos para trás enquanto fazem leituras ou vibrarem todo o seu corpo como um diapasão. Algumas pessoas até mesmo atuam como se estivessem tendo uma dificuldade em evacuar! Elas estão fazendo muito esforço.

A melhor maneira de entrar no espaço de alguém é adentrar tão suavemente quanto uma pluma flutuando na brisa. Entre como se você fosse *parte* do corpo da pessoa, e não *separado* dele. Os sistemas do corpo têm sua própria sensibilidade, sua própria inteligência. As células do corpo podem sentir que sua consciência está no corpo e, se os macrófagos perceberem-no como uma ameaça, o sistema imunológico pode começar a trabalhar com mais intensidade do que deveria para combater a ameaça de um invasor externo. Então, adentre com mais alta reverência – suavemente, com delicadeza e permissão. Você está entrando no templo sagrado de alguém.

Foco

Quando uma pessoa pede uma leitura, você deve estar focado em sua energia. No entanto, se estiver muito preocupado em estar focado, você pode deixar algo passar. O importante nas leituras é estar focado *e* manter um estado Theta.

Além disso, se você fizer leituras profissionalmente, precisa saber que nem sempre é fácil, porque você está lidando com pessoas e todo mundo é diferente. Tem de haver disciplina. Quando comecei a fazer esse trabalho, mandei para o Universo que o Criador me trouxesse pessoas pelo boca a boca, e eu sempre *ia* trabalhar. Eu ia trabalhar todos os dias e ficava esperando o telefone tocar. Eu me certificava de que havia cumprido minha parte no processo.

Tenho ouvido pessoas dizerem: "Eu não quero fazer leituras hoje. Eu não estou disposta". E então elas se perguntam por que não têm uma clientela consistente. Certifiquei-me de estar disponível e compareci todos os dias, mesmo à noite e aos sábados, se era quando a pessoa podia.

Alguns dos meus alunos iniciantes sentem um medo terrível de estar errados em uma leitura. Posso entender isso. Tenho feito milhares de leituras, mas antes de atender um telefonema ou receber um cliente em uma consulta, meu coração ainda vibra um pouco de nervosismo. Então subo e me conecto ao Criador e tudo fica bem. Sempre sei que, quando entro em Theta, o Criador cuidará de tudo.

Eu não posso dizer a uma pessoa quanto tempo levará até que ela tenha uma comunicação coerente e pura com o Criador. Será diferente para cada um, porque todos temos diferentes sistemas de crenças.

Uma coisa que sei é que, depois de um longo dia de trabalho com vários clientes, sempre haverá aquela pessoa a qual serei grata por me inspirar. Direi: "Criador, gratidão por trazer essa pessoa para mim hoje".

Uma dessas pessoas era uma mulher que estava paralisada em razão de esclerose múltipla. Trabalhamos em seu sistema de crenças e, quando terminamos, era como se ela tivesse me atendido, e não o contrário. Ela não me perguntou "você pode me curar?", mas, sim, "o que tenho de fazer para que o Criador fique orgulhoso de mim?".

Depois de uma leitura inspiradora como esta, tudo volta à sua perspectiva e me sinto durante vários dias elevada por esses sentimentos.

A imagem

A imagem que um cliente tem do praticante Theta é uma das partes importantes de uma leitura. Como praticante, você deve assumir uma *personalidade* de relativa iluminação. É de sua responsabilidade ajudar as pessoas a se aproximarem do divino, e não tirar suas ilusões. Você não pode se dar ao luxo de permiter que os clientes vejam sua vida emocional. Eles têm certas expectativas, e é de sua responsabilidade fazer o seu melhor para viver de acordo com essas expectativas. Aqui estão alguns indicadores:

- Não se torne emocionalmente envolvido no drama/trauma do cliente. Não é bom para você ter um colapso emocional na frente de um cliente! Isto também o impedirá de testemunhar a cura.
- Pergunte ao Criador se é seguro que um cliente possa se tornar amigo íntimo antes de tê-lo assim.
- Haverá momentos em que um cliente virá para uma leitura apenas para desabafar suas emoções. Eles podem até acabar gritando com você. Isto pode rapidamente desequilibrá-lo, mas nove em cada dez vezes não terá nada a ver com você.
- Como curador, você tem o desafio de se manter bem sob as condições mais adversas. Nunca deixe que o cliente o veja suar. No final do dia, você deve estar de volta a seu corpo, enraizado, limpo de negatividade e de bom humor. Para cuidar dos outros, você tem de primeiro cuidar de si mesmo.
- Mesmo sem saber, você pode estar tratando alguém da mesma maneira que seu subconsciente negativo o esteja projetando. Em pensamentos e atos, em palavras e ações, todos devemos tratar os outros com gentileza. Para isso, é importante que se saiba a diferença entre nossos sentimentos, programas e crenças, e os dos outros.

Escutando o divino

É importante desenvolver a capacidade de ouvir "além de seu ego". Aprenda a ouvir como curar alguém, como ouvir a verdade e como ouvir a explicação do Criador.

Ouvir os pensamentos de alguém pode ser difícil, particularmente se eles estão pensando que odeiam sua coragem! Pórem, se você pode dizer para si mesmo "eu posso amá-los de qualquer maneira", isso faz uma grande diferença, pelo menos na maioria das vezes.

Confidencialidade

Sempre que possível, mantenha os assuntos confidenciais secretos e sagrados. Não cite nomes ou comece uma fofoca. Se você vir que alguém está em perigo, algumas vezes não haverá muita coisa que possa fazer. Nessas situações, você tem de deixar o Criador direcioná-lo.

Beatice

Pode ser desafiador evitar que sua própria ética se envolva em uma leitura. Acredito que, quando as pessoas compartilham segredos como "eu estou tendo um caso com fulano de tal" ou coisas desse tipo, não é minha função vê-lo como errado. Subo e peço ao Criador a verdade da situação. Minha opinião de fora seria de que, sempre que você machuca alguém, você comete um erro, mas não trago essa opinião para uma leitura.

Verdade, afinal, não é proferir e dizer ao cliente: "Eu posso ver que você está tendo um caso", porque honrar a verdade do outro também é importante. Quando faço leituras, às vezes peço às pessoas para me fazerem perguntas. Desta forma, não tenho de falar sobre coisas que elas não queiram que eu descubra.

"Por quê?"

Como praticantes, achamos que devemos entender por que algo é do jeito que é em uma leitura. No entanto, não é necessário se envolver no drama emocional da história de uma pessoa. Como eleitor, somente compreenda que algo apenas "é", em vez de perguntar *por que* é. Como curador, entenda que a doença "é" e precisa ser mudada. Se um componente emocional está causando a doença, então a crença precisa ser liberada ou um sentimento, instalado. Mas não se torne emocionalmente apegado às causas da doença.

Por exemplo, se a causa emocional da doença está relacionada à dor de uma ex-esposa (ou ex-marido) traída(o), não há necessidade de você tentar entender por que a ex-esposa ou o marido traiu, apenas saiba que eles fizeram. Simplesmente mude os programas associados à ex-esposa ou marido. Nem tudo nem todos farão sentido para você como curador.

Verdade

Em uma leitura, sempre peça pela mais alta verdade. Basta dizer ao Criador: "Mostre-me a mais alta verdade". Se você subir para se conectar e a energia à qual você se conecta tem um sentimento de caos, medo ou raiva, ela provavelmente não é a verdade pura. A mais alta verdade tem um sentimento de calma.

Por exemplo, digamos que você esteja em uma parte perigosa da cidade e receba uma mensagem que calmamente lhe diz: "Hora de ir embora!". Se você se sentir claro e calmo sobre a mensagem, ela será com certeza a verdade.

A verdade é realmente curiosa. Uma verdade é que existem coisas terríveis no mundo e, se você for um bom intuitivo, verá as coisas ruins, bem como as boas. Quando você começar a ver a verdade real sobre as pessoas, talvez nunca queira trabalhar com alguém novamente! Você talvez precise aprender desde o Criador a como amar uma pessoa apesar do que você vê. Cada um é produto de sua genética e das informações com que cresceu. *Se você pudesse ver a verdadeira e completa divindade de uma pessoa, não a julgaria, nem a criticaria.*

Se alguém vem para uma leitura e você consegue perceber que essa pessoa está desequilibrada, será difícil ver a verdade dela. Você a manda embora? Você fala a sua verdade e lhe diz o que você acha? Ou você a ajuda gentil e calmamente? Isso seria sábio? Ela é perigosa? Todas essas questões entrarão em sua mente. E, claro, a verdade é que as pessoas desequilibradas precisam de ajuda como qualquer outra pessoa, desde que você não corra perigo pessoal com elas.

Uma vez que você começa a fazer esse trabalho e conversa com o Criador, também terá de tomar cuidado com o ego humano – o seu próprio e o dos outros. O ego não interferirá se você estiver ciente de que é o Criador que faz o trabalho e quem lhe permite testemunhar o trabalho. Isso tira um pouco da sua responsabilidade, quando uma pessoa vem até você e diz: "Você é minha última e única esperança". Nesse caso, é hora de dizer para ela: "O Criador pode te curar, e rezarei por você". Isto manterá seu ego fora do processo.

Investigue-se e veja se você precisa dos seguintes sentimentos sobre a verdade:

"É seguro ver a verdade."

"Eu sei qual é a sensação da verdade."

"Eu compreendo a verdade da realidade de outra pessoa."

"Eu sou capaz de discernir a mais alta verdade através do Criador de Tudo o Que É."

Discernimento da verdade: de onde estão vindo seus pensamentos?

As pessoas sempre supõem que o Criador fala comigo sem parar e que sei o que fazer o tempo todo. No entanto, ainda tenho pensamentos aleatórios que vêm em minha mente e tenho de discernir se eles são provenientes do Criador ou são simples formas de pensamentos flutuantes.

O que você deve saber é que a mente processa milhares de pensamentos o tempo todo. Na verdade, meu marido, Guy, diz que não é justo lutar contra seus *pensamentos*, porque são apenas pensamentos aleatórios que passam por sua mente. É verdade que você cancela certos pensamentos, mesmo quando eles passam por sua mente e você não age na maioria deles. É por isso que você tem de estar focado e separar o que é do Criador e o que não é... para isso, é preciso um pouco de prática. Outra complicação é que às vezes as pessoas começam a ouvir diferentes guias espirituais, e cada guia tem sua própria opinião.

Você também deve perceber se está captando os pensamentos da pessoa com a qual você está fazendo uma leitura. Em alguns instantes, você pode pegar o maior medo dela. Uma coisa que as pessoas não compreendem é que não há segredos em uma leitura, pelo menos não com um bom intuitivo. Acho divertido quando os clientes vêm para uma leitura e em seguida tentam se proteger. Se eles lhe derem o consentimento verbal e depois tentarem bloqueá-lo, isso só vai facilitar ainda mais a leitura de seus pensamentos.

Na verdade, não há tal coisa como segredo no Universo. Se você assume isto e vive sua vida sabendo que todos no mundo podem ver sua alma, isso definitivamente mudará a maneira como você vive. Acredito ter mudado a maneira na qual eu vivo.

Como praticante Theta, é importante treinar a mente para discernir. Certifique-se de que é capaz de distinguir entre o que vem do Criador de Tudo o Que É e o que está vindo de outras pessoas, sem se fechar para outras vibrações importantes, nem sobrecargar sua mente.

Pergunte sempre: "Esta é a verdade do Criador?"

Um bom exemplo disso foi quando meu cunhado veio me visitar. Ele teve problemas com o câncer e no momento estava piorando. Quando ele entrou na sala, o primeiro pensamento que me veio à mente foi: "Oh, o câncer está em toda parte!". Esse pensamento não era meu, estava emanando dele. No entanto, atingiu-me como uma onda no mar, e momentaneamente entrei em pânico absoluto – pelo menos até eu subir e perguntar ao Criador qual era a verdade. Foi-me dito que o câncer não estava "em todos os lugares", mas localizado em um lugar. Isso mais tarde foi confirmado pelos médicos dele. Eu havia captado seu medo, e não a verdade.

A verdade do Criador

Em uma leitura, você perceberá a verdade de uma pessoa (a verdade que ela criou para si), mas a verdade do Criador pode ser diferente.

Muitos anos atrás, antes de conhecer Guy, eu estava em um relacionamento com uma pessoa com quem eu não era compatível. Permaneci nessa relação porque temia a mudança; e, porque a situação era potencialmente inconstante, eu estava hesitando colocar um fim definitivo no relacionamento.

Durante esse tempo, estive conversando com Deus. Minha verdade sobre a situação e a do Criador eram bem diferentes. A verdade do Criador era: "Essa pessoa entrou em sua vida e você permitiu que ela pisasse em você. Você ainda está permitindo que ela tire vantagem de você. Você poderia ter dito 'não' ou lidado com a situação de muitas formas, mas na realidade, Vianna, você permitiu que isto acontecesse". Foi um bom drama.

Admitir para eu mesma que não era feliz e que queria a mudança era mais do que eu poderia lidar no momento. Eu simplesmente não podia fazer isso e inventava desculpas para a situação. No entanto, a verdade do Criador era: "Você já terminou com isso? Você quer mudar? Gostaria de saber como? Você precisa libertar-se de quaisquer obrigações com essa pessoa. Mude seu sistema de crenças, e essa pessoa desaparecerá de sua vida".

Para ser honesta, eu não sabia como me deixar ser amada em qualquer um dos meus relacionamentos antes de conhecer Guy. Eu era esperta o suficiente para sair daqueles relacionamentos e também tinha um programa definitivo de que eu *tinha* de deixá-los antes de encontrar meu homem de Montana. Talvez tivesse escolhido pessoas das quais eu sabia que poderia me afastar. Quando fiquei com Guy, pude realmente me ver sentada em uma cadeira de balanço e envelhecendo com ele. Finalmente tinha encontrado alguém com quem poderia me imaginar estando junto pelo restante de minha vida. E o trabalho de crenças foi formado justamente quando o conheci.

Acredito que, à medida que desenvolvemos, nos reunimos com nossas famílias de alma no tempo divino.

Acredito que parte de nossa verdade divina é estar junto a essas famílias e trabalhar em nossos sistemas de crenças.

Acredito que estamos aqui para nos conectar à energia do Criador e *aprender*. Essa é realmente a coisa mais importante – aprender algo maravilhoso com esta existência. Tenho aprendido muitas coisas maravilhosas com diferentes pessoas em minha vida.

Se você está tendo dificuldades em seu casamento ou relacionamento, faça o teste energético para os seguintes programas:

"Tudo bem eu ser amado."
"Eu sei que é seguro ser amado."
"Eu sei qual é a sensação de ser feliz."
"É errado ser feliz."
"É egoísta ser feliz."
"Se estou feliz, algo ruim vai acontecer."
"Se eu me aproximar de alguém, ele(a) irá me machucar."

Enquanto você se concientiza desses programas negativos, lembre-se de que alguns deles o têm ajudado a sobreviver e até mesmo progredir. Não se sinta sobrecarregado, dizendo: "Eu tenho tanta *coisa* para trabalhar". Em vez disso, pense: "Tenho muito a trabalhar, mas sei que quando terminar serei uma pessoa melhor. Compreenderei por que tenho esses sistemas de crenças e saberei como mudá-los".

A projeção das crenças

Uma das coisas mais importantes a serem evitadas em leituras é projetar suas crenças em alguém. Por exemplo, se você está tendo problemas com seu companheiro, pode estar tão emocionalmente desequilibrado por sua própria situação que acaba pensando que *todo mundo* está tendo problemas em seus relacionamentos.

Aprendi como é fácil esse tipo de coisa acontecer por meio de um jovem que fez leituras em meu consultório. Ele era gay e começou a dizer a muitas das pessoas nas quais estava fazendo leituras que elas também eram gays. Estava muito em seu próprio mundo e queria que todos fossem como ele. Ele se colocou no propósito de dizer a todos que estavam intrinsecamente atraídos pelo mesmo sexo.

Fui primeiramente alertada pelo seu comportamento quando uma de suas clientes deixou isso escapar. Ela estava casada há 28 anos, mas me disse que tudo estava desmoronando em sua vida porque tinha acabado de descobrir que era homossexual. Perguntei por que achava isto, e ela me disse que o rapazinho tinha lhe dito em uma leitura que ela era definitivamente homossexual e não havia dúvida sobre isso.

Fiquei atordoada que alguém pudesse ter inventado tal mentira em uma leitura. Perguntei-lhe: "Você ama seu marido?".

Ela respondeu: "Claro que amo meu marido".

"Você gosta de ter relações sexuais com seu marido?"

"Sim, gosto de fazer sexo com meu marido."

"Bem, então você não é homossexual, pare de se preocupar com isso."

Depois disso, tive de reparar alguns danos que o jovem havia ocasionado a outras pessoas em suas sessões. Ele se tornou tão inconveniente que tive de pedir-lhe para sair.

É por isso que você deve ser extremamente cauteloso em uma leitura. As pessoas podem estar tão vulneráveis quando vêm para um aconselhamento intuitivo que, às vezes, elas te darão o controle de suas vidas. É de suma importância que, quando você fala a alguém sobre o futuro dele, diga também que *ele* está criando esse futuro, porque às vezes as pessoas criarão o que você disser a elas.

Digamos que você está profundamente em uma leitura com um cliente. De repente, você tem uma daquelas revelações psíquicas e diz à pessoa: "Oh, você não está se dando bem com seu amado".

Já que você viu essa questão profundamente na vida dos outros, é de sua responsabilidade ajudá-los a resolver isto e talvez auxiliá-los a reconstruir seu relacionamento. Nesse momento da leitura, você deve ter muita cautela com o cliente. Eles podem estar dispostos a romper com seus amantes e culparão você.

A situação pode ter chegado a esse ponto porque não são capazes de sentir amor ou interesse pelo outro, ou sentem que nunca serão capazes de satisfazer a pessoa amada como cônjuge. O problema com o relacionamento pode não ter nada a ver com a outra pessoa, mas tudo a ver com a carência de sentimentos do cliente.

Também é muito importante para você como um leitor evitar a projeção de suas próprias emoções em uma situação, *particularmente se você está tendo problemas de relacionamento*. Então é aqui onde o trabalho de crença e sentimento entra na leitura. Deve ser dado ao cliente a opção de aceitar ou negar o sentimento de "eu sei como receber amor". Ao mesmo tempo, se você fizer o trabalho de crenças com eles, pode se dar conta de que eles querem se reconectar com seu cônjuge. Essa escolha cabe a eles. Seu trabalho é ajudá-los a se tornarem emocionalmente estáveis e capazes de tomar suas proprias decisões.

A projeção da percepção

Em pensamentos e atos, em falas e ações, devemos tratar os outros com gentileza. Para fazer isto, é importante intuitivamente saber a diferença entre nossos sentimentos, programas e crenças, e os da outra pessoa.

Programas que nos foram ensinados quando crianças, como "oh, fique longe de mim!", podem ter se tornado projeções de quem somos no aqui e agora. Talvez projetemos esses programas exteriormente em formas-pensamento que podem se manifestar em todos os níveis: espiritual, físico, mental e emocional. Então, em alguns casos, as pessoas nos tratarão de acordo com o que estamos projetando.

A maneira que você percebe e se projeta em um nível consciente não é necessariamente o que você está projetando inconsciente e psiquicamente. Você pode pensar que está bem, mas ainda há alguns programas que foram aceitos enquanto criança flutuando dentro de sua mente inconsciente. Esses programas podem causar perturbações na forma como está interagindo com outras pessoas e na maneira como elas estão interagindo com você.

Em uma leitura, portanto, é importante ter cuidado com as formas-pensamento projetadas a partir do cliente. Mesmo sem saber, você pode acabar tratando alguém da maneira que seu subconsciente negativo está projetando.

O objetivo, obviamente, para todos nós é interagirmos um com o outro a partir do Sétimo Plano. Esse tipo de interação nos eleva para além da competição, do ódio e da inveja, sem mencionar todas as emoções de base inferior que nos impedem de ser Tudo o Que podemos ser com os outros, assim como com nós mesmos.

Devemos aprender a *interagir* em vez de *reagir* em nossos relacionamentos com as pessoas. Se pudermos fazer isso, por meio da mudança na forma como intuitivamente percebemos e enviamos mensagens, podemos mudar o mundo.

Percepção da informação também é um fator importante na compreensão do conhecimento sagrado. Muitos fatores entram em jogo aqui, inclusive a experiência do intuitivo, seu estado presente da mente e seu estado físico, assim como seu desenvolvimento espiritual. Tudo isso afeta sua habilidade de ouvir e discernir o conhecimento sagrado. Um intuitivo deve aprender a afinar suas percepções para que elas possam encontrar a essência da aceitação sem a interferência do negativo, ou até mesmo do positivo, influências que podem bloquear o desenvolvimento.

Aceitação consciente

Deixe-me ser clara sobre outro aspecto de uma leitura. Em uma sessão de trabalho de crenças, você não pode perguntar ao cliente se ele permite que você baixe nele múltiplos programas de sentimentos e crenças;

por sua vez, você tem de obter a permissão verbal para cada programa e crença. Se você se conectar com o Criador e encontrar um sentimento que o Criador lhe diz que a pessoa pode se beneficiar dele, ainda é de sua responsabilidade dizer à pessoa que sentimento é esse, para que ela possa conscientemente aceitar ou recusar essa energia. Você pode até mesmo ir tão longe a ponto de pedir ao Criador possíveis vertentes dos sentimentos, caso a pessoa o aceite.

Programas de crenças e sentimentos não são brinquedos para brincar e depois descartar quando quisermos. Essas essências do Criador são forças de mudança de vida que modificarão a vibração de uma pessoa e não devem ser tratadas levianamente, seja pelo praticante ou pelo cliente. Um praticante que pode arrogantemente pensar que sabe de quais crenças e programas a outra pessoa precisa e, depois, tenta "baixar" essas essências nela sem permissão verbal, é a personificação da presunção.

Nesse caso, também é pouco provável que a mente inconsciente da pessoa aceite essa energia, pois está programada a proteger-se de programas com o qual não está familiarizada. A maioria das influências externas, tais como *downloads* e formas-pensamento, que não são conscientemente aceitas, são automaticamente rejeitadas pela mente inconsciente, no que poderia ser chamado de "reflexo autônomo de sobrevivência". Esse reflexo é projetado para nos proteger de pensamentos e emoções negativas dos outros e nos permitir distinguir entre nossos próprios pensamentos e os de outra pessoa. Em algumas pessoas, funciona tão bem que elas nunca são afetadas pelos pensamentos dos outros. Pessoas que são intuitivas, por outro lado, devem desenvolver a capacidade de compreender toda a informação que está chegando a elas a partir do pensamento dos outros, assim como outras energias "metafísicas".

Independentemente, cada um de nós precisa fazer a escolha consciente se quiser ou não aceitar quaisquer programas e sentimentos, seja lá o que a outra pessoa pense. Por exemplo, eu poderia saber com toda força de meu ser que meu marido precisa do programa de crenças "Eu sei como me expressar" em todos os níveis. Porém, de acordo com a Lei do Livre-arbítrio do Sexto Plano, não posso fazer um *download* nele enquanto estiver em outro lugar e esperar que o aceite em todos os níveis de seu ser. Sua mente inconsciente é programada para rejeitar tais formas-pensamento. Da mesma forma, um praticante Theta não pode colocar a mão sobre um livro de *downloads* e colocar a outra mão no ombro de uma pessoa e perguntar-lhe se gostaria de aceitar todos os programas do livro. A mente inconsciente não funciona assim. Isso se deve à *Lei do Livre-arbítrio*.

Livre-arbítrio e liberdade de escolha

Livre-arbítrio e vontade própria são crenças de que os seres humanos têm o poder de fazer suas próprias escolhas. As conotações espirituais da vontade própria dão ao indivíduo autoridade para conectar-se ao que ele percebe como Deus ou o Criador. No ThetaHealing, temos a vontade própria para nos conectarmos aos aspectos interior e exterior do divino dentro de nós mesmos, bem como fora.

Enquanto não nos são dadas as ferramentas de *moral* e *respeito* pelos outros, temos autonomia quanto à possibilidade ou não de colocá-las em uso. O Criador nos ama o suficiente para nos permitir nossas próprias oportunidades de experimentar a alegria da vida sem interferências. À medida que avançamos por esta existência, estamos tendo a oportunidade de criar alguns de nossos próprios caminhos para encontrar nosso caminho. Nossa existência aqui pode ser percebida como um belo processo de aprendizagem e de exploração física, mental e espiritual.

O livre-arbítrio tem sido considerado importante para o julgamento moral, segundo muitas autoridades religiosas – e também criticado como uma forma de ideologia individualista. Esse princípio tem implicações religiosas, éticas, psicológicas e científicas. Por exemplo, na religião, o livre-arbítrio pode implicar que Deus não declara poder sobre as vontades e escolhas individuais. A ética implica que um indivíduo é responsável por suas ações. Na psicologia, pode implicar que a mente controla, pelo menos, algumas das ações do corpo. No âmbito científico, pode implicar que as ações do corpo, incluindo as cerebrais, não são totalmente determinadas por causalidade física (causalidade é o princípio da causa e efeito).[1]

O conceito de livre-arbítrio foi primeiramente exposto a uma controvérsia no século IV por um padre britânico chamado Pelágio. Seus escritos não sobreviveram ao longo do tempo, mas um de seus discípulos escreveu algumas de suas crenças. Essas crenças foram diretamente opostas às da Igreja e de Santo Agostinho. Desde então, a temática do livre-arbítrio continua a ser uma questão nas mentes de pensadores espiritualistas, religiosos e até mesmo científicos.

Um dos pontos de vista é de que a humanidade tem a capacidade de buscar a Deus, independentemente de qualquer movimento da Palavra de Deus ou do Espírito Santo. Não temos o controle total sobre todas as coisas, mas podemos cooperar com Deus a um certo grau

1. Fonte: Wikipedia.

nesse esforço de salvação: podemos (sem a ajuda da graça) dar o primeiro passo em direção a Deus, e Deus irá então completar o processo de salvação. Esse ensinamento é a doutrina da *sinergeia* (cooperação, em grego), ou sinergia, em que o processo de salvação é a cooperação entre Deus e a humanidade do início ao fim.

Independentemente do nosso ponto de vista, o livre-arbítrio é um princípio duradouro. Como ele se relaciona com nossas habilidades, no que se refere ao divino, para os indivíduos em um plano maior, até mesmo para o cérebro controlando o corpo, ele simplesmente não será extinto. Tem havido muitas tentativas de substituí-lo através dos tempos, e até mesmo no ThetaHealing algumas pessoas têm tentado "baixar" programas e crenças em pessoas sem sua *aceitação consciente.* Como já foi explicado, mesmo que essas formas-pensamento possam ser enviadas com a melhor das intenções, nunca serão eficazes se a pessoa não aceitá-las conscientemente.

Lembre-se sempre: vontade própria e livre-arbítrio são troncos importantes na árvore do ThetaHealing.

4

Cura Avançada

Há geralmente quatro maneiras de fazer uma cura energética:

- através da energia *chi* do corpo;
- através da energia elétrica da mente;
- através das energias espirituais trazidas;
- através do Criador de Tudo o Que É.

Todas essas formas de cura são do Criador, porém a última é a mais simples.

Testemunhar a cura do Criador

Às vezes, usamos a energia elétrica da mente para criar mudanças no corpo. Se você está usando sua mente para curar, no entanto, é provável que fique cansado quando tiver terminado. Se você testemunhar o Criador fazendo a cura, por outro lado, se sentirá desperto e vivo ao terminar. Testemunhar a cura do Criador também manterá seu ego fora da cura. Você deve ser paciente e esperar que a energia do Criador venha, então simplesmente *testemunhe* em vez de tentar *forçar* a cura com sua própria energia.

Um bom exemplo de uma *cura forçada* usando a mente foi em uma sessão que tive com uma mulher que veio com um melanoma no rosto. Melanoma é um tipo de câncer muito perigoso e, se não tratado, pode se espalhar rapidamente pelo corpo. Eu estava muito preocupada e aborrecida com a mulher por deixar que a doença avançasse tanto desde que ela a teve. Tudo que eu pensava era: "Por que você a deixou chegar a esse estado sem ir ao médico?". Isso foi anos atrás, antes de eu ser ensinada pelo Criador a ter muito mais paciência. Subi e pedi para que o melanoma fosse embora de seu corpo *naquele instante* e *intencionei* a cura através de minha mente, usando a energia de meu aborrecimento, e o imaginei tendo desaparecido de sua pele. Em vez de apenas observar isso acontecer por intermédio do Criador, imaginei-me pegando-o e retirando-o.

Ela veio no dia seguinte com um grande buraco em seu rosto – como se o tumor canceroso tivesse inexplicavelmente saído. Ao final, o buraco foi preenchido perfeitamente, mas o Criador teria, sem dúvida, curado a pele, como se o câncer tivesse sido removido, sem ter deixado um buraco aberto.

O que aprendi com isso foi: *não force a cura!*

Foram necessários sete anos no total para que finalmente eu aprendesse a me desapegar e dizer: "Criador, mostre-me o que precisa ser feito", em vez de impor minha opinião. Algumas vezes eu percebia que, apesar de entender muito do que se passava com o corpo, não tinha o conhecimento da doença como o Criador. Em uma cura, posso ter uma visão geral do que precisa ser feito, mas, em um nível abrangente, não entendo como o Criador faz as coisas. Até que eu entenda o que precisa ser feito em um nível molecular ou mesmo subatômico, posso ter passado uns 50 anos nesse corpo, tentando descobrir quem, o que, onde e o porquê da cura. E tudo isso é ego.

Então, sugiro com ênfase que você simplesmente peça ao Criador para lhe mostrar o que precisa ser feito a fim de que a cura aconteça como deveria. Apenas diga: "Criador, faça o que precisa ser feito. Mostre-me". Você não precisa entender completamente o distúrbio; simplesmente o testemunhe sendo curado.

Quanto mais leio revistas científicas confiáveis, mais percebo como é fácil alterar a estrutura molecular. E se o Criador sabe como criá-la, então sabe também como consertá-la, e posso pedir uma explicação mais tarde.

A fusão do curador com o sensitivo

ThetaHealing é projetado para despertar suas *habilidades psíquicas de cura*. A maioria das pessoas não percebe que ser sensitivo e ser curador são habilidades diferentes. A chave é fundir as duas.

Cada uma dessas habilidades traz suas expectativas. Espera-se de um *curador* que testemunhe se uma condição foi curada, e do *sensitivo*, que veja dentro do corpo.

Portanto, como um sensitivo, você deveria praticar vendo e reconhecendo os diferentes vírus, bactérias, parasitas e metais pesados, assim você pode saber como é a aparência e a sensação no corpo. O cliente irá esperar que você identifique essas influências com precisão.

Como um curador, você é colocado em outro lugar. Não precisa saber de qual enfermidade se trata para que o Criador a cure – só precisa saber que uma pessoa tem algo errado –, mas você precisa se colocar em um estado de meditação profunda o suficiente para testemunhar-lhe a mudança, para testemunhar que a cura *foi feita*.

No ThetaHealing as pessoas usam "alta" ou "baixa" frequência de onda Theta. Em grandes curas, a "alta" não é tão eficaz quanto a "baixa". Quando facilitar uma cura, certifique-se de dedicar o tempo necessário para estar em um profundo estado Theta.

Um ThetaHealer é uma combinação de curador e sensitivo: um curador que usa suas habilidades psíquicas para testemunhar a cura através de sua conexão com o Criador.

O processo da cura

Sentindo-se saudável

Quando uma pessoa vem para uma cura, uma das primeiras coisas que faço é pedir ao Criador que lhe ensine qual é a sensação de ser saudável, porque algumas pessoas não sabem como é essa sensação. A partir daí, ela irá imediatamente se sentir melhor e é bem mais provável que aceite uma cura física.

A seguir, o passo a passo do processo de cura:

O processo completo para cura e enraizamento

1. Centre-se em seu coração e se visualize descendo para a Mãe Terra, que é parte de Tudo o Que É.
2. Visualize trazendo a energia que entra pelos seus pés, abrindo todos os seus chacras enquanto você sobe. Continue subindo até o chacra da coroa, em uma linda bola de luz, para o Universo.
3. Vá além do Universo, além das luzes brancas, além da luz escura, além da luz brancas, além da substância gelatinosa que são as Leis, até uma luz branca perolada iridescente, do Sétimo Plano da Existência.
4. Recolha o amor incondicional e faça o comando: "*Criador, é comandado que essa pessoa seja curada agora. Grato! Está feito. Está feito. Está feito*".
5. Testemunhe a energia de cura indo para o espaço da pessoa e observe as mudanças e as alterações sendo feitas. Continue a observar até que estejam concluídas.

6. Imagine enxaguando-se com um jato de água ou luz branca.
7. Para enraizar-se corretamente, imagine sua energia voltando a seu espaço; depois, indo para a Terra; e, em seguida, puxe-a através de todos os seus chacras até seu chacra da coroa. Uma vez que se familiarizar com essa prática, não será necessário aterrar de volta a seu corpo, pois já terá compreendido por completo que não está separado, mas que é parte de Tudo o Que É.
8. Faça a quebra energética física (conforme descrito no livro *ThetaHealing*). Isto manterá seu corpo equilibrado.

Amor incondicional

A fim de realizar uma mudança molecular no corpo, é preciso ter energia para criar ou "descriar". De onde vem essa energia em uma cura?

Quando você vai até o Criador de Tudo o Que É para uma cura, conecte-se com a energia do *amor incondicional* e traga-a para seu corpo. Isto possibilita que seu corpo tenha a energia necessária para realizar as mudanças. Só é preciso um único átomo de amor incondicional para realizar qualquer mudança no corpo.

Nos cursos introdutórios, ensinamos aos alunos o passo a passo do processo, em que nos visualizamos "subindo" e recolhendo o amor. Conforme o cérebro se familiariza com o que se supõe que deva ser visualizado, o processo acontecerá espontânea e automaticamente.

Afinal de contas, é a capacidade de o praticante *testemunhar* a cura que fará com que ela ocorra. O Criador faz a cura, o praticante testemunha, e é isto. Existe uma lei na física que diz que nada existe, a menos que seja testemunhado.

Nos cursos de ThetaHealing, o processo de cura em grupo ensina as pessoas a aceitarem o amor incondicional que vem do Criador e introduz o trabalho de crenças e de sentimentos. No entanto, se você forçar o envio de amor incondicional ao corpo de uma pessoa que nunca o tenha recebido, esse corpo irá combatê-lo, como se fosse uma bactéria ou um vírus. A pessoa por si só se sentirá desconfortável e indisposta com isso tudo. O praticante será capaz de perceber essa rejeição. Esse é o momento de fazer o teste energético para o programa: "Eu posso aceitar o amor incondicional". Se o teste indicar que a pessoa não sabe como aceitar o amor incondicional, então ela dá permissão, e o praticante instala o sentimento a partir do Criador.

Sentir *amor incondicional* pelas pessoas é amá-las em consciência "crística" ou "búdica". Isso significa ver suas verdades por meio do Criador (ou com iluminação) e, apesar disso, ainda amá-las.

Minha experiência tem sido de que os programas associados à aceitação do amor incondicional são geralmente criados na infância. Por exemplo, uma mãe pode demonstrar amor verdadeiro a seu filho somente para castigá-lo sem piedade imediatamente depois. Ou, em outro cenário, um pai pode expressar amor verdadeiro a uma criança e, depois, molestá-la. Situações de infância como essas criam programas de que a pessoa não sabe como receber o amor incondicional.

Também tenho observado que alguns sobreviventes de abuso infantil grave são capazes de antecipar o que uma pessoa fará antes de fazê-lo. Por razões óbvias, esses reflexos de sobrevivência os tornaram muito sensitivos. Acredito que muitas crianças que nasceram de um abuso têm se desenvolvido dessa mesma forma. Sair de seu próprio mundo e intuitivamente observar os outros é natural para elas, pois estão acostumadas a isso. Esse tipo de pessoa se focou em estar no espaço alheio na maior parte de sua infância. Elas estão em busca do amor.

Em um sentido mais amplo, nossa vida toda está impregnada dessa busca pelo amor em todas as suas maneiras e formas. Para dar exemplos, basta observar a força que nos impulsiona a encontrar nossa alma gêmea, a ter amigos, a ter e criar filhos, a ter animais de estimação, e assim por diante. Os homens criam eventos de esportes competitivos para se sentirem camaradas e se relacionarem uns com os outros. Até mesmo uma raiva e um ódio são resultados da busca pelo amor, ou da perda ou da falta de amor. A maioria das relações humanas de natureza positiva é uma busca da essência do amor.

Um grande número de pessoas com quem você irá trabalhar estará procurando em vão por amor e, não importa quão arduamente tente, não será capaz de encontar. Isso ocorre porque elas não se amam e não conhecem a sensação de amar. Com a permissão, instale o sentimento de puro amor dentro delas em todos os níveis a partir do Criador.

Cura instantânea

Algumas pessoas precisam ser curadas mais de uma vez em razão da natureza das dificuldades que estão enfrentando, que podem ser espirituais, mentais, físicas ou emocionais. Já outras pessoas estão prontas para uma cura instantânea e completa.

Se o corpo não recebe uma cura instantânea quando dado o comando, há um programa subconsciente bloqueando-o. Esse programa deve ser encontrado e alterado. Pessoas que não têm bloqueios para impedir a cura serão curadas instantaneamente.

Outras pessoas que chegam a você não irão acreditar que possam ser curadas e necessitarão de *downloads* para que possam mudar. Contanto que você não desanime, o Criador e a própria pessoa irão ajudá-lo a encontrar a sensação, emoção ou crença adequada. A mente, o corpo e o espírito de uma pessoa têm uma memória como a de um computador e, se você souber fazer as perguntas certas, cada um destes aspectos dirá o que precisa ser liberado e substituído, ou qual sentimento está faltando.

É possível, no entanto, que você interprete mal essas mensagens e desanime. Talvez esse sentimento não seja seu, mas projetado a partir da pessoa que está sendo curada. Talvez ela não saiba como viver sem se sentir desencorajada e tenha perdido a esperança.

Creio que há apenas alguns sentimentos e crenças essenciais para cada cura. No meu entendimento, uma doença é desenvolvida ao se manter certas crenças durante um longo período de tempo. Uma vez que essas crenças são limpas, a doença vai embora. Elas estavam lá para chamar sua atenção, para dizer que algo estava fora de sincronia, de foco ou fora de equilíbrio no corpo.

O objetivo é limpar suficientemente o corpo, a mente e a alma de crenças opressoras para que se tenha uma comunicação pura e inalterada com o Criador. Por isso, acredito que o ThetaHealing não seja apenas para liberar enfermidades, mas também para permitir que a humanidade se comunique com o Criador de Tudo o Que É.

Curando crianças

As chances de uma cura ser bem-sucedida em uma criança são bem elevadas. As crianças têm uma pura convicção na existência do divino e, geralmente, não bloqueiam ou dificultam a cura. Entretanto, os pais frequentemente estão presos aos problemas de seus filhos tão profundamente que não permitirão que a criança se cure. Eles podem ter criado crenças de que a criança é e sempre será doente e nada poderá ajudá-la. Isto interfere no processo de cura.

Portanto, tratando-se de crianças, você deve trabalhar nos sistemas de crenças dos pais. O maior desafio é fazê-los compreender que seu filho pode mudar. Trabalhe com o sistema de crenças de ambos os pais, especialmente o da mãe. Os dois precisam de incentivo para saber que a criança pode e ficará melhor.

O amor é o elemento-chave na cura de uma criança. *Verifique se elas acreditam que têm de estar doentes para chamar a atenção de seus pais.* Se elas tiverem idade suficiente, peça permissão para curá-las. "Idade suficiente" significa serem capazes de falar.

Em certos casos, as crianças são curadas, mas logo colocadas no ambiente que lhes causou a doença. Os fatores podem ser: poluição, metais pesados, má alimentação e falta de carinho.

Em uma ocasião, num curso composto de crianças pequenas, guiei o grupo inteiro até o estado Theta. Então pedi a esses pequeninos que fizessem um escaneamento simultâneo em seus corpos. Repetidas vezes eles relatavam corretamente o que experimentavam enquanto faziam as leituras. Essas crianças aprenderam em quatro horas o que os adultos levariam três dias.

Uma das razões para isso é que continuavam tendo a energia de "Acho que posso". Pergunte a você mesmo se gostaria de sentir de novo a energia de "*Acho que posso*". Esse é um programa de infância que muitos de nós perdemos ao longo da vida.

Gostaria de saber que Tudo o Que você fez em sua vida até agora realmente *importa*?

Gosto deste ditado: "A infância deveria ser uma parte maravilhosa da vida, mas parece que passamos a maior parte de nossas vidas superando-a". Começos podem ser difíceis e finais são tristes, mas é o meio que conta. Se a vida é difícil, dê tempo à esperança para flutuar (do filme *Quando o Amor Acontece*).

Crenças e doenças

Acredito que, em alguns casos, as pessoas atraem vírus e bactérias por causa das crenças associadas ao medo que têm deles.

Todos conhecemos em nossa vida diária pessoas que quase nunca adoecem e outras que são mais propensas a isto. Você pode achar que algumas pessoas têm sistemas imunológicos mais fortes. Acredito que elas têm sistemas imunológicos superiores porque acreditam que têm. Por exemplo, algumas pessoas acreditam que se andarem descalças na neve, pegarão um resfriado. Algumas acham que crianças pequenas são propensas a doenças. Outras acreditam ainda que, se estiverem próximas a uma determinada doença, irão pegá-la.

Se essas crenças fossem verdadeiras para todos, médicos, enfermeiros e professores estariam doentes o tempo todo. Por que as enfermeiras estão próximas de pessoas doentes e geralmente não ficam doentes? É porque elas não estão impregnadas do medo da doença. Se não houvesse pessoas "sem medo" no mundo, ninguém trabalharia com doenças infecciosas, porque todos estariam muito aterrorizados em pegá-las.

Vírus e crenças

Nós escolhemos nossas doenças da maneira que escolhemos nossos companheiros: somos atraídos um pelo outro por causa de similares vibrações e sistemas de crenças. Quando temos o mesmo sistema de crença que um vírus, bactéria, levedura ou fungo, é criada uma debilidade em nosso sistema imunológico. O vírus, a bactéria, a levedura ou o fungo é então atraído e capaz de unir-se a nós.

Sei que isto é uma afirmação ousada, mas cheguei a tal conclusão graças a um trabalho em uma mulher com herpes genital. Como havia explicado no livro *ThetaHealing*, trabalhei com ela por um longo período, mas a herpes não ia embora. Em uma ocasião, o Criador me disse para mudar o sistema de crenças no *vírus*, bem como na cliente. Então comecei a liberar o sistema de crenças que cercava a enfermidade e, enquanto liberava a crença raiz, observei o vírus se transformar em algo completamente diferente e deixar o corpo. Ele desapareceu, e isso foi confirmado pelos médicos.

O que realmente acontece durante esse processo, em termos científicos? Há uma teoria científica de que a bactéria se tornará um vírus, e um vírus se tornará um fungo e irá realmente evoluir para algo diferente e novo, escapando assim da detecção. Quando um trabalho de crenças é feito em um vírus, ele muda de novo, mas dessa vez para uma forma inofensiva de energia. Entenda, não estamos *matando* o vírus, mas, sim, *transformando-o* ao testemunharmos a reorganização de suas partículas subatômicas. Tudo pode ser mudado no corpo, se você testemunhar a reorganizaçao das partículas subatômicas.

5

A Criação dos Sentimentos

Algumas pessoas nunca experimentaram a energia de certos sentimentos em suas vidas. Talvez elas foram traumatizadas quando criança e nunca desenvolveram tais sentimentos, ou os perderam em algum lugar no drama de sua existência. Mas, para trazer, por exemplo, alegria ou amor para nossas vidas, temos que *experimentá-los* primeiramente. O Criador deve nos mostrar qual é a sensação desses sentimentos. O curso de ThetaHealing Avançado foi desenvolvido para trazer uma série de "*downloads* de sentimentos" às pessoas.

A velocidade na qual as mudanças acontecem por meio do trabalho de sentimentos é surpreendente. O que poderia levar uma vida inteira para aprender pode ser aprendido em segundos. É possível ser ensinada às pessoas a sensação de serem amadas, honradas, respeitadas, queridas, e como viver *sem* um sentimento negativo criado por hábito. "Eu sei como viver sem ser infeliz" é um exemplo disso.

Como expliquei no *ThetaHealing*, o trabalho de sentimento é igual ao trabalho de crenças em que o praticante testa a energia no cliente (ou nele mesmo), para descobrir se tem ou não experimentado sentimentos específicos. Então, o praticante obtém a permissão verbal do cliente e se conecta com o Criador de Tudo o Que É. Usando o processo de comando, ele testemunha a energia do sentimento do *download* a partir do Criador fluindo através de cada célula do corpo da pessoa nos quatro níveis de crença. Uma vez que o sentimento é experimentado, a pessoa está pronta para criar mudanças em sua vida.

Acredito que, ao usar o trabalho de sentimentos, estamos realmente treinando nossas células a viver sem certos sentimentos, como a depressão. O trabalho de sentimentos nos dá a capacidade de literalmente mudar nossa mente, redefinir os receptores da depressão ou de outros sentimentos indesejados abrindo novos receptores que possam ser criados através da onda Theta.

Você pode perguntar: "Como comprovar isso?". Existem evidências de que muitas pessoas começaram a se sentir melhor quando fizeram o trabalho de sentimentos. Por exemplo, simplesmente instalando qual é a *sensação* de viver sem sentir-se derrotado pode trazer mudanças positivas em diabetes e ajudar também em outras doenças.

Sentimentos são baixados a partir do Criador de Tudo o Que É no seguinte processo:

O Processo de criação dos sentimentos

1. Centre-se e se visualize descendo para a Mãe Terra, que é parte de Tudo o Que É. Traga a energia que entra por seus pés, abrindo todos os seus chacras.
2. Vá além do Universo, além das luzes brancas, além da luz escura, além da luz branca, além da substância gelatinosa que são as Leis, até uma luz branca perolada iridescente, até o Sétimo Plano da Existência.
3. Conecte-se com o Criador de Tudo o Que É e faça o seguinte comando:
"Criador de Tudo o Que É, é comandado instalar o sentimento de [nome do sentimento] em [nome da pessoa], em cada célula de seu corpo, em todos os quatro níveis de crença e em todas as áreas de sua vida, para o bem maior. Grato. Está feito. Está feito. Está feito".
4. Testemunhe a energia do sentimento fluindo no espaço da pessoa e visualize o sentimento do Criador se movendo através de cada célula do corpo da pessoa, instalando o sentimento em todos os quatro níveis de crença.
5. Quando tiver terminado, mova sua consciência para fora do espaço da pessoa através do chacra da coroa e desconecte enxaguando-se em uma corrente de água ou luz branca. Entre em seu corpo através de seu chacra coronário, envie sua consciência para dentro da Mãe Terra; em seguida, puxe a energia para cima, passando por seu corpo até o topo do chacra da coroa, e realize a quebra energética.

Com o tempo, quando você se tornar mais confortável com esse processo, o enraizamento não será necessário.

Downloads (Baixar/Instalar)

Existem variáveis de sentimentos e conhecimentos que possivelmente uma pessoa nunca tenha experimentado. Uma vez que são "baixados", eles atingem uma consciência que é integrada à sua parte de Tudo o Que É, por meio do Criador de Tudo o Que É do Sétimo Plano da Existência. Ensinados esses sentimentos, eles terão um efeito dramático sobre as habilidades de uma pessoa intuitiva e irão criar um bem-estar físico e uma grande consciência espiritual.

É importante considerar "baixar" os sentimentos aqui listados, tanto para si quanto para os outros. Então tudo o que não serve poderá ser facilmente liberado.

Assim, quanto mais você limpar sua mente, mais facil será seu acesso ao Sétimo Plano para trazer equilíbrio a seu corpo. A doença não é sua inimiga, é apenas um sinal de desequilíbrio.

◊◊◊◊◊

Nessas categorias estão os seguintes programas e sentimentos:

"Eu sei o que é... na definição do Criador"
"Eu sei qual é a sensação de..."
"Eu sei qual é a sensação de entender como..."
"Eu sei quando..."
"Eu sei como..."
"Eu sei como viver meu dia a dia com..."
"Eu sei o que é na perspectiva do Criador..."
"Eu sei que é possível..."

Aqui estão alguns exemplos:

"Eu sei *o que é confiança na definição do Criador.*"
"Eu sei *qual é a sensação de confiar.*"
"Eu sei *qual é a sensação de saber como confiar.*"
"Eu sei *quando confiar.*"
"Eu sei *como confiar.*"
"Eu sei *como viver meu dia a dia com confiança.*"
"Eu sei *o que é confiança na perspectiva do Criador.*"
"Eu sei *que é possível confiar.*"

Apesar de eu estar dando a vocês os seguintes *downloads* aqui, ainda assim seria interessante assistir a um curso de ThetaHealing de DNA Avançado com um instrutor certificado.

Programas do Criador de Tudo o Que É

"Eu sei qual é a sensação de estar totalmente conectado ao Criador de Tudo o Que É."

"Eu sei como estar totalmente conectado ao Criador de Tudo o Que É."

"Eu conheço o Criador de Tudo o Que É."

"Eu sei como permitir que o Criador me mostre o que está dentro de um corpo."

"Eu sei como permitir que o Criador de Tudo o Que É me mostre o que há no corpo."

"Eu sei qual é a sensação de confiar que o Criador me mostrará exatamente o que estou procurando no corpo."

"Eu sei como confiar que o Criador me dirá exatamente o que estou procurando no corpo."

"Eu sei a diferença entre ouvir o Criador de Tudo o Que É e a mim mesmo."

"Eu sei qual é a sensação de mostrar aos outros que eles são importantes para o Criador de Tudo o Que É."

"Eu sei como mostrar aos outros que eles são importantes para o Criador de Tudo o Que É."

"Eu sei qual é a sensação de irradiar a energia do Criador de Tudo o Que É para o mundo."

"Eu sei como irradiar a energia do Criador de Tudo o Que É para o mundo."

"Eu sei qual é a sensação de saber a diferença entre ouvir o Criador e a mim mesmo."

"Eu sei qual é a sensação de ser digno do amor do Criador de Tudo o Que É."

"Eu sei qual é a sensação de saber que todas as coisas são possíveis com o Criador."

"Eu sei qual é a sensação de conhecer o Criador de Tudo o Que É."

"Eu sei que é possível saber que o Criador de Tudo o Que É existe."

"Eu sei qual é a sensação de merecer o amor do Criador de Tudo o Que É."

"Eu sei que mereço o amor do Criador de Tudo o Que É."

"Eu sei qual é a sensação de me conectar com o Criador de Tudo o Que É."

"Eu sei como me conectar com o Criador de Tudo o Que É."

"Eu sei que o Criador de Tudo o Que É é totalmente conectado a mim."

"Eu sei como viver meu dia a dia totalmente conectado ao Criador de Tudo o Que É."

"Eu sei qual é a sensação de testemunhar o Criador de Tudo o Que É fazendo uma cura."

"Eu sei como testemunhar o Criador de Tudo o Que É fazendo uma cura."

"Eu sei quando testemunhar o Criador de Tudo o Que É fazendo uma cura."

"Eu sei como viver sem me sentir separado do Criador de Tudo o Que É."

Abundância

"Eu sei o que é abundância na definição do Criador."
"Eu sei qual é a sensação de ter abundância."
"Eu sei como ter abundância."
"Eu sei como viver meu dia a dia com abundância."
"Eu sei o que é abundância na perspectiva do Criador."
"Eu sei que é possível ter abundância."

Aceitação

"Eu sei o que é aceitação na definição do Criador."
"Eu sei como é ter aceitação."
"Eu sei quando ter aceitação."
"Eu sei como ter aceitação."
"Eu sei como viver meu dia a dia com aceitação."
"Eu sei o que é aceitação na perspectiva do Criador."
"Eu sei que é possível me aceitar totalmente."
"Eu sei qual é a sensação de aceitar e receber a cura do outro."
"Eu sei como aceitar e receber a cura do outro."
"Eu sei o que é cura na perspectiva do Criador."
"Eu sei que é possível aceitar e receber a cura do outro."

Aceitação do Criador

"Eu sei a definição do Criador de ser completamente aceito pelo Criador de Tudo o Que É".
"Eu sei qual é a sensação de ser completamente aceito pelo Criador."
"Eu sei como ser completamente aceito pelo Criador."
"Eu sei como viver minha vida diária completamente aceito pelo Criador."
"Eu sei o que é ser completamente aceito pelo Criador de Tudo o Que É na perspectiva do Criador."
"Eu sei que é possível ser completamente aceito pelo Criador."

Responsabilidade

"Eu sei o que é responsabilidade na definição do Criador."
"Eu sei qual é a sensação de ter responsabilidade."
"Eu sei quando ter responsabilidade."
"Eu sei como ter responsabilidade."
"Eu sei como viver meu dia a dia com responsabilidade."
"Eu sei o que é responsabilidade na perspectiva do Criador."
"Eu sei que é possível ter responsabilidade por minhas ações."

Realização

"Eu sei a o que é realização na definição do Criador."
"Eu sei qual é a sensação de realizar."
"Eu sei quando realizar."
"Eu sei como realizar."
"Eu sei como viver meu dia a dia realizando."
"Eu sei o que é realização na perspectiva do Criador."

Expressão de sentimentos

"Eu sei a definição do Criador de como expressar meus sentimentos."
"Eu sei qual é a sensação de expressar meus sentimentos."
"Eu sei quando expressar meus sentimentos."
"Eu sei como expressar meus sentimentos."
"Eu sei como viver meu dia a dia expressando meus sentimentos."
"Eu sei o que é expressar meus sentimentos na perspectiva do Criador."
"Eu sei que é possível expressar meus sentimentos."

Equilíbrio

"Eu sei o que é equilíbrio na definição do Criador."
"Eu sei qual é a sensação de ter equilíbrio."
"Eu sei como ter equilíbrio."
"Eu sei como viver meu dia a dia com equilíbrio."
"Eu sei o que é equilíbrio na perspectiva do Criador."
"Eu sei que é possível ter equilíbrio."

Beleza

"Eu sei o que é beleza na definição do Criador."
"Eu sei qual é a sensação de ter beleza."
"Eu sei como viver meu dia a dia com beleza."
"Eu sei o que é beleza na perspectiva do Criador."
"Eu sei que é possível ter beleza."

Ser amado

"Eu sei o que é ser amado na definição do Criador."
"Eu sei qual é a sensação de ser amado."
"Eu sei como ser amado."
"Eu sei como viver meu dia a dia sendo amado pelos outros."
"Eu sei o que é ser amado na perspectiva do Criador."
"Eu sei que é possível ser amado."

Ser completo

"Eu sei a definição do Criador de ser completo."
"Eu sei qual é a sensação de ser completo."
"Eu sei como ser completo."
"Eu sei que é possível ser completo."

Presença de espírito

"Eu sei a definição do Criador de ter presença de espírito."
"Eu sei qual é a sensação de ter presença de espírito."
"Eu sei como ter presença de espírito."
"Eu sei como viver meu dia a dia com presença de espírito."
"Eu sei o que é presença de espírito na perspectiva do Criador."
"Eu sei que é possível ter presença de espírito."

Estar feliz pelos outros

"Eu sei a definição do Criador de estar feliz pelos outros."
"Eu sei qual é a sensação de estar feliz pelos outros."
"Eu sei quando estar feliz pelos outros."

"Eu sei como estar feliz pelos outros."
"Eu sei como viver meu dia a dia estando feliz pelos outros."
"Eu sei o que é estar feliz pelos outros na perspectiva do Criador."
"Eu sei que é possível estar feliz pelos outros."

Ser escutado pelos outros

"Eu sei a definição do Criador de ser escutado pelos outros."
"Eu sei qual é a sensação de ser escutado pelos outros."
"Eu sei quando ser escutado pelos outros."
"Eu sei como ser escutado pelos outros."
"Eu sei como viver meu dia a dia escutado pelos outros."
"Eu sei o que é ser escutado pelos outros na perspectiva do Criador."
"Eu sei que é possível ser escutado pelos outros."

Estar no momento

"Eu sei a definição do Criador de estar no momento."
"Eu sei qual é a sensação de estar no momento."
"Eu sei como estar no momento."
"Eu sei como viver o meu dia a dia no momento."
"Eu conheço a perspectiva do Criador de estar no momento."
"Eu sei que é possível estar no momento."
"Eu sei qual é a sensação de viver no agora, neste momento e neste segundo."
"Eu sei como viver no agora, neste momento e neste segundo."
"Eu sei qual é a sensação de viver no agora, experimentando a alegria disso."

Ser amável

"Eu sei a definição do Criador de ser amável."
"Eu sei qual é a sensação de ser amável."
"Eu sei como ser amável."
"Eu sei o que é ser amável na perspectiva do Criador."
"Eu sei que é possível ser amável."

Ser amado por um companheiro

"Eu sei a definição do Criador de ser amado por meu companheiro."
"Eu sei qual é a sensação de ser amado por meu companheiro."
"Eu sei quando ser amado por meu companheiro."
"Eu sei como ser amado por meu companheiro."
"Eu sei como viver meu dia a dia sendo amado por meu companheiro."

"Eu sei o que é ser amado por meu companheiro na perspectiva do Criador."
"Eu sei que é possível ser amado por meu companheiro."

Estar aberto a ideias

"Eu sei a definição do Criador de estar aberto a ideias."
"Eu sei qual é a sensação de estar aberto a ideias."
"Eu sei quando estar aberto a ideias."
"Eu sei como estar aberto a ideias."
"Eu sei como viver meu dia a dia aberto a ideias."
"Eu sei que é possível estar aberto a ideias."

Ser especial

"Eu sei qual é a sensação de ser especial."
"Eu sei como ser especial."
"Eu sei o que é ser especial na perspectiva do Criador."
"Eu sei que é possível ser especial."

Ser compreendido pelos outros

"Eu sei a definição do Criador de ser compreendido pelos outros."
"Eu sei qual é a sensação de ser compreendido pelos outros."
"Eu sei quando ser compreendido pelos outros."
"Eu sei como ser compreendido pelos outros."
"Eu sei como viver meu dia a dia sendo compreendido pelos outros."
"Eu sei o que é ser compreendido pelos outros na perspectiva do Criador."
"Eu sei que é possível ser compreendido pelos outros."

Ser querido

"Eu sei o que é ser querido na definição do Criador."
"Eu sei qual é a sensação de ser querido."
"Eu sei quando ser querido."
"Eu sei como ser querido."
"Eu sei que é possível ser querido."

Ser completo

"Eu sei qual é a sensação de ser completo."
"Eu sei como ser completo."
"Eu sei que é possível ser completo."

Benevolência

"Eu sei o que é benevolência na definição do Criador."
"Eu sei qual é a sensação de benevolência."
"Eu conheço a verdadeira benevolência."
"Eu sei quando ser benevolente."
"Eu sei como ser benevolente."
"Eu sei como viver meu dia a dia com benevolência."
"Eu sei o que é benevolência na perspectiva do Criador."
"Eu sei que é possível ser benevolente."

O sopro da vida

"Eu sei a definição do Criador de sopro da vida."
"Eu sei qual é a sensação de receber o sopro da vida."
"Eu sei como receber o sopro da vida."
"Eu sei como viver meu dia a dia respirando o sopro da vida."
"Eu sei o que é sopro da vida na perspectiva do Criador."
"Eu sei que é possível respirar."

Calma

"Eu sei o que é calma na definição do Criador."
"Eu sei qual é a sensação de calma."
"Eu sei quando ser calmo."
"Eu sei como ser calmo."
"Eu sei como viver meu dia a dia com calma."
"Eu sei o que é ser calmo na perspectiva do Criador."
"Eu sei que é possível ser calmo."

Clarividência

"Eu sei a definição do Criador de ver com clarividência."
"Eu sei qual é a sensação de ver com clarividência."
"Eu sei quando ver com clarividência."
"Eu sei como ver com clarividência."
"Eu sei como viver meu dia a dia vendo com clarividência."
"Eu sei o que é ver com clarividência na perspectiva do Criador."
"Eu sei que é possível ver com clarividência."

Comunicar-se com clareza

"Eu sei a definição do Criador de me comunicar com clareza."
"Eu sei qual é a sensação de me comunicar com clareza."
"Eu sei como ser capaz de me comunicar com clareza."

"Eu sei como viver meu dia a dia me comunicando com clareza."
"Eu sei o que é ser capaz de me comunicar com clareza na perspectiva do Criador."
"Eu sei que é possível me comunicar com clareza."

Bom senso

"Eu sei o que é bom senso na definição do Criador."
"Eu sei qual é a sensação de ter bom senso."
"Eu sei quando ter bom senso."
"Eu sei como ter bom senso."
"Eu sei como viver meu dia a dia com bom senso."
"Eu sei o que é bom senso na perspectiva do Criador."
"Eu sei que é possível ter bom senso."

Compaixão

"Eu sei o que é compaixão na definição do Criador."
"Eu sei qual é a sensação de ter compaixão por mim e pelos outros."
"Eu conheço a verdadeira compaixão."
"Eu sei quando ter compaixão."
"Eu sei como ter compaixão."
"Eu sei como viver meu dia a dia com compaixão."
"Eu sei o que é compaixão na perspectiva do Criador."
"Eu sei que é possível ter compaixão por mim e pelos outros."

Ser confiante

"Eu sei o que é ser confiante na definição do Criador."
"Eu sei qual é a sensação de ser confiante."
"Eu sei quando ser confiante."
"Eu sei como ser confiante."
"Eu sei como viver meu dia a dia sendo confiante."
"Eu sei o que é ser confiante na perspectiva do Criador."
"Eu sei que é possível ser confiante."

Cooperação

"Eu sei o que é cooperação na definição do Criador."
"Eu sei qual é a sensação de ser cooperativo."
"Eu sei o que é cooperação."
"Eu sei quando ser cooperativo."
"Eu sei como viver meu dia a dia em cooperação."

Livre de dívida

"Eu sei a definição do Criador de estar livre de dívida."
"Eu sei qual é a sensação de estar livre de dívida."
"Eu sei como estar livre de dívida."
"Eu sei como viver meu dia a dia livre de dívida."
"Eu sei que é possível estar livre de dívida."

Dedicação

"Eu sei o que é dedicação na definição do Criador."
"Eu sei qual é a sensação de ser dedicado."
"Eu sei como é ser dedicado."
"Eu sei como viver meu dia a dia com dedicação."
"Eu conheço a perspectiva de dedicação do Criador."
"Eu sei que é possível ser dedicado."
"Eu sei a definição do Criador de dedicação ao Criador."
"Eu sei qual é a sensação de ser dedicado ao Criador."
"Eu sei como é ser dedicado ao Criador."
"Eu sei como viver meu dia a dia com dedicação ao Criador."
"Eu conheço a perspectiva do Criador da dedicação ao Criador."
"Eu sei que é possível ser dedicado ao Criador."
"Eu sei a definição do Criador de ser dedicado a meus objetivos."
"Eu sei qual é a sensação de ser dedicado a meus objetivos."
"Eu sei quando ser dedicado a meus objetivos."
"Eu sei como ser dedicado aos meus objetivos."
"Eu sei como viver meu dia a dia dedicado a meus objetivos."
"Eu sei o que é ser dedicado a meus objetivos na perspectiva do Criador."
"Eu sei que é possível ser dedicado aos meus objetivos."

Merecer brilhar

"Eu sei a definição do Criador de merecer brilhar."
"Eu sei qual é a sensação de merecer brilhar."
"Eu sei como merecer brilhar."
"Eu sei como viver meu dia a dia brilhando."
"Eu sei o que é merecer brilhar na perspectiva do Criador de Tudo o Que É."

Devoção

"Eu sei o que é devoção na definição do Criador."
"Eu sei qual é a sensação de ter devoção."

"Eu sei o que é devoção."
"Eu sei como viver meu dia a dia com devoção."
"Eu sei o que é devoção na perspectiva do Criador."
"Eu sei que é possível ter devoção."

Eficiência

"Eu sei o que é eficiência na definição do Criador."
"Eu sei qual é a sensação de ser eficiente."
"Eu sei como viver meu dia a dia com eficiência."
"Eu sei o que é eficiência na perspectiva do Criador."
"Eu sei que é possível ser eficiente."

Avaliar uma situação

"Eu sei a definição do Criador de avaliação de uma situação."
"Eu sei qual é a sensação de avaliar uma situação com clareza."
"Eu sei quando avaliar uma situação."
"Eu sei como avaliar uma situação."
"Eu sei o que é avaliação de uma situação na perspectiva do Criador."
"Eu sei que é possível avaliar uma situação antes de agir."

Fé

"Eu sei a definição de fé do Criador."
"Eu sei qual é a sensação de ter fé."
"Eu sei como viver meu dia a dia com fé."
"Eu sei o que é fé na perspectiva do Criador."
"Eu sei que é possível ter fé."

Família

"Eu sei o que é família na definição do Criador."
"Eu sei qual é a sensação de ter uma família."
"Eu sei quando ter uma família."
"Eu sei como ter uma família."
"Eu sei o que é família na perspectiva do Criador."
"Eu sei que é possível ter uma família."

Foco

"Eu sei o que é foco na definição do Criador."
"Eu sei qual é a sensação de focar."
"Eu sei quando focar."
"Eu sei como focar."
"Eu sei como viver meu dia a dia focado."

"Eu sei o que é foco na perspectiva do Criador."
"Eu sei que é possível focar."

Perdão

"Eu sei o que é perdão na definição do Criador."
"Eu sei qual é a sensação de perdoar a mim e aos outros."
"Eu conheço o verdadeiro perdão."
"Eu sei quando perdoar."
"Eu sei como perdoar."
"Eu sei como viver meu dia a dia com perdão."
"Eu sei o que é perdão na perspectiva do Criador."
"Eu sei que é possível perdoar a mim e aos outros."

Diversão

"Eu sei o que é diversão na definição do Criador."
"Eu sei qual é a sensação de me divertir."
"Eu sei quando me divertir."
"Eu sei como me divertir."
"Eu sei como viver meu dia a dia me divertindo."
"Eu sei o que é diversão na perspectiva do Criador."
"Eu sei que é possível me divertir."

Gratidão

"Eu sei o que é gratidão na definição do Criador."
"Eu sei qual é a sensação de ser grata aos outros e a Deus."
"Eu sei quando ter gratidão."
"Eu sei como ter gratidão."
"Eu sei como viver meu dia a dia com gratidão."
"Eu sei o que é gratidão na perspectiva do Criador."
"Eu sei que é possível ter gratidão."

Saúde

"Eu sei o que é saúde na definição do Criador."
"Eu sei qual é a sensação de ter saúde."
"Eu sei quando estou saudável."
"Eu sei como ser saudável."
"Eu sei como viver meu dia a dia com saúde."
"Eu sei o que é saúde na perspectiva do Criador."
"Eu sei que é possível ser saudável."

Lar

"Eu sei o que é lar na definição do Criador."
"Eu sei qual é a sensação de ter um lar."
"Eu sei como ter um lar."
"Eu sei o que é um lar na perspectiva do Criador."
"Eu sei que é possível ter um lar."

Honestidade

"Eu sei o que é honestidade na definição do Criador."
"Eu sei qual é a sensação de ser honesto."
"Eu sei quando ser honesto."
"Eu sei como ser honesto."
"Eu sei como viver meu dia a dia com honestidade."
"Eu sei o que é honestidade na perspectiva do Criador."
"Eu sei que é possível ser honesto."
"Eu sei a definição do Criador de ser honesto comigo mesmo."
"Eu sei qual é a sensação de ser honesto comigo mesmo."
"Eu sei como ser honesto comigo mesmo."
"Eu sei como viver meu dia a dia sendo honesto comigo mesmo."
"Eu sei o que é ser honesto comigo mesmo na perspectiva do Criador."
"Eu sei que é possível ser honesto comigo mesmo."

Honra

"Eu sei o que é honra na definição do Criador."
"Eu sei qual é a sensação de ter honra."
"Eu sei quando honrar."
"Eu sei como ter honra."
"Eu sei como viver meu dia a dia com honra."
"Eu sei o que é honra na perspectiva do Criador."
"Eu sei que é possível ter honra."

Humildade

"Eu sei o que é humildade na definição do Criador."
"Eu sei qual é a sensação de ser humilde."
"Eu sei quando ser humilde."
"Eu sei como ser humilde."
"Eu sei o que é humildade na perspectiva do Criador."
"Eu sei que é possível ser humilde."

Imunidade

"Eu sei a definição do Criador de ser imune à dúvida."
"Eu sei qual é a sensação de ser imune à dúvida."
"Eu sei como ser imune à dúvida."
"Eu sei como viver meu dia a dia imune à dúvida."
"Eu sei o que é ser imune à dúvida na perspectiva do Criador."
"Eu sei que é possível ser imune à dúvida."
"Eu sei a definição do Criador de ser imune à toxicidade."
"Eu sei qual é a sensação de ser imune à toxicidade."
"Eu sei como ser imune à toxicidade."
"Eu sei como viver meu dia a dia imune à toxicidade."
"Eu sei que é possível ser imune à toxicidade."
"Eu sei a definição do Criador de ser imune à negatividade."
"Eu sei qual é a sensação de ser imune à negatividade."
"Eu sei como ser imune à negatividade."
"Eu sei como viver meu dia a dia imune à negatividade."
"Eu sei que é possível ser imune à negatividade."
"Eu sei a definição do Criador de ser imune à preocupação."
"Eu sei qual é a sensação de ser imune à preocupação."
"Eu sei como ser imune à preocupação."
"Eu sei como viver meu dia a dia imune à preocupação."
"Eu sei que é possível ser imune à preocupação."
"Eu sei a definição do Criador de ser imune à doença."
"Eu sei qual é a sensação de ser imune à doença."
"Eu sei como é ser imune à doença."
"Eu sei como viver meu dia a dia imune à doença."
"Eu sei que é possível ser imune à doença."

Importância

"Eu sei o que é importância na definição do Criador."
"Eu sei qual é a sensação de me sentir importante."
"Eu sei como viver meu dia a dia me sentindo importante."
"Eu sei o que é importância na perspectiva do Criador."
"Eu sei que é possível ser importante para o Criador de Tudo o Que É."

Integridade

"Eu sei o que é integridade na definição do Criador."
"Eu sei qual é a sensação de ter integridade."
"Eu sei como ter integridade."

"Eu sei como viver meu dia a dia com integridade."
"Eu sei o que é integridade na perspectiva do Criador."
"Eu sei que é possível estar repleto de integridade."

Interação com os outros

"Eu sei a definição do Criador de interação com os outros."
"Eu sei qual é a sensação de interagir com os outros."
"Eu sei quando interagir com os outros."
"Eu sei como interagir com os outros."
"Eu sei como viver meu dia a dia interagindo com os outros."
"Eu sei que é possível interagir com os outros."

Cura imediata

"Eu sei o que é cura imediata na definição do Criador."
"Eu sei qual é a sensação de testemunhar uma cura imediata."
"Eu sei como testemunhar uma cura imediata."
"Eu sei o que é cura imediata na perspectiva do Criador."
"Eu sei que é possível testemunhar uma cura imediata."

Intuição

"Eu sei o que é intuição na definição do Criador."
"Eu sei qual é a sensação de confiar em minha intuição."
"Eu sei quando confiar em minha intuição."
"Eu sei como confiar em minha intuição."
"Eu sei como viver meu dia a dia confiando em minha intuição."
"Eu sei que é possível confiar em minha intuição."

Alegria

"Eu sei o que é alegria na definição do Criador."
"Eu sei qual é a sensação de ser alegre."
"Eu sei como ser alegre."
"Eu sei como viver meu dia a dia em alegria."
"Eu sei o que é alegria na perspectiva do Criador."
"Eu sei que é possível ser alegre."

Sabendo que o Criador é real

"Eu sei qual é a sensação de saber que o Criador é real."
"Eu sei como viver meu dia a dia sabendo que o Criador é real."
"Eu sei que é possível que o Criador seja real."

Conhecendo meu verdadeiro Eu

"Eu sei qual é a sensação de conhecer meu verdadeiro Eu."
"Eu conheço meu verdadeiro Eu."
"Eu sei qual é meu verdadeiro Eu na perspectiva do Criador."

Deixar alguém ser o que é

"Eu sei qual é a sensação de deixar alguém ser o que é."
"Eu sei como deixar alguém ser o que é."
"Eu sei qual é a sensação de o mundo estar em perfeita harmonia e equilíbrio."
"Eu sei qual é a sensação de viver meu dia a dia sem ser excessivamente crítico comigo mesmo e com os outros."

Propósito de vida

"Eu sei qual é meu propósito de vida na perspectiva do Criador."
"Eu sei que é possível conhecer meu propósito de vida."

Escutar

"Eu sei a definição do Criador de escutar."
"Eu sei qual é a sensação de escutar."
"Eu sei quando escutar."
"Eu sei como escutar."
"Eu sei como viver meu dia a dia escutando."
"Eu sei o que é escutar na perspectiva do Criador."
"Eu sei que é possível ser um bom ouvinte."
"Eu sei qual é a sensação de ser ouvido por um homem/mulher/pelo Criador de Tudo o Que É."
"Eu sei como ser ouvido por um homem/mulher/Criador de Tudo o Que É."

Amor

"Eu sei o que é amor na definição Criador."
"Eu sei qual é a sensação de amar meu companheiro(a)."
"Eu sei como amar meu companheiro(a)."
"Eu sei o que é amor na perspectiva do Criador."
"Eu sei que é possível amar meu companheiro(a)."
"Eu sei o que é amor materno na definição do Criador."
"Eu sei qual é a sensação de receber o amor materno."
"Eu sei como viver meu dia a dia recebendo o amor materno."
"Eu sei o que é amor materno na perspectiva do Criador."
"Eu sei que é possível receber o amor materno."

"Eu sei o que é amor paterno na definição do Criador."
"Eu sei qual é a sensação de receber o amor paterno."
"Eu sei como viver meu dia a dia recebendo o amor paterno."
"Eu sei o que é amor paterno na perspectiva do Criador."
"Eu sei que é possível receber o amor paterno."

Amar as pessoas pelo que elas são

"Eu sei a definição do Criador de amar as pessoas pelo que elas são."
"Eu sei qual é a sensação de amar as pessoas pelo que elas são."
"Eu sei como amar as pessoas pelo que elas são."
"Eu sei como viver meu dia a dia com amor."
"Eu sei o que é amor na perspectiva do Criador."
"Eu sei que é possível amar as pessoas pelo que elas são."

Lealdade

"Eu sei o que é lealdade na definição do Criador."
"Eu sei qual é a sensação de ser leal."
"Eu sei como ser leal."
"Eu sei quando ser leal."
"Eu sei como viver meu dia a dia com lealdade."
"Eu sei o que é lealdade na perspectiva do Criador."
"Eu sei que é possível ser leal."

Mágica

"Eu sei o que é mágica na definição do Criador."
"Eu sei qual é a sensação de ser mágico."
"Eu sei como ser mágico."
"Eu sei quando ser mágico."
"Eu sei como viver meu dia a dia com mágica."
"Eu sei o que é mágica na perspectiva do Criador."
"Eu sei que é possível experimentar a mágica."

Milagres

"Eu sei o que são milagres na definição do Criador."
"Eu sei qual é a sensação de um milagre."
"Eu sei quando um milagre acontece."
"Eu sei como manifestar e testemunhar milagres."
"Eu sei como viver meu dia a dia com milagres."
"Eu sei o que são milagres na perspectiva do Criador."
"Eu sei que é possível testemunhar milagres."

Dinheiro

"Eu sei qual é a sensação de ter dinheiro."
"Eu sei como ter dinheiro."
"Eu sei como viver meu dia a dia com dinheiro."
"Eu sei o que é dinheiro na perspectiva do Criador."
"Eu sei que é possível ter dinheiro."
"Eu sei que o dinheiro é uma forma de troca."

Motivação

"Eu sei o que é motivação na definição do Criador."
"Eu sei qual é a sensação de ser motivado pelo Criador de Tudo o Que É."
"Eu sei como ser motivado pelo Criador de Tudo o Que É."
"Eu sei como viver meu dia a dia com motivação."
"Eu sei o que é motivação na perspectiva do Criador."
"Eu sei que é possível ser motivado pelo Criador de Tudo o Que É."

Paz

"Eu sei o que é paz na definição do Criador."
"Eu sei qual é a sensação de ter paz."
"Eu sei como ter paz."
"Eu sei como viver meu dia a dia em paz."
"Eu sei o que é paz na perspectiva do Criador."
"Eu sei que é possível ter paz."

Perseverança

"Eu sei o que é perseverança na definição do Criador."
"Eu sei qual é a sensação de perseverança."
"Eu sei como perseverar."
"Eu sei que é possível perseverar."

Brincar

"Eu sei o que é brincadeira na definição do Criador."
"Eu sei qual é a sensação de brincar."
"Eu sei quando brincar."
"Eu sei como brincar."
"Eu sei como viver meu dia a dia brincando."
"Eu sei o que é brincar na perspectiva do Criador."
"Eu sei que é possível brincar."

Orgulho

"Eu sei o que é orgulho na definição do Criador."
"Eu sei qual é a sensação de ter orgulho."
"Eu sei quando ter orgulho."
"Eu sei como ter orgulho."
"Eu sei como viver meu dia a dia com orgulho."
"Eu sei o que é ter orgulho na perspectiva do Criador."
"Eu sei que é possível ter orgulho."
"Eu sei qual é a sensação de ter orgulho em meu trabalho."

Relaxamento

"Eu sei o que é relaxamento na definição do Criador."
"Eu sei qual é a sensação de relaxar."
"Eu sei quando relaxar."
"Eu sei como relaxar."
"Eu sei como viver meu dia a dia com relaxamento."
"Eu sei o que é relaxamento na perspectiva do Criador."
"Eu sei que é possível relaxar."

Resolvendo crenças

"Eu sei qual é a sensação de encontrar e resolver minhas próprias crenças."
"Eu sei como encontrar e resolver minhas próprias crenças."

Respeito

"Eu sei a definição do Criador de respeito por mim e pelos outros."
"Eu sei qual é a sensação de ter respeito por mim e pelos outros."
"Eu sei como ter respeito por mim e pelos outros."
"Eu sei como viver meu dia a dia com respeito por todas as coisas."
"Eu sei o que é respeito na perspectiva do Criador."
"Eu sei que é possível ter respeito."
"Eu sei qual é a sensação de ser respeitado por meus alunos."
"Eu sei como ser respeitado por meus alunos."
"Eu sei que é possível ser respeitado por meus alunos."

Descanso

"Eu sei o que é descanso na definição do Criador."
"Eu sei qual é a sensação de descansar."
"Eu sei quando descansar."
"Eu sei como descansar."

"Eu sei o que é descanso na perspectiva do Criador."
"Eu sei que é possível descansar."

Segurança

"Eu sei o que é segurança na definição do Criador."
"Eu sei qual é a sensação de segurança."
"Eu sei quando estou seguro."
"Eu sei como estar seguro."
"Eu sei como viver meu dia a dia em segurança."
"Eu sei o que é segurança na perspectiva do Criador."
"Eu sei que é possível estar seguro."

Dizer não

"Eu sei qual é a sensação de dizer não."
"Eu sei quando dizer não."
"Eu sei como dizer não."
"Eu sei que é possível dizer não."

Segurança

"Eu sei o que é segurança na definição do Criador."
"Eu sei qual é a sensação de estar seguro."
"Eu sei como estar seguro."
"Eu sei como viver meu dia a dia em segurança."
"Eu sei o que é segurança na perspectiva do Criador."
"Eu sei que é possível estar seguro."

Ver-me claramente

"Eu sei como me ver claramente de acordo com a definição do Criador."
"Eu sei que é possível me ver claramente de acordo com a definição do Criador."

Autoaceitação

"Eu sei o que é autoaceitação na definição do Criador."
"Eu sei qual é a sensação de me aceitar."
"Eu sei como me aceitar."
"Eu sei como viver meu dia a dia me aceitando completamente."
"Eu sei que é possível me aceitar completamente."

Serenidade

"Eu sei o que é serenidade na definição do Criador."
"Eu sei qual é a sensação de ser sereno."
"Eu sei como ser sereno."
"Eu sei como viver meu dia a dia em serenidade."
"Eu sei o que é serenidade na perspectiva do Criador."
"Eu sei que é possível ser sereno."

Filhos(as)

"Eu sei a definição do Criador de ser um(a) filho(a)."
"Eu sei qual é a sensação de ser um(a) filho(a)."
"Eu sei como viver meu dia a dia como um(a) filho(a)."
"Eu sei o que é um(a) filho(a)na perspectiva do Criador."
"Eu sei que é possível ser um(a) filho(a)."

Algo a dizer

"Eu tenho algo a dizer."
"Eu tenho algo interessante a dizer aos outros."
"Eu sei que o que tenho a dizer é importante."

Falando sua verdade

"Eu sei a definição do Criador de falar minha verdade."
"Eu sei qual é a sensação de falar minha verdade."
"Eu sei quando falar minha verdade."
"Eu sei como falar minha verdade."
"Eu sei como viver o meu dia a dia falando minha verdade."
"Eu sei que é possível falar minha verdade."

Quietude

"Eu sei o que é quietude na definição do Criador."
"Eu sei qual é a sensação de ficar quieto."
"Eu sei quando ficar quieto."
"Eu sei como ficar quieto."
"Eu sei como viver meu dia a dia em quietude."
"Eu sei que é possível ficar quieto."

Sucesso

"Eu sei o que é sucesso na definição do Criador."
"Eu sei qual é a sensação de ter sucesso."
"Eu sei como ter sucesso."

"Eu sei como viver meu dia a dia com sucesso."
"Eu sei o que é sucesso na perspectiva do Criador."
"Eu sei que é possível ter sucesso."

Diplomacia

"Eu sei o que é diplomacia na definição do Criador."
"Eu sei qual é a sensação de ser diplomático."
"Eu sei como ser diplomático."
"Eu sei como viver meu dia a dia sendo diplomático."
"Eu sei o que é ser diplomático na perspectiva do Criador."
"Eu sei que é possível ser diplomático."

Gratidão

"Eu sei o que é gratidão na definição do Criador."
"Eu sei qual é a sensação de ser grato."
"Eu sei quando ser grato."
"Eu sei como ser grato."
"Eu sei como viver meu dia a dia em gratidão."
"Eu conheço a perspectiva de gratidão do Criador."
"Eu sei que é possível ser grato."

Trabalho de ThetaHealing

"Eu sei qual é a sensação de fazer o trabalho de ThetaHealing em mim mesmo."
"Eu sei quando fazer o trabalho de ThetaHealing em mim mesmo."
"Eu sei como fazer o trabalho de ThetaHealing em mim mesmo."
"Eu sei como viver meu dia a dia com a capacidade de fazer o trabalho de ThetaHealing em mim mesmo."
"Eu sei que é possível fazer o trabalho de ThetaHealing em mim mesmo."

Tranquilidade

"Eu sei o que é tranquilidade na definição do Criador."
"Eu sei qual é a sensação de ter tranquilidade."
"Eu sei como ser tranquilo."
"Eu sei como viver meu dia a dia em tranquilidade."
"Eu sei o que é tranquilidade na perspectiva do Criador."
"Eu sei que é possível ser tranquilo."

Confiança

"Eu sei a definição do Criador de ser confiável."
"Eu sei qual é a sensação de ser confiável."
"Eu sei como ser confiável."
"Eu sei que é possível ser confiável."
"Eu sei a definição do Criador de confiar em mim mesmo."
"Eu sei qual é a sensação de confiar 100% em mim mesmo."
"Eu sei como confiar 100% em mim mesmo."
"Eu sei que é possível confiar 100% em mim mesmo."
"Eu sei a definição do Criador de confiar no Criador."
"Eu sei qual é a sensação de confiar 100% no Criador."
"Eu sei como confiar 100% no Criador."
"Eu sei como viver meu dia a dia com completa confiança no Criador."
"Eu sei que é possível confiar 100% no Criador."

Verdade

"Eu sei o que é a mais alta verdade na definição do Criador."
"Eu sei como viver meu dia a dia de acordo com a mais alta verdade."
"Eu sei o que é a mais alta verdade na perspectiva do Criador."
"Eu sei que é possível conhecer a mais alta verdade."
"Eu conheço a verdade."
"Eu sei como ver a verdade."
"Eu sei como viver meu dia a dia com verdade."
"Eu sei que é possível ver a verdade."
"Eu sei qual é a sensação de ouvir a verdade."
"Eu sei como ouvir a verdade."
"Eu sei como ouvir a verdade em minha vida diária."
"Eu sei que é possível ouvir a verdade."
"Eu sei qual é a sensação da verdade."
"Eu sei que é possível sentir a verdade."
"Eu sei qual é a sensação de sentir o cheiro da verdade."
"Eu sei qual é o cheiro da verdade."
"Eu sei como sentir o cheiro da verdade."
"Eu sei que é possível sentir o cheiro da verdade."

Singularidade

"Eu sei a definição do Criador de ser único."
"Eu sei qual é a sensação de ser único."
"Eu sei como ser único."
"Eu sei que é possível ser único."

Sabedoria

"Eu sei o que é sabedoria na definição do Criador."
"Eu sei qual é a sensação de ter sabedoria."
"Eu sei quando ter sabedoria."
"Eu sei como ter sabedoria."
"Eu sei como viver meu dia a dia com sabedoria."
"Eu sei o que é sabedoria na perspectiva do Criador."
"Eu sei que é possível ter sabedoria."

Mais sentimentos e programas!

Em nosso dia a dia, podemos usar o trabalho de sentimento para descobrir conhecimentos e sentimentos que talvez não tenhamos. Utilizando as seguintes frases, insira os sentimentos que talvez você precise instalar em você ou nos outros:

"Eu sei qual é a *sensação* de viver sem..."
"Eu sei qual é a *sensação* e *sei como viver meu dia a dia* sem..."
"Eu sei qual é a *sensação e sei como viver meu dia a dia* sem ter medo de..."
"Eu sei qual é a *sensação* e *sei como viver meu dia a dia* sem ter de..."

Instale esses sentimentos em você mesmo ou auxilie outra pessoa a aceitá-los:

Como viver sem...

"Eu sei qual é a sensação e sei como viver o meu dia a dia sem dúvida."
"Eu sei qual é a sensação e sei como viver o meu dia a dia sem raiva."
"Eu sei qual é a sensação e sei como viver o meu dia a dia sem medo."
"Eu sei qual é a sensação e sei como viver o meu dia a dia sem dor."
"Eu sei qual é a sensação e sei como viver o meu dia a dia sem doença."
"Eu sei qual é a sensação e sei como viver o meu dia a dia sem ressentimento."
"Eu sei qual é a sensação e sei como viver o meu dia a dia sem guardar rancores."
"Eu sei qual é a sensação e sei como viver o meu dia a dia sem remorso."

"Eu sei qual é a sensação e sei como viver meu dia a dia sem ter de batalhar."
"Eu sei qual é a sensação e sei como viver meu dia a dia sem estar deprimido."
"Eu sei qual é a sensação e sei como viver meu dia a dia sem melancolia e desgraça."
"Eu sei qual é a sensação e sei como viver meu dia a dia sem decepção."
"Eu sei qual é a sensação e sei como viver meu dia a dia sem desânimo."
"Eu sei qual é a sensação e sei como viver meu dia a dia sem drama."
"Eu sei qual é a sensação e sei como viver meu dia a dia sem caos."
"Eu sei qual é a sensação e sei como viver meu dia a dia sem ser patético."
"Eu sei qual é a sensação e sei como viver meu dia a dia sem ser um coitado."
"Eu sei qual é a sensação e sei como viver meu dia a dia sem ser excessivo."
"Eu sei qual é a sensação e sei como viver meu dia a dia sem ser abusado."
"Eu sei qual é a sensação e sei como viver meu dia a dia sem ser usado."
"Eu sei qual é a sensação e sei como viver meu dia a dia sem escassez."
"Eu sei qual é a sensação e sei como viver meu dia a dia sem inveja."
"Eu sei qual é a sensação e sei como viver meu dia a dia sem ciúme."
"Eu sei qual é a sensação e sei como viver meu dia a dia sem cobiçar os outros."
"Eu sei qual é a sensação e sei como viver meu dia a dia sem ser impaciente."
"Eu sei qual é a sensação e sei como viver meu dia a dia sem ser infeliz."
"Eu sei qual é a sensação e sei como viver meu dia a dia sem preocupação."

"Eu sei qual é a sensação e sei como viver meu dia a dia sem desespero."
"Eu sei qual é a sensação e sei como viver meu dia a dia sem duvidar do meu poder."
"Eu sei qual é a sensação e sei como viver meu dia a dia sem medo de ver a verdade."
"Eu sei qual é a sensação e sei como viver meu dia a dia sem ressentimento."
"Eu sei qual é a sensação e sei como viver meu dia a dia sem negação."
"Eu sei qual é a sensação e sei como viver meu dia a dia sem estar irritado."
"Eu sei qual é a sensação e sei como viver meu dia a dia sem ter vergonha."
"Eu sei qual é a sensação e sei como viver meu dia a dia sem confusão."
"Eu sei qual é a sensação e sei como viver meu dia a dia sem estresse."
"Eu sei qual é a sensação e sei como viver meu dia a dia sem ansiedade."
"Eu sei qual é a sensação e sei como viver meu dia a dia sem ser ameaçado."
"Eu sei qual é a sensação e sei como viver meu dia a dia sem ameaçar os outros."
"Eu sei qual é a sensação e sei como viver meu dia a dia sem permitir que os outros me machuquem."
"Eu sei qual é a sensação e sei como viver meu dia a dia sem permitir que os outros me enganem."
"Eu sei qual é a sensação e sei como viver meu dia a dia sem ser uma vítima."
"Eu sei qual é a sensação e sei como viver meu dia a dia sem chatear os outros."
"Eu sei qual é a sensação e sei como viver meu dia a dia sem irritar os outros."
"Eu sei qual é a sensação e sei como viver meu dia a dia sem raiva do trânsito."
"Eu sei qual é a sensação e sei como viver meu dia a dia sem instabilidade."
"Eu sei qual é a sensação e sei como viver meu dia a dia sem ser punido."

"Eu sei qual é a sensação e sei como vivermeu dia a dia sem ser oprimido."
"Eu sei qual é a sensação e sei como viver meu dia a dia sem estar nervoso sobre o próximo passo."
"Eu sei qual é a sensação e sei como viver meu dia a dia sem estar nervoso sobre o futuro."
"Eu sei qual é a sensação e sei como viver meu dia a dia sem estar nervoso com a minha família."
"Eu sei qual é a sensação e sei como viver meu dia a dia sem estar zangado comigo mesmo."
"Eu sei qual é a sensação e sei como viver meu dia a dia sem estar zangado com o Criador."
"Eu sei qual é a sensação e sei como viver meu dia a dia sem meu mundo desmoronar."
"Eu sei qual é a sensação e sei como viver meu dia a dia sem me preocupar em ter tempo suficiente."
"Eu sei qual é a sensação e sei como viver meu dia a dia sem assumir as responsabilidades dos outros."
"Eu sei qual é a sensação e sei como viver meu dia a dia sem me criticar os outros nem a mim mesmo."
"Eu sei qual é a sensação e sei como viver meu dia a dia sem criar desculpas por ser quem eu sou."
"Eu sei qual é a sensação e sei como viver meu dia a dia sem duvidar de minha capacidade de fazer uma leitura intuitiva clara."
"Eu sei qual é a sensação e sei como viver meu dia a dia sem entrar no medo coletivo."
"Eu sei qual é a sensação e sei como viver meu dia a dia sem me punir com comida, cigarros, drogas e álcool."
"Eu sei qual é a sensação e sei como viver meu dia a dia sem pensar que dói sentir."
"Eu sei qual é a sensação e sei como viver meu dia a dia sem ser traído."
"Eu sei qual é a sensação e sei como viver meu dia a dia sem ser ignorado."
"Eu sei qual é a sensação e sei como viver meu dia a dia sem ter de ser miserável."
"Eu sei qual é a sensação e sei como viver meu dia a dia sem ter de esquecer."
"Eu sei qual é a sensação e sei como viver meu dia a dia sem ter de me calar."
"Eu sei qual é a sensação e sei como viver meu dia a dia sem ter de me desconectar."

"Eu sei qual é a sensação e sei como viver meu dia a dia sem ter de ser uma pessoa má."
"Eu sei qual é a sensação e sei como viver meu dia a dia sem ter de permitir que o coitado se aproveite de mim."
"Eu sei qual é a sensação e sei como viver meu dia a dia sem ter de me responsabilizar pelo erro dos outros."
"Eu sei qual é a sensação e sei como viver meu dia a dia sem ter de me desconectar de Tudo o Que É."
"Eu sei qual é a sensação e sei como viver meu dia a dia sem ter de assumir os sofrimentos de outras pessoas, mas se o fizer, que isso se transforme em luz e amor instantaneamente."

Como viver sem me sentir...

"Eu sei qual é a sensação e sei como viver meu dia a dia sem me sentir inferior."
"Eu sei qual é a sensação e sei como viver meu dia a dia sem me sentir sozinho."
"Eu sei qual é a sensação e sei como viver meu dia a dia sem me sentir abandonado."
"Eu sei qual é a sensação e sei como viver meu dia a dia sem sentir pessimismo."
"Eu sei qual é a sensação e sei como viver meu dia a dia sem me sentir negligenciado."
"Eu sei qual é a sensação e sei como viver meu dia a dia sem me sentir excluído."
"Eu sei qual é a sensação e sei como viver meu dia a dia sem me sentir deixado para trás."
"Eu sei qual é a sensação e sei como viver meu dia a dia sem me sentir violentado."
"Eu sei qual é a sensação e sei como viver meu dia a dia sem me sentir quebrado."
"Eu sei qual é a sensação e sei como viver meu dia a dia sem me sentir desimportante."
"Eu sei qual é a sensação e sei como viver meu dia a dia sem me sentir louco."
"Eu sei qual é a sensação e sei como viver meu dia a dia sem me sentir estúpido."
"Eu sei qual é a sensação e sei como viver meu dia a dia sem me sentir inferior."
"Eu sei qual é a sensação e sei como viver meu dia a dia sem me sentir menosprezado."

"Eu sei qual é a sensação e sei como viver meu dia a dia sem me sentir ignorado."
"Eu sei qual é a sensação e sei como viver meu dia a dia sem me sentir minimizado."
"Eu sei qual é a sensação e sei como viver meu dia a dia sem me sentir como um fardo."
"Eu sei qual é a sensação e sei como viver meu dia a dia sem me sentir sobrecarregado."
"Eu sei qual é a sensação e sei como viver meu dia a dia sem me sentir como um incômodo."
"Eu sei qual é a sensação e sei como viver meu dia a dia sem me sentir evitado."
"Eu sei qual é a sensação e sei como viver meu dia a dia sem sentir que estou na família errada."
"Eu sei qual é a sensação e sei como viver meu dia a dia sem sentir que estou no planeta errado."
"Eu sei qual é a sensação e sei como viver meu dia a dia sem sentir que estou no corpo errado."
"Eu sei qual é a sensação e sei como viver meu dia a dia sem me sentir responsável pelos meus pais."
"Eu sei qual é a sensação e sei como viver meu dia a dia sem me sentir fora de controle."
"Eu sei qual é a sensação e sei como viver meu dia a dia sem me sentir como se eu fosse pai de meus pais."
"Eu sei qual é a sensação e sei como viver meu dia a dia sem me sentir ameaçado."

Como viver sem medo de...

"Eu sei qual é a sensação e sei como viver meu dia a dia sem medo de estar desconectado do Criador."
"Eu sei qual é a sensação e sei como viver meu dia a dia sem medo de cair no sono e esquecer a verdade."
"Eu sei qual é a sensação e sei como viver meu dia a dia sem medo de falhar em minha missão nesta vida."
"Eu sei qual é a sensação e sei como viver meu dia a dia sem medo da intimidade."
"Eu sei qual é a sensação e sei como viver meu dia a dia sem medo de estar vulnerável aos outros."
"Eu sei qual é a sensação e sei como viver meu dia a dia sem medo de ser incrível."
"Eu sei qual é a sensação e sei como viver meu dia a dia sem medo de Deus."

6

Trabalho Avançado de Crenças, Sentimentos e *Digging* (Escavação)

Nosso cérebro funciona como um supercomputador biológico, acessando informações e respondendo a elas. *Como* respondemos dependerá das informações que recebemos e como as interpretamos – independentemente de se tornar um sistema de crenças. Quando uma crença é aceita pelo corpo, mente e alma como real, torna-se um programa.

Os programas podem ser para o nosso benefício ou detrimento, dependendo do que são e como reagimos a eles. Em sua forma negativa, podem ter efeitos adversos sobre nosso coração, mente, corpo e alma.

Trabalho de crenças

O trabalho de crenças capacita as pessoas na habilidade de remover esses programas negativos e sistemas de crenças, substituindo-os por programas positivos do Criador de Tudo o Que é. É um meio de mudar o comportamento. O comportamento pode ser de natureza física, mental ou espiritual.

Isto permite também que a cura aconteça. Foi-me mostrado que, para que a cura ocorra, a pessoa que a recebe deve querer sua saúde restaurada e o curador deve acreditar que é possível; caso contrário, será impossível que testemunhem isso. Em ambos os casos, o trabalho de crenças ajudará.

Uma das melhores maneiras de mudar crenças é retornando à pureza da infância. Quando somos crianças, nosso padrão de ondas cerebrais está aberto para aceitar e receber novas informações. É por isso que o estado Theta é tão importante, já que retorna o subconsciente para essa frequência de crescimento e trasformação e abre a mente à mudança positiva.

Quando crianças, somos receptivos a mudar os sistemas de crenças, mas, quando adultos, não acessamos facilmente a mente subconsciente sem horas de terapia ou hipnose. O trabalho de crenças é um meio de fazer exatamente isto: acessar a mente subconsciente. No entanto, também nos leva a um passo além: dá-nos a capacidade de mudar crenças que vão além do subconsciente nas áreas espiritual e genética, que são imensamente ignoradas pela terapia alternativa.

Os quatro níveis de crença

Ensino no *ThetaHealing* que criamos nossa própria aventura de vida e temos permissão para mudar nossas crenças. Tudo o que temos de fazer é ir para o lugar certo e mudá-las.

Eu já havia explicado no livro *ThetaHealing* que há quatro "níveis de crença", mas vale a pena uma breve recapitulação das informações.

Os quatro níveis de crenças dentro de Tudo o Que É de uma pessoa compõem seu corpo, emoções, mente e até mesmo a expansão de sua energia da alma. Esses sistemas de crenças se estendem para o passado, presente e futuro, e até a energia eletromagnética que diz ao DNA o que fazer. Eles são a base do trabalho de crenças.

Nível de crença primário

Crenças primárias são as crenças ensinadas e aceitas desde a infância nesta vida. São crenças que se tornaram parte de nós. Elas são mantidas como energia no lobo frontal do cérebro.

Nível genético

Neste nível, os programas são trazidos por meio dos ancestrais ou adicionados a nossos genes nesta vida. Essas energias são armazenadas no campo morfogenético em volta do DNA físico. Esse "campo" de conhecimento é que diz à mecânica do DNA o que fazer. Esse nível de crença pode ser acessado através da célula mestre, na glândula pineal do cérebro.

Nível histórico

Este nível diz respeito às memórias de vidas passadas, memórias genéticas profundas ou experiências de consciência coletiva que trazemos para o presente. Essas memórias são mantidas em nosso campo áurico.

Nível da alma

Este nível é tudo o que somos. Aqui, os programas são retirados de todo nosso ser, começando no chacra do coração e movendo-se para fora.

◊◊◊◊◊

Um programa de crença pode existir em um ou mais níveis, ou simultaneamente em todos os quatro. Se ele é removido de um nível e não dos outros, simplesmente volta àquele nível. É por isso que é necessário retirá-los de todos os níveis. Isso também cria uma mudança em todos os planos de existência.

Quando quero que um programa seja retirado, vou além de meu espaço e peço ao Criador para retirá-lo em todos os quatro níveis. Então o testemunho sendo liberado e um novo programa emana da pureza do divino.

No *ThetaHealing*, ensino como liberar programas de crenças de cada nível individualmente e, depois, em todos eles simultaneamente. Uma vez que o praticante avançado se torna familiar com o reconhecimento de que é um programa de crença e em quantos níveis reside, o processo se torna muito mais rápido. O cérebro humano trabalha muito mais rapidamente do que imaginamos. Quando você se familiariza com o trabalho de crenças, os programas serão enviados ao Criador e substituídos na velocidade do pensamento.

Princípios do trabalho de crenças

Aqui está uma pequena lista para lembrá-lo dos princípios do trabalho de crenças:

Permissão verbal

Lembre-se de que a pessoa que recebe o trabalho de crenças sempre deve dar permissão verbal completa ao praticante para que *cada e todo programa* seja *removido e substituído*. Temos o livre-arbítrio para manter quaisquer programas de crenças que escolhemos. Nenhuma pessoa pode alterar os programas sem nossa autorização verbal. Não funcionará.

Preservar programas e crenças

Tenha muito cuidado em relação a quais programas você libera. Alguns programas são para nosso benefício.

Por exemplo, quando eu era uma garotinha, lembro-me de ter chegado à uma percepção: "Essas pessoas não podem me amar. Vou ter de amá-las. Vou ter de ensiná-las a como me amar".

Compreendendo esse programa, entendi por que sou quem sou e também por que fiz o que fiz em minha vida. Após a reflexão, percebi que não era um programa tão ruim. Pensei comigo mesma: "Eu acho que manterei parte deste programa", a parte de "Eu sei como amar aos outros".

Algumas de suas crenças o trouxeram para onde você está hoje. Seja gentil com você mesmo.

"Programa não instalado"

Ouvi dizer que alguns praticantes têm mudado programas repetidas vezes e o novo programa ainda não se "instalou" – a pessoa não o reteve. Isso acontece porque elas não conhecem *qual é a sensação.*

Por exemplo, se eu for para o espaço de uma pessoa e o Criador lhe der o programa "Eu sei que sou amada", ele não vai se manter até o dia seguinte se a pessoa não souber qual é *a sensação de ser amada.* É aí que o trabalho de sentimentos entra. Então, se subo e digo: "Criador de Tudo o Que É, mostre a essa pessoa qual é a sensação do amor", então todos os programas que eu lhe der se manterão. Quando faço isso, visualizo o sentimento entrando como uma cascata em todos os níveis até que estejam em cada célula de seu corpo. Então, o corpo sabe qual é a sensação de ser amado.

Dessa maneira, os programas podem ser alterados definitivamente. No entanto, podem ser recriados pelas coisas que dizemos, pensamos e fazemos (ou optamos por não fazer). *Ações positivas* são necessárias para mudar nossas vidas.

Limpando sua mente

Primeiramente, trabalhe nas crenças que esclareçam sua mente. Dessa forma, você pode encontrar a crença raiz, a que você precisa mudar.

Se você estiver doente, pergunte ao Criador: "Que crenças preciso trabalhar para curar essa doença?". Talvez lhe seja dito que você precisa liberar um sistema de crenças específico, mas para isso também é preciso limpar sua mente.

Comunicando-se com a mente subconsciente

Lembre-se de que a mente subconsciente não entende palavras como "não". Você deve dizer ao cliente para omitir essas palavras em suas afirmações no processo de trabalho de crenças. Por exemplo, não deve usar uma afirmação como "Eu não me amo" ou "Eu não posso me amar".

Para testar adequadamente um programa, a afirmação deve ser "Eu me amo", e o cliente terá positivo ou negativo no teste energético.

Crenças duais

Se você encontrar uma pessoa que tem um sistema de crenças dual – por exemplo, uma pessoa que acredita que é rica, mas ao mesmo tempo acredita que é pobre –, deixe o programa positivo e retire o negativo, substituindo-o pelo programa positivo correto do Criador.

Extraindo programas negativos

Você nunca pode comandar que todos os programas negativos saiam do corpo, porque a mente subconsciente não sabe quais programas são negativos ou positivos.

Desejo de morrer

Alguns programas importantes a observar em sessões de trabalho de crenças são o desejo de morrer. O Criador me disse que muitas pessoas têm desejo de morrer, mas nem todos os desejos de morte devem ser retirados e substituídos aleatoriamente. Por exemplo, uma velha crença viking é de que você deve ter uma boa morte. Se você retirar esse tipo de programa genético, a pessoa pode começar a sentir que não quer mais viver, porque para ela a morte é parte da vida.

No nível genético, algumas nacionalidades, tais como os japoneses e nativos americanos, acreditam em uma morte honrosa. Esse é um bom exemplo de um sistema de crenças negativo que serve a uma pessoa.

As palavras têm poder

Ouça o que você diz! A palavra falada é incrivelmente poderosa em uma sessão de trabalho de crenças. Lembre-se de que, se você achar que uma mulher odeia os homens, não deve programá-la com "Eu me liberto de todos os homens" ou ela pode deixar seu marido e nunca mais ficar com outro homem. Preste muita atenção ao que você está sugerindo.

Trabalhando sozinho ou com um praticante

Estamos emocionalmente apegados a alguns dos programas que carregamos. Por isso, quando você está removendo programas em si mesmo, pode ser vantajoso que alguém o ajude no processo. Trabalhar com um profissional experiente de ThetaHealing pode ajudar, pois o praticante poderá guiá-lo na substituição adequada de programas e ao mesmo tempo permanecer emocionalmente desapegado. No entanto, algumas pessoas se sentem confortáveis trabalhando em si mesmas. Tudo depende do indivíduo.

Pergunte ao Criador

Ao ensinar o trabalho de crenças, muitas vezes me perguntam: "Você substitui o programa negativo pelo quê?". Minha resposta é sempre a mesma: "Pergunte ao Criador". Substituição de crenças deve ser sempre divinamente inspirada.

Lembre-se, se você mantiver seu ego fora da jogada, o Criador irá ajudá-lo em *qualquer coisa.*

Teste energético

Para o iniciante de ThetaHealing, o teste energético – testar o subconsciente de uma pessoa para descobrir se ela tem determinados programas de crenças – é uma ferramenta fundamental. O teste energético permite que ambos, o praticante e o cliente, percebam, por reações a estímulos, que um programa de crenças existe e que ele foi substituído por um novo, uma vez que o trabalho é finalizado (para obter informações do passo a passo sobre o teste energético, consulte o livro *ThetaHealing* ou livros de cinesiologia aplicada).

Quando você se tornar experiente em sessões individuais de trabalho de crenças, não precisará de teste energético para saber que uma crença foi eliminada. No entanto, talvez você ainda faça o teste energético para que o cliente possa perceber quais são suas crenças e que elas mudaram. O teste energético também serve para lembrá-lo de não se tornar egoísta e para não se esquecer de buscar a resposta.

Sistemas de crenças conectados às emoções

As emoções naturais da condição humana são diferentes dos programas. Lembre-se de que as emoções são naturais. Na maioria das vezes, são para nosso benefício. Nossas emoções verdadeiras – *raiva, amor, tristeza, felicidade* e *medo* – podem realmente salvar nossas vidas. Todas elas são, uma vez ou outra, necessárias para nosso bem-estar. Portanto, não devemos nos esforçar a retirar *todas as emoções* de uma pessoa.

No entanto, quando as emoções, tais como raiva e tristeza, estão desenfreadas e descontroladas, têm um impacto negativo em nosso corpo. Também podem estar infinitamente enganchadas na mente, implorando para serem libertadas. É permitido retirar e substituir essas emoções, pois elas se tornaram sistemas de crenças.

Emoções também podem ser mudadas ou alteradas pelas toxinas e reações químicas do corpo. Ao alterar o DNA do corpo, é possível modificar essas reações químicas.

Rejeição, ressentimento, remorso

Acredito que emoções e formas-pensamento podem criar "moléculas emocionais" que se tornam essência física no corpo. Essas moléculas podem causar muitas formas de danos. Um deles é o impedimento de nossas capacidades intuitivas. A razão pela qual não temos todas as nossas habilidades psíquicas disponíveis é porque estamos guardando muitos ressentimentos e rancores, tanto os que criamos quanto os que foram transferidos para nós. Leva tempo, espaço e energia para manter ressentimentos, e certas áreas no cérebro estão sendo ocupadas por essa energia.

Acredito que ressentimento, remorso e rejeição têm considerável influência sobre nós e possuem uma conexão direta com as crenças que bloqueiam a cura do corpo. Analisar uma pessoa pelas crenças associadas a ressentimento, remorso e rejeição pode mudar o resultado de sua sessão. É importante seguir em frente.

Nunca subestime o poder da mente humana. A mente inconsciente sabe que uma pessoa pode usar o ressentimento para evitar que algo pior aconteça. Por exemplo, quando uma pessoa se ressente de seu pai, ela pode estar evitando um abandono ou abuso. Portanto, a mente está escolhendo o ressentimento como o menor dos males. O problema está no fato de que a mente irá repetir o programa e criar mais ressentimento em um esforço constante de se proteger. Retirar e substituir o programa "Eu ressinto meu pai" aliviará um pouco o ressentimento. Porém, uma vez que os receptores do cérebro forem ensinados a esperar ressentimento constante, a pessoa encontrará alguém para ressentir-se e isso manterá a crença intacta.

Para dar outro exemplo, no passado eu precisava de alguém que me dissesse que eu não era capaz de fazer algo. Eu sempre dizia a essas pessoas: "Eu *sou capaz* de fazer isso, veja-me!". Era quase como se eu precisasse de alguém para dizer que algo era *impossível* apenas para que eu pudesse provar-lhe que era capaz de fazê-lo. Mas essas pessoas serviam a um propósito: suas reações me motivavam a realizar. Assim que limpei as crenças associadas com a necessidade de ouvir que eu não era capaz de fazer algo, percebi que não tinha mais a necessidade dessas *pessoas* em minha vida. Mudar minhas crenças mudou meus relacionamentos com as pessoas ao meu redor.

Pessoas entram em nossa vida para nos mostrar crenças, programas e sentimentos que precisam ser liberados e/ou instalados. Então, se você está atraindo alguém em sua vida que é abusivo de alguma maneira, procure o motivo para isso. Você pode talvez estar usando uma situação abusiva como desculpa para não seguir em frente. Conheci pessoas que me disseram repetidas vezes que eram seus maridos ou suas esposas que as impediam de ir em frente. Isto é simplesmente usar a outra pessoa como desculpa. Liberar o programa "Eu preciso de alguém para me desafiar" mudará o relacionamento. A pessoa não estará mais projetando seus programas em seu cônjuge, portanto essas qualidades já não se manifestarão nele.

Relações são baseadas em emoções e programas que são projetados sobre a outra pessoa. Alguns relacionamentos trazem boas emoções; outros trazem emoções duras e cruéis. Mas seja qual for a razão para o relacionamento, de alguma forma ele estará servindo à pessoa.

Algumas pessoas passam por suas vidas com o programa "Todo mundo que amo me machuca". Se você tem esse programa, pode afastar as pessoas, e elas podem reagir exatamente da maneira que você não quer que reajam.

Um programa que descobri que tinha era o de que eu não sabia como receber o amor de um homem. Depois que descobri que tinha esse programa, percebi que em todos os relacionamentos que tive eu havia sido amada, mas não sabia como receber o amor. Percebi que não importa quantas pessoas tentam amá-lo; se você não sabe como se permitir *receber amor*, não pode *aceitá-lo*.

Rancores

Costumavam me dizer que eu não podia fazer algo para me motivar a agir, mas muitas pessoas usam o rancor como motivação. Algumas trazem esses rancores de seus antepassados e nem sequer sabem que os têm, mas outras guardam rancores conscientes em relação a lugares, governos, seu parceiro, a si mesmos e ao que não conseguiram realizar.

Se você tem um rancor contra um parceiro, deve se perguntar para que ele o está servindo.

Quando um rancor é retirado e liberado, o espaço será preenchido pela luz de Deus e resultará em maiores habilidades intuitivas.

Faça o teste para as seguintes crenças e baixe os seguintes sentimentos, se necessário:

Rancor: crenças

> "Eu gosto de meus rancores."
> "Meus rancores me protegem."
> "Sem rancores, as pessoas se aproveitarão de mim."

Rancor: *downloads* de sentimentos

> "Eu sei qual é a sensação de viver sem rancores."
> "Eu sei como viver sem rancores."
> "Eu sei como viver e estar seguro sem rancores."

Preocupação

A preocupação causa muitos danos em seu sistema. Desequilibra os níveis de serotonina e pode causar problemas de estômago. Se estiver preocupado o tempo todo, isso pode causar a síndrome do cólon irritável.

A maioria das pessoas não sabe como viver sem preocupação. Na verdade, algumas pessoas sentem que, se elas não estão preocupadas com algo, não estão vivendo! Porém, se você percebesse quanto tempo desperdiça se preocupando, entenderia quanta energia desperdiça nisso. Ensine a você mesmo como viver sem se preocupar – essa energia deve ser usada em esforços construtivos.

Se você começar a ficar nervoso quando eu lhe sugerir que viva sem se preocupar, é provável que ache que não irá mais se "preocupar" com coisas como pagar suas contas. Essas coisas têm a ver com *responsabilidade.* Não estou dizendo que você não deva ser responsável. Você pode ser responsável sem ter o tempo todo excesso de preocupação.

Algumas pessoas precisam de estresse e drama para tornar a vida mais emocionante. É fácil se tornar viciado em estresse e em criar drama. Mas, quando você instalar o sentimento "Eu sei como viver sem estresse e drama", isso irá libertá-lo do vício dessas energias.

Trabalho de *Digging* (Escavação)

Uma das maneiras na qual você pode ser mais eficaz em uma sessão individual é usar a técnica do *digging* (escavação). Como você sabe, isto localiza a crença mais profunda que está sustentando muitas outras crenças.

Uma das questões mais comuns que meus alunos me perguntam é: "Como você sabe *quando* usar o trabalho de *digging*? Minha resposta é a mais simples que você possa imaginar. Você realmente não tem que saber quando ou como fazer o trabalho de *digging* você sabe. A mente subconsciente do cliente irá fazer todo o trabalho para você. Tudo que você tem de lembrar é perguntar "quem?", "o quê?", "onde?", "por quê?" e "como?" A mente do cliente irá fazer o *digging* para você, acessando a informação como um computador, e lhe dará resposta para cada pergunta. Se o cliente parece estar emperrado na questão, será apenas temporário. Mude a pergunta que você está fazendo. Se ainda não houver nenhuma resposta, pergunte-lhe: "Se você *soubesse* a resposta, qual seria?". Com um pouco de prática, você aprenderá a usar sua intuição para descobrir a resposta.

O segredo é ouvir o que a pessoa está dizendo. Questões que são repetitivas ou que causam grande emoção geralmente estão relacionadas com a crença raiz. Ouça seu cliente atentamente e ele lhe dará grandes pistas para as respostas dos dilemas dele.

Além disso, a qualquer momento no processo de trabalho de crença, o Criador pode vir até você e lhe dar a crença raiz que você está procurando, então esteja aberto à intervenção divina.

Aqui está uma breve recapitulação do processo:

1. Pergunte à pessoa: "Se tivesse algo que você mudaria em sua vida, o que seria?". Em seguida, faça-lhe perguntas sobre a questão que ela trouxe até chegar ao assunto-chave mais profundo.

Você saberá que está perto da crença raiz quando a pessoa se tornar verbalmente defensiva, contorcendo-se, ou chorando em uma tentativa subconsciente de manter o programa. Retire, cancele, resolva e substitua a questão, se necessário em quaisquer níveis de crenças que você tenha encontrado, usando as perguntas-chave "quem?", "o quê?", "onde?", "por quê?" e "como?".

2. Evite colocar seus próprios programas ou sentimentos no processo de investigação.
3. Tenha certeza de que você está conectado com firmeza na perspectiva do Criador do Sétimo Plano quando estiver no espaço da pessoa. Em alguns casos, elas sairão pela tangente, irão se esconde ou levá-lo a girar em círculos com o cenário de pergunta/resposta. Seja paciente e persistente. Talvez seja necessário perguntar ao Criador qual é o programa mais profundo.

Você pode notar a aproximação à crença raiz quando o teste energético der positivo com os olhos abertos e fechados.

Quando se começa a se aproximar da crença raiz, pouco antes de chegar a ela, é fácil interpretar algumas das crenças, como fossem a última, e isto pode ser confuso. É importante observar a linguagem corporal do cliente e ouvir atentamente o que eles estão dizendo. À medida que você se aproximar da crença raiz, ele se tornará cada vez mais desconfortável, porque você está provocando, liberando e resolvendo *traumas*.

Assim como procurar pela crença raiz, você também estará procurando o *benefício positivo* que a pessoa pode estar recebendo dessa crença raiz.

Também deve descobrir o que aconteceu em sua vida que fez com que essa crença raiz surgisse.

Quando você encontra e libera a crença raiz, seu cliente se sente renovado. Eles devem se sentir renovados e autoconfiantes. Se eles se levantarem da sessão com dores ou não se sentirem melhor, então você não terminou o trabalho de crenças. Compreenda que uma pessoa pode precisar de mais de uma sessão de trabalho de crença a fim de encontrar as questões mais profundas.

O processo de *digging* é um dos mais importantes no ThetaHealing. Alguns alunos, por exemplo, quando começarem a usar o trabalho de crenças e sentimentos, começarão a "baixar" todas as crenças e sentimentos possíveis, pensando que isto irá ajudá-los. Em certo sentido, eles estão certos, mas não na medida em que esperam. O que isto faz é *acrescentar* aos sentimentos e crenças que já estão lá. O que ele *não* faz é encontrar as crenças raízes – as que realmente precisam ser removidas e substituídas – e todos os sentimentos específicos que são realmente necessários.

Muitos praticantes e professores de ThetaHealing têm feito listas e listas de sentimentos que desejam ter instalados em si e nos clientes. Alguns deles têm sentado e trabalhado em milhares de crenças, mas esqueceram de usar o trabalho de *digging*. No entanto, liberar crenças de forma aleatória sem encontrar a crença raiz só causará confusão.

O mesmo acontece com as doenças. Algumas pessoas vêm a mim e me dizem que têm retirado todas as crenças que podem possivelmente limpar e que estão associadas a sua doença. Elas dizem que funciona para todo mundo, mas não para elas. A verdade mais provável é que elas não limparam as crenças raízes associadas à doença e não querem dedicar tempo a olhar para elas. O que elas têm feito é sentar-se com uma lista de crenças copiadas por outra pessoa que não tem nada a ver com elas. Cada um de nós é especial; nossas doenças e crenças são especiais para nós. *Embora possa haver semelhanças na crença associada a uma doença específica, cada pessoa é diferente, e nunca devemos assumir que a crença raiz é a mesma para todos.* É por isso que mantenho uma visão ampla com os sistemas de crenças associados a doenças e acredito que o melhor é ouvir o cliente.

As crenças associadas às doenças podem ser um simples desafio a ser superado. Uma vez que a doença se foi, o verdadeiro desafio é ajudar a pessoa a desenvolver a habilidade de se comunicar com o Criador.

Em essência, *o ThetaHealing é simplesmente ensinar outra pessoa a usar o trabalho de crenças para curar a si mesma*. É também a mudança de suas próprias crenças para tornar sua conexão com o Criador a mais clara possível. É aprender que todas as doenças e todos os problemas da vida podem ser mudados. Com simples decisões e um pouco de trabalho de crenças, sua vida e a de seus clientes podem ser mudadas para sempre.

Reação às crenças

Lembre-se, uma vez que você estiver no processo de busca de uma crença raiz, ela deve ser encontrada antes do final da sessão ou a pessoa pode experimentar uma crise de cura. Não a deixe antes que seu trabalho de crenças esteja completo e observe atentamente se aparecerão sinais de desconforto. Se ela se sente ou age de forma alterada, ou se sente alguma dor ou tristeza, suas questões não foram atendidas e o trabalho de crenças deve continuar.

Se o cliente experimenta uma dor física inexplicável em uma sessão, é provável que esteja atingindo um programa subconsciente profundo. Isto significa que você está acionando diferentes sistemas de crenças que o subconsciente do cliente está lutando para manter. Continue liberando crenças até que a dor tenha passado. Com a permissão da pessoa, peça-lhe para "baixar" qual é a *sensação* de estar em segurança. Continue a sessão até que ela se sinta confortável e tenha um comportamento pacífico.

Programas genéticos e crenças raízes

Outra maneira de trabalhar em crenças é perguntar à pessoa sobre as crenças raízes que ela pode ter recebido de seu pai e de sua mãe ou que foram passadas por meio dos genes. Para fazer isso, realize o teste energético no cliente para os programas que ele herdou de seus pais. Por exemplo, seu pai poderia ter sido mandão e controlador. Faça o teste energético para o programa genético "Eu sou mandão e controlador como o meu pai".

Herdar crenças genéticas de seus pais não significa que você irá automaticamente manifestá-las em sua vida. Elas podem estar adormecidas e não se manifestarem até que sejam acionadas por um certo conjunto de circunstâncias. Mas seja qual for o caso, esses programas podem ser limpos ao se investigar as crenças de seus pais e antepassados, e você descobrirá que, uma vez que elas são liberadas, será muito mais capaz de ser bem-sucedido em sua vida.

Alguns desses programas genéticos podem ser "Quanto mais trabalho, melhor as coisas ficam" ou "Sou pobre e me orgulho disso". Se você vem de uma família de antecessessores sem dinheiro, faça o teste energético em si mesmo para:

"Sou pobre e me orgulho disso."
"Trabalho duro para conseguir qualquer coisa."
"É errado ser rico."

Olhe para o que seu pai e sua mãe costumavam dizer e declarar em suas vidas e faça o teste energético em si mesmo para os programas relacionados, por exemplo:

"Eu herdei a agressão de meu pai."
"Eu herdei o comportamento de excesso de controle de meu pai."
"Eu herdei a necessidade de controlar de meu pai."
"Eu herdei de meu pai a necessidade de fazer todo mundo infeliz."

Tenha o objetivo de limpar essas crenças antes que se estabeleçam em sua vida!

Juramentos e promessas

Uma das contribuições que meus instrutores de ThetaHealing têm dado à nossa modalidade é a investigação dos parâmetros do trabalho de crenças. Alguns de meus alunos têm ultrapassado os limites e experimentaram alguns aspectos do trabalho de crenças, comandando que *todos* os juramentos e promessas sejam removidos de suas vidas no passado, presente e futuro. Analisando isto, não é necessariamente uma coisa boa, porque algumas promessas e juramentos podem ser benéficos para uma pessoa, ou ela pode querer mantê-los. Remover todos eles é como remover uma grande parte da personalidade, podendo deixar um vazio em seu lugar. Portanto, é importante ser específico em relação à qual juramento ou promessa será removido. Na remoção de promessas, eu sempre comando que sejam *concluídas* e *finalizadas* em vez de retirar arbitrariamente aquelas que escolhi mudar.

No passado, um médico com quem éramos associados sugeriu que usássemos uma forma de juramento de Hipócrates para nossos professores, a fim de instalar algum tipo de responsabilidade e consciência em sua prática com as pessoas. Levando em consideração que o ThetaHealing capacita as pessoas para remover juramentos e promessas que já não as servem mais, pedir-lhes que declarem um juramento de fidelidade à modalidade e a elas mesmas encontrou oposição por parte de alguns professores, que consideraram que tal ato os limitaria de alguma maneira. O juramento sugerido foi, portanto, retirado do critério do ThetaHealing por causa da confusão e insegurança.

O ponto é: eu nunca disse que juramentos ou promessas são maus *em si mesmos, somente que alguns deles podem não estar nos servindo.* Alguns são bons, por exemplo, o voto do matrimônio. Então você não deve retirar todos os juramentos e votos desta vida, nem de vidas passadas, uma vez que alguns destes programas compõem quem e o que você é. Sempre pergunte ao Criador o que deve ser retirado.

Programas de crenças genéticas, vidas passadas e consciência coletiva

Crenças genéticas também podem aparecer como preconceitos, por exemplo: "Eu sou preconceituoso e ofendido por religiões, grupos étnicos, pessoas que são diferentes, intelectuais e por ignorantes". O curso de Relações Mundiais do ThetaHealing ensina você a testar energeticamente esses programas em si mesmo.

O trabalho de crenças também pode ser feito por *digging* em assuntos que se relacionam a diferentes tempos e lugares. Se no processo de escavação você achar que a origem do problema o leva a diferentes tempos e lugares, pergunte a si mesmo (ou a seu cliente) o que você aprendeu com essas experiências. Se uma dessas questões tem a ver com abuso, por exemplo, "posso deixar alguém me provocar porque sou forte", faça o teste energético para ver se essa crença vem de uma vida passada.

Assim como vidas passadas, os programas podem vir da consciência coletiva. Essas são crenças que foram aceitas como válidas por uma grande parte da população e, portanto, têm impregnado a consciência coletiva da humanidade. Um exemplo de uma crença de consciência coletiva é: "Diabetes é incurável".

Crenças positivas que criam resultado negativo

A coisa mais importante no trabalho de *digging* é encontrar como a questão está servindo à pessoa. É a mesma coisa com a doença. Se você não consegue encontrar uma razão pela qual a doença está servindo à pessoa, é bem provável que a doença não irá embora.

Geralmente, a doença é mantida por uma crença *positiva.* Muitas mulheres com câncer de mama, por exemplo, acreditam em um nível inconsciente que a doença unirá sua família. Elas podem acreditar em um nível subconsciente que isso ajudará nos seus relacionamentos com o marido e os filhos, reunindo-os em amor e segurança. É por isso que elas têm de manter a doença.

Há também casos em que as feridas de um cliente, o comportamento disfuncional e os programas negativos o estejam servindo, ainda que de uma forma irracional.

Faça o teste energético no cliente para descobrir se ele tem programas ocultos que servem à sua doença ou desafie-o pedindo para dizer: "minha [doença ou desafio] está me servindo".

Então determine como isso está acontecendo, procurando o programa mais profundo e se conectando ao Criador para retirá-lo e substituí-lo.

Sentimentos negativos que criam resultados negativos

O perigo de "baixar" sentimentos negativos

Sou constantemente lembrada de que o trabalho de crenças é extraordinariamente poderoso. Um exemplo disso veio de alguns dos meus professores mais experientes que estavam criando livros de crenças compilados de suas sessões e aulas ao longo dos anos. Uma vez que eram ThetaHealers experientes e cuidadosos, eram intuitivos o suficiente para querer o conteúdo de seu livro editado, e o deram para mim. Quando olhei para os *downloads* e as crenças, vi discrepâncias. Eram *downloads* na forma de sentimentos negativos para criar um resultado positivo. Por exemplo, uma pessoa estava sugerindo "baixar" qual era a sensação de uma depressão.

Dei conta de que poderíamos achar que o Criador nos daria a perspectiva de depressão para nos beneficiar e nos ensinar a como *não* ficar deprimido, mas o que nos é dado é exatamente o que pedimos;

por isso, se pedimos para conhecer o sentimento de depressão, então é exatamente o que iremos obter: *a essência pura e absoluta da depressão.* Ocorre que, se a mente subconsciente pede um sentimento negativo, é exatamente o que ela irá aceitar e criar. Essa é a essência da cocriação entre a pessoa e Tudo o Que É.

É por isso que devemos evitar o *download* de sentimentos negativos para criar resultados positivos, e em vez disso usar sentimentos positivos. Neste caso, por exemplo, um *download* muito melhor de sentimento seria "Eu sei viver sem estar deprimido" ou "Eu sei qual é a sensação de viver sem depressão".

Alguns instrutores afirmam que eles podem fazer *download* de sentimento ou pensamento negativo e depois enfrentá-lo com um programa positivo. Mas pode levar uma semana, um mês ou mesmo um ano para que o sentimento negativo desapareça. E por que você quer saber a definição de depressão, de pobreza ou de doença do Criador, se isto é exatamente o que você obterá?

... e alguns *downloads* positivos

Do outro lado da moeda, há alguns *downloads* positivos que também podem causar estresse. Um exemplo disto seria "Eu sei lidar com o conflito". Esse *download* provavelmente trará conflito, uma vez que é exatamente o que você está pedindo.

Lembre-se do poder de um sentimento, pensamento ou palavra falada para manifestar a mudança. Essa mudança, de modo geral, é de natureza clara e direta. Obtemos exatamente o que pedimos na forma mais pura.

Outro *download* que poderia trazer um estresse seria pedir para ser completamente independente e, ao mesmo tempo, pedir uma alma gêmea para compartilhar sua vida. Esse é um exemplo de dois programas contraditórios.

Pense antes de usar o trabalho de crenças e sentimentos.

7

Sessões de Trabalho de *Digging*

Alguns exemplos de trabalhos de *digging* já foram mostrados no livro *ThetaHealing*, mas aqui estão alguns exemplos de quão profundo você precisa trabalhar para limpar uma questão. Alguns profissionais ficam aquém de encontrar a crença raiz e o sentimento que precisa ser instalado. É melhor continuar cavando...

Sentado diante do cliente, a primeira coisa que precisa fazer é perguntar o que ele quer trabalhar. A maioria das pessoas sabe exatamente o que quer antes mesmo de se sentar com você. Muitos dos temas que irão aparecer dirão respeito a abundância, saúde ou amor.

Uma maneira de conseguir resultados surpreendentes é começar com o que o cliente almeja. Alguns exemplos deste acompanhamento são todos provenientes das aulas de Certificação de ThetaHealing com meus alunos.

TRABALHO DE *DIGGING* – EXEMPLO 1: CÂNCER

Vianna para a turma: A primeira coisa que você diz o seu cliente é: "O que você gostaria de trabalhar?".

Cliente: Eu quero melhorar. Estou cansado de estar doente. Quero que o câncer desapareça.

Vianna: Por que você está doente?

Cliente: Eu não sei por quê. Só quero ficar bem.

Vianna: *Mas se você soubesse o porquê de estar doente, o que* seria?

Cliente, tornando-se agitado: Eu não sei!

Neste ponto, o praticante deve perceber que essa direção pode ser um beco sem saída e começar a perguntar de outra maneira.

Vianna: *Qual* foi a melhor coisa que aconteceu com você desde que ficou doente?

Cliente: Não há nada de bom. Tenho sofrido e sofrido.

Vianna: *Mas se houvesse algo de bom* vindo do fato de estar doente, *o que* seria?

Cliente: Bem, minha família se dá bem melhor agora. Minha mãe me liga e sou capaz de falar com meu pai, com quem eu não falava há 15 anos. Suponho que as nossas relações melhoraram. Essa é a melhor coisa que aconteceu desde que fiquei doente.

Vianna: Será que seu relacionamento com seus pais continuaria a melhorar se você se tornar saudável novamente?

Cliente: Não, não, tenho certeza de que tudo voltaria ao que era antes.

Vianna: Então, realmente, há um benefício em você estar doente.

Cliente: Não... bem, acho que sim, pelo menos no que diz respeito a meu relacionamento com meus pais.

Vianna: Gostaria de saber que é possível ter um relacionamento com seus pais sem estar doente?

Cliente: Sim, eu gostaria!

Aqui faço um *download* no cliente com o programa "Qual a sensação de ter um relacionamento com minha família sem estar doente". No entanto, isto não indica que a sessão de trabalho de crença está terminada. Sabendo que a doença geralmente é criada por mais de um programa de crenças, o praticante deveria perguntar ao cliente:

Vianna: Qual a pior coisa que poderia acontecer se você melhorasse?

Cliente: Eu teria de voltar a trabalhar e não tenho emprego. Minhas finanças estão uma bagunça, e não posso cuidar de mim mesmo. Neste momento, estou tendo benefícios.

Vianna: Gostaria de saber que existem outras maneiras de resolver esse problema, e que há possibilidades que você não está vendo?

Cliente: Sim, eu gostaria!

Visto que o cliente não sabe criar novas oportunidades, o trabalho do sentimento é usado mais uma vez. Com a permissão verbal do cliente, faço um download *nele de "Qual a sensação de ter possibilidades, de reconhecer as possibilidades e de que ele pode voltar a trabalhar novamente". Essas são algumas das crenças raízes, porém pode ser necessário cavar mais.*

Em muitos casos, como já mencionado, a doença e outros desafios se mantêm por uma crença positiva em vez de uma crença negativa. Segue exemplo de uma crença positiva que apresenta desafios:

TRABALHO DE *DIGGING* – EXEMPLO 2: PROCURANDO UM AMOR

Vianna: O que você gostaria de trabalhar hoje?

Cliente: Quero trabalhar o fato de que eu nunca consigo encontrar alguém para compartilhar minha vida. Estou sempre sozinha. Não consigo encontrar ninguém para ficar comigo.

Vianna: Por que você está sempre sozinha?

Cliente: Não sei. Não consigo entender. Sou uma pessoa boa, sou legal e não tenho ideia por que estou sozinha.

Vianna: *Mas se você soubesse* por que está sozinha, *qual* seria a resposta?

Neste ponto, a cliente não consegue chegar a uma resposta e encolhe seus ombros. Agora é a hora de *mudar as coisas e alterar o curso da sessão.*

Vianna: Qual é a melhor coisa que acontece quando você está sozinha?

Cliente: O que você quer dizer com *a melhor coisa* que acontece quando estou sozinha?!

Vianna: O que quero dizer é: de que maneira você se beneficia estando sozinha?

Cliente: Bem, sei o que gosto de fazer com meu tempo e, quando você está num relacionamento, sempre tem de fazer o que seu parceiro quer. Você nunca tem sua própria opinião. A outra pessoa parece conduzir sua vida.

Vianna: Esta tem sido sua experiência em relacionamentos passados?

Cliente: Sim, esta tem sido minha experiência. Num relacionamento, você nunca pode ser quem você realmente é. Você tem de mudar para agradar a outra pessoa. Você não pode ser você mesmo.

Vianna: Então, realmente, é mais seguro para você ficar sozinha para que possa ser você mesma, certo?

Fiz o teste energético na cliente para o programa "é seguro para mim estar sozinha; pelo menos, assim posso ser eu mesma". O resultado é positivo, e a cliente começa a chorar.

Cliente: Tenho medo de ficar com qualquer pessoa. Tenho medo de que queiram me mudar.

Vianna: Gostaria de saber que há alguém neste mundo que pode aceitá-la como você realmente é e que você sabe como ser você mesma com o outro sem ter de fingir ser alguém que você não é?

Cliente: Sim, eu gostaria!

Eu me conecto ao Criador e, com permissão, testemunho todos esses sentimentos serem instalados nela:

"Eu sei como ser eu mesma."

"Eu sei como ser atenciosa com os sentimentos de outra pessoa."

"Eu sei como compartilhar meus sentimentos."

"Eu sei como compartilhar minha vida."

"Eu sei qual é a sensação de compartilhar a intimidade."

"Eu sei qual é a sensação de ser íntimo e gentil."

"Eu sei como permitir alguém em minha vida."

Em seguida, a cliente começa a chorar. Sabendo que essa é uma crença da infância, agora posso continuar de duas maneiras. A primeira maneira é perguntar à cliente:

Vianna: Quando foi a primeira vez que você se sentiu assim sobre relacionamentos?

Cliente: Quando meu pai me deixou.

Vianna: Por que seu pai a deixou?

Cliente: Eu não sei. Todo mundo que me ama me deixa.

Essa também é uma crença raiz. Agora, devo ensinar à cliente que é possível amar outra pessoa sem ser abandonada. Dependendo da situação, também posso ensinar como ser capaz de perdoar e compreender a partir de uma perspectiva maior. Esses são todos os downloads *possíveis de se usar nessa situação.*

Vianna: O que foi positivo em seu pai tê-la deixado?

Cliente: Aprendi a nunca confiar em um homem e a fazer as coisas sozinha.

Neste ponto é feito o seguinte download na cliente: "Eu sei compartilhar minha vida com alguém" e "É possível confiar em um homem". Ela se sente animada e feliz, e a sessão está terminada.

TRABALHO DE *DIGGING* – EXEMPLO 3: AMOR, ABUNDÂNCIA E QUESTÕES COM A MÃE

Antes de começar o trabalho de *digging*, você realmente tem de saber qual resultado a pessoa quer com a sessão do trabalho de crenças. A maneira que faço isto é pedindo ao cliente que se sente em silêncio, suba e se conecte ao Criador de Tudo o Que É e imagine exatamente o que ele quer em sua vida. Peço que imagine exatamente o que quer em todos aspectos da sua vida, como se realmente estivesse vivendo os seus sonhos. Peço que ele se visualize realmente presentes nessa abundância e tendo todos os desejos de seu coração realizados. Em algumas dessas sessões, o cliente deseja coisas materiais, como carros, belas casas e muito dinheiro. Nesse caso a seguir, estamos em uma sessão de trabalho de crença com um homem que tem cerca de 35 anos de idade.

Vianna: Se você pudesse ter tudo o que sempre quis, o que teria?

Homem: Eu quero três casas, uma na praia, muitos carros e muito dinheiro.

Vianna: Qual seria a pior coisa que poderia acontecer se você tivesse todas essas coisas.

Essa é uma pergunta negativa para encontrar a direção da crença raiz. A reação que você encontrará em uma grande maioria das pessoas será de medo e pânico. Depois do medo e do pânico, a pessoa se tornará cabisbaixa. Com esse homem não foi diferente.

Homem: Se tudo isso fosse realmente meu, eu estaria sozinho. Não haveria ninguém com quem compartilhar. Seria ridículo ter tudo isso e não ter ninguém com quem compartilhar, mas assim seria. Eu estaria sozinho.

Vianna: Por que você iria ficar sozinho?

Homem: Eu não sei como me dar bem com as mulheres.

Vianna: Por que você não sabe se dar bem com as mulheres?

Homem: Elas não me entendem e eu certamente não as compreendo. É melhor desistir antes mesmo de tentar.

Vianna: Por que você diz isso?

Homem: Porque, uma vez que elas me conhecem, me despedaçam e me colocam para baixo.

Vianna: Quando isso começou?

Homem: Tudo começou quando eu era pequeno. Minha mãe fazia isso comigo o tempo todo.

Neste ponto, preciso ser cuidadosa para evitar me envolver em programas que dizem respeito especificamente à mãe do cliente – por exemplo, "Minha mãe me tortura" –, pois provavelmente não será a crença raiz.

Vianna: O que sua mãe fez para você?

Homem: Eu fazia algo que achava que era maravilhoso e corria para mostrar a ela o que tinha feito. Ela agia como se não fosse nada e me diminuía. Eu sabia que a partir daquele momento eu nunca iria agradar uma mulher. Então, por que eu deveria tentar?

Vianna: O que você aprendeu com isso?

Homem: Eu aprendi que é ridículo tentar.

Vianna: Foi isso o que sua mãe lhe ensinou?

Homem: Minha mãe me ensinou a não confiar em ninguém.

Vianna: Então, se você não confia em ninguém, o que isso gera em você?

Homem: Bem, isso me protege de eu me machucar. Enquanto não confio em ninguém, não me machucam. E é isso que aprendi com minha mãe. Acho que eu deveria agradecer a ela por isso.

Agora, descobrimos a crença raiz: "Se eu não confiar em ninguém, não irão me machucar". A primeira coisa a fazer é ensinar a pessoa qual é a sensação de saber em quem confiar, quando confiar, que é possível confiar e como confiar sem ser ferido. O programa de sentimentos para a substituição pode ser "Eu sei como permitir que alguém me ame e como amá-lo, sem me sentir traído".

É muito importante para o praticante continuar com a sessão de trabalho de crença até atingir o resultado final. É muito fácil desviar-se antes de chegar à crença raiz.

O trabalho de crenças, no entanto, não precisa levar horas. Nesse caso, encontramos a crença raiz rapidamente. Na verdade, estava servindo a esse homem de alguma forma. Se ele não deixasse ninguém entrar em sua vida, não precisava confiar. Sem precisar confiar, não se machucaria. Ele acreditava, em um nível inconsciente profundo, que, se ele manifestasse tudo o que quisesse, finalmente acabaria sozinho. Em última análise, aquela era a razão pela qual ele não se sentia confortável em manifestar tudo o que sua mente consciente queria. Isto era o que o estava bloqueando. Uma vez que essa questão foi limpa e lhe foi ensinado como compartilhar sua vida com uma parceira, suas habilidades de manifestção aumentaram exponencialmente.

Descobri que na maioria dos casos as pessoas não podem manifestar o que elas querem porque não *sabem* o que querem. E nove em cada dez pessoas doentes não ficam boas porque nunca planejaram ser saudáveis. O que acontece com a maioria das pessoas é que o cérebro tem apenas um objetivo em mente para atingir naquele dia! Isto é especialmente verdadeiro quando alguém está muito doente.

Estimular as pessoas a pensarem num momento futuro de suas vidas em que estejam saudáveis trará à tona as questões que as impedem de melhorar.

Uma vez que essas questões são trazidas à luz, o praticante tem algo a trabalhar. Vamos usar um exemplo de uma pessoa que quer ter abundância em sua vida:

TRABALHO DE *DIGGING* – EXEMPLO 4: ABUNDÂNCIA E QUESTÕES COM A MÃE

Vianna: Se você pudesse ter tudo que sempre quis, o que seria?

Cliente: Meu sonho é ter três casas, uma na Califórnia, uma em Nova York e outra em Paris. Cada uma delas é luxuosamente mobiliada e em um belo local. Quero poder viajar por todo o mundo, para locais exóticos, e quero ser forte e saudável.

Vianna: Como você se sente agora que tem toda essa abundância? Como você se sente agora que tudo isso chega à sua vida?

De repente, o cliente parece muito nervoso.

Cliente: Eu não gosto da sensação de ter tudo isso.

Vianna: Por que você não gosta da sensação de ter tudo isso?

Cliente: Porque todo mundo ficará com raiva de mim.

Vianna: Por que todo mundo ficará com raiva de você?

Cliente: Porque terei mais do que qualquer outra pessoa que está em minha vida.

Vianna: Que sentimentos isso lhe causa? O que acontecerá com você?

Cliente: Eu ficarei sozinho nessas casas enormes e não haverá ninguém para me amar.

Vianna: Gostaria de saber qual é a sensação de ter alguém ali com você?

Cliente: É impossível. Não sou amável. Ninguém quer compartilhar isso comigo.

Essas são as principais questões que estão impedindo essa pessoa de alcançar seus objetivos. Com permissão, são "baixados" os sentimentos e os programas "Eu sou amável" e "É possível compartilhar um sonho com outra pessoa".

Agora, o cliente está mais nervoso do que antes.

Vianna: O que há de errado?

Cliente: Se eu me juntar a alguém, ela descobrirá quem realmente sou! Não irá querer ficar comigo se descobrir quem realmente sou!

Vianna: Bem, quem você *realmente* é?

Cliente: Não sei. Mas ela não gostaria de mim se me visse como realmente sou.

Vianna: Quem te disse isso? Onde ouviu isso pela primeira vez?

Cliente: Não tenho certeza, mas acho que foi minha mãe. Ela me disse que eu nunca teria alguém para me amar e que eu nunca seria bom para nada.

Essas últimas declarações são as crenças raízes. Esses são os programas que serão retirados, cancelados, resolvidos, enviados ao Criador de Tudo o Que É e substituídos pelos programas corretos.

Além disso, perguntarei ao cliente se ele quer receber os downloads *"Eu sou amável", "Eu posso ser respeitado" e "Existe alguém para mim". Se ele não receber esses* downloads, *seu cérebro incrivelmente brilhante (que está criando a vida que ele realmente quer), não mudará no nível subconsciente. Se acontecem mudanças no nível subconsciente, o cliente pode manifestar o que quiser.*

A mente é incrível. Realmente criamos o que nossa mente subconsciente acredita ser realidade. Se dissermos que *não temos dinheiro* e que estamos *ganhando apenas para sobreviver*, o subconsciente terá isso como uma ordem ou uma demanda e criará o que ele pensa que queremos. Essas são algumas das primeiras coisas que você procura em uma sessão de trabalho de crenças quando cava para chegar à crença raiz.

É importante para o cliente saber que não é apenas *possível* ser amado e ser saudável, mas que esses sentimentos são *alcançáveis*. Para termos certeza de que o cliente aceitará alguns dos *downloads*, devemos baixar os relacionados a *metas*, tais como "Eu posso conseguir meus objetivos", "Eu sei como estabelecer um objetivo" e "Eu sei como planejar" (ver páginas 58 e 59). Por si sós, esses *downloads* farão uma grande diferença na vida de uma pessoa.

TRABALHO DE *DIGGING* – EXEMPLO 5: A DEUSA EGÍPCIA

O Criador me disse para chamar uma pessoa específica para uma demonstração em um de meus cursos de certificação de professores em Yellowstone, Montana. Era uma mulher afro-americana linda, alta, com um vestido branco, parecia e se movia como se fosse uma deusa egípcia. Eu, silenciosamente, disse a mim mesma: "Criador, você cometeu um erro. Esta mulher é perfeita. Obviamente, você precisa me dar alguém que tenha mais problemas para eu trabalhar". Mas o Criador insistiu que eu a trouxesse ao meio da classe para trabalhar como exemplo.

Vianna: O que você gostaria de trabalhar?

Mulher: Tenho medo de ser uma curadora. Acho que é algo de uma vida passada.

Você deve saber que esse tipo de declaração pode ser o resultado de abusos sexuais ou qualquer tipo de abuso. A pessoa tentará fingir que o problema é de uma vida passada, porque não quer lidar com ele nesta vida. É possível que seja de uma vida passada, mas se ela fizer uma declaração como esta, provavelmente é desta vida.

Vianna: Por que você tem medo de ser uma curadora?

Mulher: Porque poderia morrer.

Nesse momento ouvi o Criador me dizer: "Pergunte a ela por que teve de se esconder quando era criança".

Vianna: Por que você teve de se esconder quando era criança?

Mulher: Eu tive de me esconder para pegar comida para meu irmão e irmãs.

Após essa declaração, a história veio à tona. Sua mãe havia morrido, deixando ela e outros três filhos pequenos, uma das quais era uma menina de 2 anos de idade. Seu pai os havia levado para uma tia e um tio que não os tinham alimentado adequadamente. Estavam todos desnutridos, especialmente a mais nova. Quando o pai se casou novamente, ele voltou para levá-los consigo, mas a mesma coisa aconteceu com a madrasta – ela não alimentava as crianças de maneira adequada, particularmente a menina pequena. A família comia na frente deles, e eles eram forçados a se sentarem eretos e assisti-los. A mulher me contou que tinha sido severamente espancada por andar sorrateiramente e tentar conseguir comida do armário para alimentar os irmãos. A partir daquele momento em diante, ela sentia que sempre tinha de se esconder.

Um dia, a menina de 2 anos não se levantou porque estava literalmente morrendo de fome. Sua madrasta a chutou do outro lado do quarto para tentar acordá-la. Então ela colocou a menina nos braços de minha cliente e se dirigiu para o hospital. A equipe do hospital imediatamente viu que a menina tinha morrido de fome e que as outras crianças estavam desnutridas. Eles as tiraram do pai e as colocaram em um orfanato.

Foi-me dito para falar à mulher que sua irmã mais nova tinha dado sua vida para que ela e as outras duas crianças talvez pudessem viver. Eu lhe disse que iríamos limpar seu sofrimento do passado.

Quando a vi sentar-se em minha frente naquele momento, nem em sonho imaginava que ela tivesse passado por todos aqueles abusos. Não tinha visto porque ela era muito confiante. Antes de você fazer julgamentos sobre pessoas, deve saber que alguns dos piores casos de abuso são os das pessoas que parecem absolutamente seguras de si mesmas. Pessoas abusadas são as mais falsas e, geralmente, as melhores em esconder sua dor. São as únicas que sempre sorriem e dão gargalhadas. Mas é um sorriso falso. Elas parecem presentes, mas não estão realmente lá. Você pode ver isto em seus olhos e o que está por trás deles. No entanto, sorriem seguras de si porque não querem que você saiba que estão sofrendo por dentro. Muitas vezes, desenvolvem problemas intestinais.

Com questões de abuso, você deve ser persistente e certificar-se de que a pessoa sabe que é amada.

Ensinar essa mulher qual era a sensação de estar segura limpou suas questões a respeito de ser uma curadora, mas ainda seria necessário mais trabalho de crença.

TRABALHO DE *DIGGING* – EXEMPLO 6: QUESTÕES COM O PAI

Vianna: O que você quer com essa sessão? O que você deseja para sua vida? Se houvesse qualquer coisa que você quisesse mudar, o que seria?

Mulher jovem: Gostaria de superar a sensação de que eu nunca sou boa o suficiente.

Vianna: Quem lhe ensinou esse sentimento?

Mulher jovem: Foi meu pai. Ressinto-o porque ele me ensinou que eu era somente um sete.

Vianna: O que significa isso?

Mulher jovem: Significa aque, em uma escala de 1-10, sou um pouco melhor que a média, mas nunca serei boa o suficiente. Tenho apenas um sete e nunca terei um dez.

Vianna: Você acreditou quando ele lhe disse isso?

Mulher jovem: Sim, acreditei nele. Não sei por que acreditei nele. Ressinto-o profundamente agora.

Vianna: Por que você o ressente?

Mulher jovem: Porque ele fez com que eu me sentisse terrível comigo mesma.

Vianna: Como ele fez isso?

Mulher jovem: Ele apenas disse coisas como esta.

Vianna: Como isso lhe ajudou em sua vida? Como isto lhe serve?

Mulher jovem: Aprendi que eu nunca poderia ter o suficiente, fazer o suficiente ou ser o suficiente, então eu posso muito bem me contentar com pouco.

Vianna: Você tem se conformado com pouco por toda sua vida?

Mulher jovem: Sim, tenho. Toda minha vida tenho me conformado com pouco.

Vianna: Isso soa quase como uma desculpa para que você não tenha de dar seu melhor para obter o que a vida tem para lhe oferecer.

Mulher jovem: Eu acho que sim. Creio que eu poderia agradecer meu pai por isso. Se não me sinto capaz, não preciso tentar fazer nada.

Vianna: O que aconteceria se você tentasse?

Mulher jovem: Eu iria fracassar.

Vianna: O que aconteceria se você fracassasse?

Mulher jovem: Eu teria de me contentar com pouco.

Vianna: O que aconteceria se você fosse bem-sucedida?

Mulher jovem: Não sei o que aconteceria se eu fosse bem-sucedida. Não faço a menor ideia. Acho que é melhor fracassar e saber o que acontece que ter sucesso e não saber o resultado.

Vianna: Então, realmente você tem medo de ter sucesso.

Mulher jovem: Acho que sim. Nunca tinha pensado nisso assim. Acho que, enquanto eu ressentir meu pai, não terei sucesso.

Vianna: Então é mais fácil ressentir-se de seu pai do que descobrir o desconhecido.

Mulher jovem: Acho que sim.

Vianna: Gostaria de saber qual é a sensação de viver sem medo do desconhecido? Qual é a sensação de saber como dar o próximo passo, de saber que é possível?

Mulher jovem: Sim! Sim, eu gostaria.

Ao fazer os downloads *desses sentimentos, o programa "Eu tenho apenas um sete" está limpo. Agora faremos o teste energético. Com a cliente segurando seus dedos firmemente juntos, peço para ela dizer: "Eu tenho apenas um sete". Com certeza, essa crença está limpa.*

Então testo o programa "Eu ressinto meu pai". Isso também está limpo. A percepção de que era mais seguro ressentir-se do pai do que ter sucesso permitiu sua "mente computadorizada" seguir adiante. Os sentimentos "baixados" a ajudaram a ir em frente através de uma leve transição.

Este é um exemplo perfeito de um trabalho de *digging*. Com esse trabalho, você não somente encontra a crença mais negativa e sofrida, mas também como está servindo aquela pessoa.

Se você não continuar até a crença raiz, somente limpará parcialmente as questões. Tenho certeza de que muitas pessoas finalizaram uma sessão de trabalho de crenças sem ter limpado todas as suas questões. Mesmo assim, é melhor ter limpado parcialmente do que não ter limpado nada. Em algum nível, essas pessoas terão melhorado, mas nada se compara à paz de espírito de encontrar a crença raiz.

TRABALHO DE *DIGGING* – EXEMPLO 7: CURA

Vianna: Qual é o resultado que você quer desta sessão?

Hiro Myiazaki: Quero manifestar uma prática de cura maravilhosa, ter as pessoas vindo a mim todo o tempo para se curarem, ter muito dinheiro, muito tempo e uma família feliz.

Vianna: Está bem, imagine que tem tudo isso. Imagine que as pessoas estão vindo de toda parte até você para serem curadas. Como isso o faz se sentir?

Hiro: Bem. Isto me faz sentir bem.

Vianna: Você pode lidar com todas essas centenas de pessoas vindo até você para serem curadas?

Hiro: Claro. Sei como colocar meus limites.

Vianna: Quero que você se imagine vivendo essa situação. Qual é a sensação?

Hiro: Bem... Sinto que provavelmente fracassarei trabalhando com alguém.

Essa é uma indicação inicial de que há uma crença profunda que irá bloquear esse homem de ter sucesso como curador.

Vianna: O que aconteceria se você fracassasse?

Hiro: Oh, eles iriam me expulsar. Eles iriam me colocar num buraco.

Vianna: Um buraco?

Hiro: Sim, um buraco negro, e eles iriam esquecer de mim.

Vianna: O que acontece com você nesse buraco?

Hiro: Não acontece nada comigo. Eles se esqueceram de mim.

Vianna: Por quanto tempo esquecerão de você?

Hiro: Não sei. Talvez para sempre, porque estraguei. Machuquei alguém e eles ficaram doentes por causa de minha cura. Em razão disso, fui afastado.

Vianna: Será que você nunca será perdoado?

Hiro: Não, nunca serei perdoado.

Vianna: Então o que acontece?

Hiro: Eu não posso suportar a solidão. Acho um objeto pontiagudo e cometo suicídio.

Vianna: Você está livre dessa experiência agora? Você vai para a luz? O que acontece com você?

Hiro: Eu estou no escuro e tenho medo de sair. Tenho medo de cair de novo.

Vianna: Quanto tempo você está na escuridão?

Hiro: Eu não tenho certeza. Cinco mil anos vêm à minha mente.

Vianna: Então o que acontece com você?

Hiro: Eu vou para a luz. Outra chance é dada a mim.

Vianna: Então, afinal, qual é o medo realmente associado a você fazer trabalho de cura?

Hiro: Que irei fracassar. Que será minha culpa e serei afastado. Estarei sozinho, expulso e esquecido.

Vianna para a turma: Essas são as crenças raízes. A razão pela qual Hiro não pode realizar sua verdadeira ambição de vida é por medo de obtê-la. Portanto, se você retirar e liberar os programas "Eu tenho medo de estar sozinho" e "Eu serei esquecido", eles devem ser substituídos por "Eu sei qual é a sensação de ser lembrado", "Eu sei como viver e ter alguém comigo", "Eu sei como perdoar a mim mesmo", "Eu sei que o Criador é um curador" e "É seguro ser um curador".

Vianna para Hiro: Eu tenho a permissão para liberar esses programas e substituí-los como sugeri?

Hiro: Sim. Muito obrigado!

Hiro deixa a sessão de trabalho de crenças radiante, leve e cheio de alegria.

TRABALHO DE *DIGGING* – EXEMPLO 8: INTUIÇÃO E HABILIDADES INTUITIVAS

Vianna: Você me dá permissão para entrar em seu espaço?

Mulher: Sim, dou.

Vianna: Quantos anos você tem?

Mulher: 53 anos.

Vianna: Você tem alguma pergunta?

Mulher: Eu quero saber como me abrir mais e ser mais intuitiva.

Vianna para a turma: Está bem, então é aí que vamos começar. Não inicie com o que *você* acha que a pessoa precisa. Comece com o que *ela* acha que precisa. A solicitação do cliente é primordial.

Vianna para a mulher: Repita comigo: "Eu sei como me abrir e ser mais intuitiva".

Mulher: Eu sei como me abrir e ser mais intuitiva. Sei que sou intuitiva. Sei que posso controlar minha intuição.

Vianna para a turma: Ok, o teste energético foi negativo para esses programas. Ela quer se abrir, mas não acha que pode controlar isso.

Vianna para a mulher: Por que você não pode se abrir intuitivamente?

Mulher: Porque tenho medo.

Vianna: Por que você tem medo?

Mulher: Tenho medo do que irá acontecer comigo. Tenho medo de que eu vá mudar tanta coisa que não saberei mais quem sou. Tenho medo de que isso acontecerá gradualmente, ao longo do tempo, e não saberei o que está acontecendo.

Vianna: Se você mudar tanto a ponto de não saber quem você é, o que acontecerá então?

Mulher: Eu me perderei.

Vianna: E o *que* isso significa para você? Repita comigo: "Eu tenho medo de me perder".

Mulher: Tenho medo de me perder.

Teste energético positivo.

Vianna: Por que você está perdida?

Mulher: Eu tenho medo de me encontrar.

Vianna: O que acontecerá se você se encontrar?

Mulher: Temo que, se eu me encontrar, encontrarei minha missão de vida, e tenho medo de falhar em minha missão nesta vida. E se isso me levar a fazer algo que eu não quero fazer?

Vianna: Repita comigo: "Eu tenho medo da minha missão de vida".

Mulher: Eu tenho medo da minha missão de vida.

Teste energético positivo.

Vianna: Qual a pior coisa que poderia acontecer se você começasse a trabalhar em seu projeto de vida?

Mulher: Tenho medo de manchar minha reputação. Tenho medo de fracassar.

Vianna para a turma: Agora, coloquei essas palavras em sua boca? Não, subi e pedi a Deus. O Criador disse: "Ela tem medo de fracassar". Essa é provavelmente a questão mais importante. Se eu começar a retirar todas as outras crenças que ela teve ao longo do caminho, a sessão levará muito tempo e não chegará à crença raiz. Então vamos com esta. Você notará que estou tocando sua mão enquanto estou trabalhando com ela. Isto é para confortá-la e manter espaço dela.

Vianna para a mulher: Se você tivesse um medo todos os dias, qual seria?

Mulher: Eu teria medo das pessoas com quem trabalhei e tentei curar.

Vianna: Está com medo de falhar com elas?

Mulher: Sim, tenho medo de falhar com as pessoas com quem estou trabalhando. Tenho medo de falhar com Deus. Tenho medo de falhar comigo mesma.

Vianna para a turma: Se o teste energético dela der positivo por falhar com as pessoas com quem ela está trabalhando e negativo por falhar com Deus, o que isso me diz? Que ela tem medo de falhar com as pessoas com quem está trabalhando. Pode haver algumas questões relacionadas a Deus em algum lugar que possivelmente venham à tona, mas na verdade ela tem medo de prejudicar as pessoas.

Mulher: Eu tenho medo de matá-las. Tenho medo de machucá-las. Tenho medo de falhar com elas.

Vianna para a turma: Ela é definitivamente preocupada com elas!

Vianna para a mulher: Qual é a pior coisa que poderia acontecer se você falhar com elas?

Mulher: Seria devastador.

Vianna: Por quê?

Mulher: Eu as desapontaria.

Vianna: Se você as desapontasse, o que aconteceria?

Mulher: Eu não sei. Eu seria morta.

Vianna para a turma: Ok, então ela tem medo de morrer? Ou o seu grande medo é de magoar os outros. Poderia ser tão simples?

Vianna para a mulher: Então devemos ensinar-lhe qual é a sensação de fazer curas, sem ferir os outros e saber o que está fazendo? Deixe-nos ensinar-lhe o que fazer e como fazer para ajudar as pessoas. Como se conectar com Deus e saber o que fazer nas curas. Como viver sem o medo de falhar com aquelas pessoas e como saber que é possível. Saber qual é a sensação de cada um com quem você trabalha realmente receber a cura. Você aceita essas energias?

Mulher: Sim.

Vianna para a mulher: Uma vez que Deus faz as curas, Deus deixa aquelas pessoas desapontadas? Diga: "Eu tenho medo de que Deus vá desapontar aquelas pessoas".

Mulher: Tenho medo que Deus me desaponte.

Teste energético positivo.

Vianna: Por quê?

Mulher: Eu não mereço isso.

Vianna: Você diz que não merece pedir isso a Deus. O que faz você se sentir assim? E se um dia Deus não a escutar?

Mulher: Então, nada acontece.

Vianna para a mulher: Confiar que Deus irá curar essas pessoas é um grande passo para você. Gostaria de saber como dar esse passo? Você aceitaria esses *downloads*:

> *"Eu sei o que fazer quando alguém está doente."*
>
> *"Eu sei como ajudar as pessoas."*
>
> *"Eu sei como ser um curador."*

Gostaria de saber como viver sem medo de Deus desapontá-la e de você desapontar aquelas pessoas? Você aceita essas energias?

Mulher: Sim.

Vianna: Bom. Como você se sente agora?

Mulher: Muito melhor!

Vianna para a turma: Você vê, ela não sabia como dar o próximo passo ou como curar outra pessoa. Ela não sabia como confiar no Criador completamente.

Vianna para a mulher: Gostaria de saber como dar o próximo passo? Você me permite fazer o *download* deste conhecimento em você? E do conhecimento que é possível, e que você merece e que você é digna dele? Você aceita essas energias?

Mulher: Sim.

Vianna: Como você se sente agora?

Mulher: Eu sinto uma ligeira mudança.

Vianna: Gostaria de uma mudança maior? Gostaria de saber como trabalhar em alguém sem sentir a ansiedade de desempenho? Gostaria de saber como ser paciente com você mesma? Permitir que sua mente, seu corpo e seu espírito aprendam sem esforço? Vamos ensiná-la quando saber que você concluiu o trabalho em si mesma e quando seu corpo está cansado. Quando descansar e quando honrar o que seu corpo diz, e também quando honrar o que você veio fazer aqui. Você aceita essas energias?

Mulher: Sim.

Vianna para a turma: Então finalizamos, e a questão mais profunda era que ela estava realmente com medo de machucar os outros. Não iremos mais fundo do que isso. Ela tem realmente uma preocupação natural pelos outros. Agora, será mais confiante.

Vianna para a mulher, em conclusão: Você me dá permissão para ensiná-la a ouvir seu coração e o Criador? Saber quando tomar uma decisão e como tomar uma decisão? Saber o que dizer a seus clientes sem feri-los?

Mulher: Sim.

Ouvir é uma das coisas mais importantes no trabalho de crenças. Muitas vezes, o praticante irá tentar dizer à pessoa o que *ela* acredita que sejam suas crenças. *Ouvir o cliente e o Criador é uma arte – uma arte que requer prática.* A razão disto é que todas as mensagens que você recebe do Criador têm de ser interpretadas por sua mente. E você tem de se certificar de que a mensagem recebida do Criador e a que você passa ao cliente são exatamente a mesma.

TRABALHO DE *DIGGING* – EXEMPLO 9: PESSOAS MAIS FRACAS SE APROVEITAM PARA TIRAR VANTAGENS

Vianna para a turma: Uma das primeiras perguntas que faço à pessoa antes de iniciar uma leitura se refere a quaisquer medicações ou ervas que possa estar tomando. A razão pela qual pergunto isso antes de escanear seu corpo é para que eu não fique confusa com as essências dos compostos com que vou me conectar durante a leitura. Qualquer medicação ou erva muda a vibração da pessoa, e a forma com que interage com o corpo pode mascarar a doença ou o distúrbio. Uma vez que você experimenta a sensação das medicações e das ervas no corpo, fica fácil reconhecê-las quando você estiver em uma leitura. Mas, para ganhar tempo valioso, peço para a pessoa me dizer o que está tomando antes de adentrar seu espaço.

Vianna para a mulher: Você está tomando algum medicamento ou erva? Você tomou magnésio esta manhã ou qualquer outra vitamina?

Mulher: Não.

Vianna: A próxima coisa que faço enquanto adentro seu corpo é dizer ao Criador: "Criador, mostre-me!". Vejo então que essa mulher range seus dentes por causa dos parasitas. Há parasitas no cólon. Vejo que está apaixonada. Se você passar através da energia do coração de uma pessoa, descobrirá se ela está apaixonada ou não. Vejo que sua coluna está desalinhada. Você quer que o Criador alinhe sua coluna?

Mulher: Sim, por favor!

Vianna: Você tem encontrado enormes desafios em sua vida, mas posso ver que está pronta para a alegria. Seus joelhos estão fracos, você está com medo de seguir em frente em sua vida, mas é bom que saiba que ficará bem. No passado, você foi afetada por metais pesados, mas agora, pouco a pouco, o magnésio que você usa está eliminando-os de seu sistema. A audição em um de seus ouvidos é melhor que no outro. Tem sido sempre assim?

Mulher: Foi um acidente que causou uma leve perda auditiva.

Vianna: O que vem em sua mente quando você ouve a palavra "parasita"?

Mulher: Meu pai.

Vianna: Sua mãe está viva?

Mulher: Não, ela não está. Sou adotada.

Vianna: Fale-me sobre seu pai adotivo.

Mulher: Ambos os pais adotivos são parasitas.

Vianna: Por que você permite que eles se comportem dessa maneira?

Mulher: Eu não sei como mudar isso.

Vianna: Você me permite ensinar a você como dizer "não" em sua vida e dizer "não" a eles?

Mulher: Sim, aceito esses *downloads*.

Vianna: Agora que você é capaz de dizer "não" a eles, o que acontecerá com você? Qual é a primeira coisa que vem em sua mente?

Mulher: Eu acho que eles são fracos.

Vianna: Eu sei. Você acha que deve ajudá-los porque eles são mais fracos do que você? Diga: "Eu devo permitir que pessoas mais fracas se aproveitem de mim".

Mulher: Eu devo permitir que pessoas mais fracas se aproveitem de mim.

Teste energético positivo.

Vianna: Diga: "Devo deixar pessoas mais fortes se aproveitarem de mim."

Mulher: Devo deixar pessoas mais fortes se aproveitarem de mim.

Teste energético negativo.

Vianna: Somente pessoas mais fracas tiram vantagem de você. Por quê?

Mulher: Eu tenho de ajudá-las.

Vianna: Você tem de ajudar aqueles que são mais fracos do que você mesma se eles a estiverem machucando de alguma maneira? Você não é capaz de dizer "não" porque eles são mais fracos do que você. Então você os deixa tirar vantagem de você sem ensiná-los como serem mais fortes. Qual é a pior coisa que poderia acontecer com você se não os ajudasse? Você se sentiria culpada?

Mulher: Eu me sentiria mal e perderia minha autoestima.

Vianna: Repita: "Eu tenho autoestima".

Teste energético positivo.

Vianna: Por que você subestima a si mesma?

Mulher: Eu acho que não mereço esta vida. Não mereço existir.

Vianna: Repita: "Eu existo".

Teste energético negativo.

Vianna: Gostaria de ter a definição de existir do Criador?

Mulher: Sim.

Vianna: Seus pais adotivos destruíram seu sentimento de existir? Quem fez você se sentir desse jeito?

Mulher: Eu não sei.

Vianna: Gostaria de sentir que há lugar para você neste mundo, e que você tem valor e pode brilhar? Você me permite lhe ensinar como amar seus pais sem se sentir drenada e como receber e aceitar o amor?

Mulher: Sim.

Vianna: Agora você pode amar seus pais adotivos sem se sentir drenada por eles. Como você se sente agora? Melhor? Seu corpo dói em algum lugar?

Mulher: Meu estômago dói.

Vianna: Que outro tipo de dor você sente?

Mulher: Uma dor incômoda no plexo solar.

Vianna: Você se sente solitária também?

Mulher: Sim, eu me sinto.

Vianna: Distúrbios no estômago estão ligados a angústia, vergonha e sentimentos de culpa. Gostaria de ser capaz de dizer "não" na vida quando você precisar se sentir confiante, sem ser abusada?

Mulher: Sim.

Vianna: Como você se sente agora?

Mulher: A dor saiu de meu estômago, mas se moveu.

Vianna: Para onde ela se mudou?

Mulher: Minhas pernas e braços...

Vianna para a turma: Quando você capta os problemas e os elimina, eles podem se mover para algum outro lugar do corpo. Quando você libera algo, sempre deve perguntar se outra parte do corpo dói. Você pode perguntar ao Criador onde está a dor, mas pergunte também à pessoa com quem está trabalhando.

Mulher: Meus ossos doem agora.

Vianna: Isto é muito importante. Dor em diferentes partes do corpo significa que as emoções associadas àquela área foram estimuladas. Talvez você se sinta violada e se pergunte por que ninguém a protegeu. Você já se sentiu protegida por alguém?

Mulher: Ninguém além de mim.

Vianna: Você me permite ensiná-la a se sentir protegida, como se proteger e como deixar alguém a proteger?

Mulher: Sim.

Vianna para a turma: Estes não são programas que estou liberando e substituindo; a questão é ensinar-lhe esses sentimentos e saber que eles vêm do Criador de Tudo o Que É.

Vianna para a mulher: Como você se sente agora? A dor ainda está aí?

Mulher: Sim, está.

Vianna: Por que ainda está doendo?

Mulher: Por causa de outras pessoas que me machucaram.

Vianna: Repita: "Eu deixo pessoas mais fracas me machucarem" *[teste energético positivo]*. Posso lhe ensinar que você não tem de deixar as pessoas mais fracas a machucarem e qual a melhor maneira de lidar com essas situações?

Mulher: Sim. A dor está piorando agora.

Vianna: Onde Deus estava em sua vida quando você era jovem?

Mulher: Deus me traiu.

Vianna: Repita: "Deus me traiu" *[teste energético positivo]*. Eu poderia continuar cavando, mas sei que o problema está nos ossos. Você está convencida de que Deus a traiu e por isso Deus não existe. Há uma contradição em seu corpo. Permita-me lhe ensinar como ter esperanças em Deus e saber que as pessoas a entender?

Mulher: Sim.

Vianna: Você tem o programa "Eu permito que as pessoas que amo me machuquem". Posso liberar isto? Posso lhe ensinar que há amor sem dor, que você é capaz de amar e saber a definição correta de Deus?

Mulher: Sim. Agora meu quadril direito dói.

Vianna para a turma: Alguns momentos atrás, a dor era na parte esquerda. Isso pode significar que ela tenha sido abusada quando era jovem, ou talvez que alguém tenha lhe dito que era feia ou ruim, ou algo assim.

Vianna para a mulher: Toque seu quadril direito. O que você sente?

Mulher: Sinto dor de estômago.

Vianna: Não vomite agora. Está quase no fim. Você quer ter a sabedoria de que está segura?

Mulher: Sim.

Vianna: Toque seu estômago. O que você sente?

Mulher: Eu quero desaparecer.

Vianna: Você me dá permissão para lhe ensinar como viver cada dia sem se sentir abandonada, por saber que é seguro estar aqui e saber como viver sem querer desaparecer? Você me dá permissão para trabalhar no momento em que você ainda era um feto, no ventre de sua mãe?

Mulher: Sim, você pode.

Vianna: Como você se sente agora?

Mulher: Minhas costas doem.

Vianna: O que você sabe sobre seus pais verdadeiros?

Mulher: Nada.

Vianna: Você me dá permissão de lhe trazer qual é a sensação de ser amada por sua mãe e pai verdadeiros desde o ventre?

Mulher: Sim.

Vianna: Como você se sente agora?

Mulher: Minhas costas ainda doem. Sinto-me mais calma, mas ainda há algo de errado em meus joelhos e pernas.

Vianna para a turma: No nível emocional, ela está bem, mas seu corpo continua doendo. Isso é chamado de dissociação. Ela aprendeu a desligar suas emoções quando começam a ser excessivas. Curadores geralmente desassociam.

Vianna para a mulher: Você me dá permissão para lhe ensinar que é seguro sentir emoções?

Mulher: Sim.

Vianna para a mulher: O que você está se sentindo agora?

Mulher: Minhas pernas doem.

Vianna: A energia se moveu para as pernas, que são o suporte do corpo. Qual é a pior coisa que pode lhe acontecer se for amada simplesmente por ser quem você é?

Mulher: Eu não sei. É algo que nunca conheci.

Vianna: Repita: "Eu sei o que é ser amada sendo quem sou".

Teste energético negativo.

Vianna para a turma: Eu a ensinei a como aceitar o amor de seus pais, mas seu corpo não é capaz de integrar esses sentimentos. É mais fácil para ela aceitar a dor do que estar aberta ao amor, porque ela compreende melhor o sofrimento. Ela precisa de magnésio e cálcio. Se você não for capaz de aceitar o amor, não será capaz de aceitar magnésio e cálcio. Você me permite ensiná-la a se sentir amada simplesmente por ser quem você é?

Mulher: Sim.

Vianna: Como está a dor agora?

Mulher: Está forte na articulação coxo-femural.

Vianna: Repita comigo: "Eu sei como viver sem dor" *[teste energético negativo]*. Você me dá permissão para lhe ensinar esse sentimento?

Mulher: Sim.

Vianna: Como está a dor agora?

Mulher: Ela está começando a desaparecer. Ela sumiu agora.

Vianna: Seu corpo parece revigorado, e ela está muito mais leve.

TRABALHO DE *DIGGING* – EXEMPLO 10: ABUNDÂNCIA

Vianna: O que você gostaria de trabalhar?

Mulher: A abundância. ThetaHealing me ajudou a sair de uma situação difícil que terminou em divórcio. Mas, por causa disso, estou com problemas financeiros.

Vianna: A abundância pode ser alcançada de diversas maneiras.
Mulher: Sim, mas não estou recebendo ajuda. Ninguém tem me dado em nada.

Vianna: Tudo bem, tenho minhas próprias ideias a respeito de abundância. O que significa abundância para você?

Mulher: Eu quero ser livre e independente das pessoas.

Vianna: E se Deus achasse que seria bom para você ter um parceiro?

Mulher: Tudo bem, mas quero ser economicamente independente.

Vianna: Ser ajudada por alguém não significa ser dependente. Acho que você tem programas sobre Deus e dinheiro. Qual é a pior coisa que poderia acontecer se você tivesse muito dinheiro?

Mulher: Eu não saberia como lidar com isso.

Vianna: Vamos ensiná-la a lidar com muito dinheiro. Imagine que você é rica. O que você fará?

Mulher: Eu posso fazer e ter o que quiser – livros, cultura, seminários, viagens, e sem problemas...

Vianna: E o que você faria sem problemas?

Mulher: Eu iria me divertir. Aproveitaria a vida.

Vianna: E depois?

Mulher: Gostaria de ajudar as pessoas.

Vianna: Quem?

Mulher: Aquelas que precisam de ajuda... Minha família, meus parentes...

Vianna: Ok, e o que aconteceria depois?

Mulher: Eu não sei.

Vianna: E se você soubesse o que aconteceria depois?

Mulher: Eu não teria problemas em pagar contas.

Vianna: Mas quais problemas você teria se aqueles que você listou antes desaparecessem?

Mulher: Nenhum! Exceto os de meus filhos.

Vianna: O que aconteceria se você tivesse de ajudar muito seus filhos?

Mulher: Eles poderiam se aproveitar de mim. Todos iriam fingir que me amavam.

Vianna: Como você iria saber quem realmente a amava?

Mulher: Talvez ninguém realmente me amasse.

Vianna: Então, você sempre foi aquela que se preocupou com todo mundo?

Mulher: Eu sempre tenho dado muito e recebido muito pouco de volta. Então, se eu tiver abundância, as pessoas que estão em minha vida irão querer mais de mim. Elas estragarão minha vida.

Vianna: Então, você diria que, de alguma forma, a abundância estragaria sua vida?

Mulher: Eu não tenho certeza se eu já tive abundância em minha vida.

Vianna: Repita: "Tenho medo da abundância".

Teste energético positivo.

Vianna: Repita: "Se eu tiver muito dinheiro e abundância, as pessoas irão me explorar e me amar apenas pelo que eu possa lhes dar" *[teste energético positivo novamente]*. Então, você gostaria de ser rica?

Mulher: Sim, mas tenho medo de ser rica.

Vianna: Ok. Você me dá permissão para lhe ensinar como viver sem temer ter muito dinheiro e sem deixar que outras pessoas, especialmente aquelas que você ama, se aproveitem de você? Você quer aprender a se sentir amada e ajudada sem perder sua liberdade?

Mulher: Sim.

Vianna: Qual é a pior coisa de ter muito dinheiro?

Mulher: Nada.

Vianna: Você gosta de ensinar em seminários?

Mulher: Sim, mas nunca conduzi um. Eu gostaria de usar Theta não só nos seminários, mas também em outras coisas, como melhorar minhas faculdades mentais, ajudar a mim mesma e a outras pessoas."

Vianna: Você quer saber as vantagens que ter abundância lhe dá?

Mulher: Sim!

Vianna: Repita comigo: "Curadores precisam ser pobres"*[teste energético positivo]*. Por que você acha que os curadores precisam ser pobres?

Mulher: Eu não sei. Talvez por saber o que significa o sofrimento de ter sido pobre.

Vianna: Você está convencida de que para ser uma curadora você tem de sofrer, não é? *[teste energético positivo]*. Você gostaria de saber que já sofreu o suficiente e pode seguir em frente sem ser pobre? Você acha que tem direito de experimentar a abundância? *[teste energético negativo]*. O que você tem de fazer para alcançar a abundância?

Mulher: Acho que já limpei minhas falhas e minhas dívidas, acho que tenho o direito de ter abundância.

Vianna: Vamos ver se você recupera seus privilégios de ser abundante até esta sexta-feira.

Mulher: Excelente! Agora terei de jogar na loteria!

Vianna: E se até sexta-feira você ganhar seus direitos de volta de uma vez por todas? O que acontece?

Mulher: Eu não sei.

Vianna: Vamos lhe ensinar que há uma solução para cada situação e como reconhecê-la:

> "*Posso reconhecer a solução.*"
>
> "*Eu acredito que Deus cuidará de mim.*"
>
> "*Eu liberto as pessoas à minha volta do programa de que elas têm que me desapontar.*"
>
> "*Eu posso confiar na ideia de que Deus cuidará de mim.*"
>
> "*Eu tenho recebido soluções para melhorar minha vida.*"

Você me dá permissão para "baixar" esses *downloads* em você?

Mulher: Sim.

Vianna para a turma: Observem-na – ela está mais calma agora. A única coisa que a deixou nervosa foi a ideia de confiar em Deus. Esse é nosso ponto de partida para cavar a crença raiz. Poderia ser em relação aos homens, e não a Deus...

Vianna para a mulher: Quem decepcionou você?

Mulher: Todo mundo.

Vianna: Por quê?

Mulher: Porque eles se aproveitaram de mim. Levaram tudo de mim porque eu era generosa. Ainda sou generosa – estou sempre dando e nunca recebendo nada de volta.

Vianna para a turma: Posso ver por suas reações que essa é a direção certa.

Vianna para a mulher: Seu coração está muito triste. O que você faz quando as pessoas se comportam assim com você?

Mulher: Fico com raiva. Mas, se meus filhos se aproveitam de mim, não consigo dizer "não".

Vianna: Você é capaz de dizer "não" para as pessoas que ama?

Mulher: Talvez não.

Vianna: Você sabe como receber o amor de seus filhos?

Mulher: Estou começando a duvidar disso.

Vianna: O que seus filhos lhe darão de volta?

Mulher: Eles me amam, mas reconheço que são egoístas. De qualquer forma, tenho sido decepcionada por todos, não só por meus filhos.

Vianna: Seus pais te amam?

Mulher: Eu nunca me senti amada por eles e agora meu pai está morto.

Vianna: Por que você não se sentia amada por ele?

Mulher: Porque não consigo me lembrar sendo feliz com ele.

Vianna: Me fale mais.

Mulher: Minha mãe sempre preferiu meu irmão a mim. Sinto que nunca sou suficiente.

Vianna: Repita comigo: "Eu nunca sou o suficiente" *[Teste energético positivo]*. Você quer saber como viver diariamente se sentindo suficiente e qual é a sensação de ser amada, sabendo que é suficiente?"

Mulher: Sim.

Vianna para a turma: Fui até o Criador e perguntei o que deveria instalar. Sei que é mais fácil para ela deixar seus filhos desapontá-la que receber o amor deles em retribuição. Ensinei-a como se sentir suficiente. Seus filhos a amam profundamente. Ela pode ter abundância sem se sentir solitária. Também instalei a definição e o conceito do Criador de receber amor e, ao mesmo tempo, ser livre.

Vianna para a mulher: Como você se sente agora?

Mulher: Tudo bem...

Vianna: Mas...?

Mulher: Sinto que perdi alguma coisa.

Vianna: O que você sente que perdeu?

Mulher: Não sei. Talvez seja a ideia de que eu realmente não tenha pago por tudo de ruim que fiz durante minhas vidas passadas. Tenho a sensação de que ainda tenho dívidas e contas a pagar de vidas passadas e que logo vencerão.

Vianna: Gostaria de saber qual é a sensação de viver sem dívidas?

Mulher: Sim. Acho que sou muito complicada.

Vianna: Em quê?

Mulher: Bem, deste jeito que sou.

Vianna: Mas as mulheres são complicadas! É a característica que nos faz mulheres, e é isso que confunde os homens.

Mulher: Há uma raiva em meu coração.

Vianna: Por quê? O que ou quem faz você se sentir desse jeito?

Mulher: Não sei, não é nada em particular. É apenas o fato de que eu trabalho duro, chego a um certo ponto e, então, algo vem e estraga tudo.

Vianna: Você me dá permissão para lhe ensinar qual é a sensação de ter um plano que se realize de forma fácil e com sucesso, a sabedoria do que é um bom plano e a intuição para saber se ele vai funcionar, e o sentimento de agir e chegar até o fim?

Mulher: Sim.

Vianna: Repita comigo: "Eu tenho de falhar para fazer minha mãe feliz. Tenho medo de ser bem-sucedida". [*Teste energético positivo para ambos*]. Você me dá permissão para lhe trazer a sensação de como viver sem ter medo do sucesso? Irei ensiná-la a aceitar o sucesso que merece e como reconhecê-lo.

Mulher: Sim.

Vianna para a turma: Está quase terminado, mas ela ainda precisa de algo mais... Ela pode precisar de programas como:

"Eu tenho que me aceitar."

"Eu sou suficiente para mim."

"Eu me sinto grata por minha vida."

"Eu me sinto animada com a vida."

"A vida é uma aventura, e a vida tem romance."

"Eu sei como abrir meu coração para o prazer de viver."

Vianna para a mulher: Você me dá permissão para ensiná-la a como permitir que o dinheiro entre em sua vida? Como ter o prazer de amar e ser amada pelas pessoas à sua volta? De deixar que as barreiras que você criou caiam? De ter a liberdade de ser emocional e permitir que sua alma gêmea entre em sua vida?

Mulher: Sim.

Vianna para a turma: Ela agora está pronta para receber a abundância? Ela aceitou a possibilidade de que sua vida siga esse caminho, então iremos esperar e ver. Investiguei para ver se ela sabe se o que vem é a abundância ou o medo de que venha com muita facilidade. Se sentirmos que as coisas são muito fáceis, podemos sentir que não as merecemos. Mas agora que lhe trouxe a consciência de que a abundância pode vir facilmente, ela não se sentirá estranha quando vier.

Terminamos com essa sessão e posso ver que ela está bem, apenas um pouco nervosa... Saber que sua vida mudará radicalmente sempre gera novas emoções.

Em uma sessão de trabalho de crenças, você tem de estar atento ao que o Criador lhe diz. Você não pode simplesmente ouvir o que seu cliente está lhe dizendo. Você também tem de ir até o Criador e perguntar o que a pessoa precisa.

TRABALHO DE *DIGGING* – EXEMPLO 11: DIABETES

Essa sessão foi com uma mulher, em uma aula de Anatomia Intuitiva.

Vianna: O que você gostaria de trabalhar?

Mulher: Minha diabetes. Ela veio quando meu pai morreu. Fiquei muito triste e com raiva porque não o via há muitos anos. Fui ao Brasil para passar dois meses com ele para que pudéssemos dar um fechamento no passado. Eu sabia que ele estava com medo porque tinha de me explicar certas coisas sobre ter tratado a mim e a meus irmãos da maneira como tratou; eu queria saber o que ele tinha para me dizer, mas ele morreu antes que pudesse falar com ele. Quando ele morreu, estava com 72 anos e não tinha problemas de saúde. De repente sofreu um ataque cardíaco e morreu sem ter a chance de falar comigo. Eu me senti muito mal com tudo isso.

Em seguida, os médicos me disseram que eu tinha diabetes. Por causa da neuropatia, sofro de insensibilidade nas pernas. Não posso sentir meus pés e tenho problemas com equilíbrio. Tenho de tomar insulina – quatro vezes por dia, antes das refeições e antes de ir dormir – e continuo ganhando peso.

Vianna: Você se sente derrotada por seu pai? Você acha que ele venceu por ter conseguido evitar falar com você? Repita comigo:

"Eu me sinto desencorajada."

"Diabetes é incurável."

"Eu sou uma guerreira."

"Diabetes me enfraquece."

"Diabetes está me derrotando."

Teste energético positivo para todos.

Vianna: Como você se sente quando diz essas coisas?

Mulher: Eu não sei, alguns não passam em minha mente como pensamentos, mas posso senti-los.

Vianna: Existe ainda alguma coisa que precisa ser resolvida entre você e seu pai?

Mulher: Sim. Ele não soube tudo o que eu queria ter dito a ele.

Vianna: Como você se sente a respeito disso?

Mulher: Decepcionada. Era muito importante para mim dizer a ele como eu me sentia.

Vianna: O que você diria a ele se pudesse?

Mulher: Que ele não era um bom pai e que não foi capaz de amar as pessoas em geral. Ele era egoísta e egocêntrico. Eu estava irritada com ele por ter machucado a mim e a meus irmãos.

Vianna: Trabalharemos sua raiva em relação a seu pai. Porque se encontra no fígado, vamos trabalhar lá. Iremos dissolver a raiva que sente em relação a seu pai. Essa raiva foi criada para protegê-la dele. Você se sente derrotada pela diabetes, tanto que quer parar de viver. Você me dá permissão para lhe ensinar que você não foi derrotada e que tem o poder de vencer a diabetes? Porque era isto que você estava prestes a fazer quando seu pai morreu: tomar seu poder de volta. Tenho sua permissão para fazer tudo isso?

Mulher: Sim.

Vianna: Você quer perdoar seu pai? Repita comigo: "Posso perdoar meu pai" *[Teste energético negativo.]* O que essa raiva faz por você?

Mulher: Ela me dá força para ser diferente dele. Ele passou sua vida enriquecendo; uso minha energia ajudando as pessoas.

Vianna: Então essa raiva a ajudou a se tornar o oposto dele. Você a usou para amar as pessoas. Gostaria de continuar em seu caminho sem sentir tanta raiva? Você está pronta para deixar esse sentimento ir embora? Liberaremos seu pai da obrigação de fazê-la ficar com raiva dele. Gostaria de ter os sentimentos "Eu sei qual é a sensação de viver sem estar com raiva do meu pai"? Você me dá permissão para instalar esse sentimento?

Mulher: Sim.

Vianna: Se ele se libertar dessa obrigação, você também se libertará. Às vezes, as pessoas que achamos que desempenham um papel negativo em nossa vida acabam por ser positivas para nós. Agora, não instalei como perdoar seu pai, ou qualquer outro novo programa; eu simplesmente a libertei do cumprimento das obrigações que a manteve neste conflito. Repita comigo: "Eu posso perdoar meu pai".

Mulher: Eu posso perdoar meu pai.

Teste energético positivo.

Vianna: Então, como você vê, o programa mudou por si só, pela instalação de um sentimento. Sabendo ou não, essa raiva por seu pai lhe fez a bela pessoa que você é hoje. Por ter sido maltratada por ele, você faz questão de tratar a todos com respeito. Ao observar seu pâncreas e seu fígado, vejo que agora estão trabalhando de uma maneira diferente. Agora, talvez você possa permitir que seu corpo se cure. Repita comigo: "Eu sinto raiva de meu pai" [*teste energético negativo*], "Eu odeio meu pai" [*teste energético* negativo], "Eu posso amar meu pai" [*teste energético positivo*]. Você me dá permissão para ensinar o seu corpo a absorver nutrientes do alimento que você come?

Mulher: Sim.

Vianna: Agora que você está livre pode sentir quanto você sente falta do seu pai, em vez de quanto o odeia. Isso não faz dele uma pessoa melhor a seus olhos, mas você pode viver em harmonia e aceitar ajuda de outras pessoas. Provavelmente há mais coisas para se trabalhar, mas seus níveis de açúcar caíram e agora você terá de ser cuidadosa para não entrar em uma hipoglicemia. Nos próximos dias você deve monitorar de perto seu nível de glicose.

Vianna para a turma: Nunca diga a um cliente para parar de tomar insulina. Seu médico irá fazê-lo quando vir que sua glicose está se estabilizando.

TRABALHO DE *DIGGING* – EXEMPLO 12: RINS

Vianna: Fale-me sobre você.

Homem: Eu sou músico. Sempre viajei e sou um dos melhores no que faço. Em 2000, eu estava em Bruxelas e numa noite me senti mal. Eu tinha acabado de fazer uma apresentação quando percebi que não estava conseguindo urinar. Fui direto para o hospital e eles me disseram que era uma inflamação, uma espécie de nefrite. Os médicos me disseram: "Seus rins estão como duas pedras duras." Deram-me antibióticos e algo homeopático para me manter em recuperação. Em seguida, no ano passado, eu estava voltando de uma das minhas turnês e, no avião de volta para casa, tive outra insuficiência renal. Tive de me submeter à hemodiálise. Os sintomas eram simples: eu ia ao banheiro com frequência, mas só urinava um pouco. E ainda estou em hemodiálise.

Vianna: Está bem, vamos dar uma olhada em seus órgãos. Não sei se a causa é bacteriana ou viral, mas parece ser vírus. Esse problema o fez ficar mais em casa, mais com sua esposa?

Homem: Sim.

Vianna: Você ainda viaja muito?

Homem: Sim. Está mais difícil, mas ainda viajo. Eu adoeci em junho, mas fui para Itália em julho e para Cuba em agosto.

Vianna: Eu sinto que você quer parar de viajar. Isso é verdade?

Homem: Sim, é um desejo que tenho há muito tempo, porque viajei o mundo inteiro e agora estou cansado de estar sempre viajando.

Vianna: Eu me pergunto se você está pronto para uma cura. Sinto que você está apaixonado e quer parar de viajar, para relaxar e ficar com sua esposa. Você se sente como peixe fora d'água quando não está com ela, não é?

Homem: Por causa da minha doença, sinto-me mais seguro em casa do que viajando.

Vianna: Qual seria a pior coisa que poderia acontecer com você se ficasse curado?

Homem: Não consigo imaginar qual seria a pior coisa.

Vianna: Como você se sentiria se retornasse a sua música e a seu trabalho?

Homem: A música é minha vida e paixão, mas eu gostaria de ter liberdade de escolher meu próprio horário de trabalho.

Vianna: Você é obrigado a trabalhar com um cronograma específico?

Homem: Eu tenho sido forçado a viajar por muitos anos porque tinha muitos contratos de trabalho.

Vianna: Posso lhe ensinar que você pode ser bem-sucedido e, ao mesmo tempo, passar o tempo que quiser com sua esposa?

Homem: Sim.

Vianna: Por que você está doente?

Homem: Eu sempre fiz apresentações, não importando quão cansado eu estava, e sempre viajando. E também tive de tomar vacinas para viajar a diferentes países... Acho que há uma série de razões.

Vianna: Essa doença fez com que você percebesse que precisava relaxar mais. A questão é: você pode manter essa sensação de relaxamento mesmo curado?

Homem: Isto é o que eu gostaria, mas acho que não posso.

Vianna para a turma: Vocês veem o conflito?

Vianna para o homem: Você me permite lhe ensinar que é possível relaxar sem ficar doente e que você pode viver sua paixão, e ainda ser capaz de relaxar? Você quer aprender a viver sem estresse? A amar sua paixão, sua esposa e a si mesmo sem se sentir estressado?

Homem: Sim.

Vianna: Repita comigo: "Estou pronto para deixar essa doença ir embora". *[Teste energético positivo].* "Já aprendi tudo o que a doença podia me ensinar" *[teste energético positivo, novamente].*

Vianna para a turma: Este trabalho de crenças o ajudou de muitas formas, mas ele precisa seguir com mais sessões.

Vianna para o homem: Você agora está pronto para aceitar a cura.

TRABALHO DE *DIGGING* – EXEMPLO 13: ABUSO

Vianna: Em que você gostaria de trabalhar?

Mulher: Meu pai abusou de mim desde os 4 anos de idade. Ele sempre me assustava e eu o odiava. Ele sempre assustava todo mundo – minha mãe, minha irmã, meu irmão e eu. Ele sempre me machucava e, se eu dissesse para ele parar, ele ficava bravo e me trancava em meu quarto. Ele abusava de mim com palavras e batia em mim e em minha mãe.

Vianna: Ok... Quais são seus sentimentos por ele agora?

Mulher: Eu não o odeio mais, mas tive de me esforçar para isso.

Vianna: Como você se sente em relação à sua mãe?

Mulher: Ela tentou me proteger, mas não era uma proteção verdadeira, porque ela não queria se machucar. Eu a vi chorando e orava a Deus, pedindo para ajudá-la, porque eu a amava e não queria que meu pai a matasse.

Vianna: Então você está com raiva de Deus?

Mulher: Acho que não.

Vianna: Você viu como seu cérebro corrige as coisas? Ela realmente trabalhou em seus sentimentos em relação ao pai, mas sente não ter podido ajudar sua mãe.

Mulher: Eu pedi a Deus para ajudá-la, mas nada aconteceu. Não odeio meu pai, simplesmente fiquei chateada com ele.

Vianna: Manchas vermelhas estão aparecendo em seu pescoço.

Mulher: Bem, até hoje ele está abusando de minha mãe. Como *você* se sentiria?!

Vianna: E você não pode impedi-lo? Parece que você ainda se sente impotente com a situação.

Mulher: Sim, e uma coisa que realmente me magoou foi ver meu irmão fazendo exatamente a mesma coisa com seu filho.

Vianna: Repita comigo:

"Eu sou incapaz de ajudar minha mãe".

"Ninguém pode ajudar minha mãe".

"Nem mesmo Deus pode ajudar minha mãe".

Teste energético positivo para todos.

Vianna: Por que você se sente assim em relação a sua mãe?

Mulher: Porque ela o deixa continuar abusando dela.

Vianna: Você aceita esse comportamento?

Mulher: Não.

Vianna: O que sua mãe diz quando você fala com ela sobre isso?

Mulher: Ela me liga de duas a três vezes por dia para me dizer quão louco meu pai é. Por exemplo, ele fica louco se o jantar não está pronto na hora certa ou se as batatas não estão cozidas do jeito que deveriam estar.

Vianna: Você disse que a vida é assim desde que você tinha 4 anos. Qual é a primeira coisa que você se lembra?

Mulher: Ele voltou um dia do trabalho e me olhou com raiva. Eu estava com medo, então me escondi no armário. As únicas coisas que ouvi foram o grito de minha mãe e os berros do meu pai.

Vianna: Esta foi a primeira vez que você lembra de se sentir tão assustada?

Mulher: Sim.

Vianna: O que mais você sente agora, além da impotência em ajudar sua mãe?

Mulher: Sinto-me presa. As coisas estão piorando. Quando ele está perto de outras pessoas, ele se comporta perfeitamente, e elas gostam dele; mas, quando chega em casa, seu humor muda. Estou muito irritada com o que ele fez no passado e ainda continua fazendo.

Vianna: Mas você não deixa que ele a trate dessa maneira, não é?

Mulher: Não. Agora consigo me imaginar abraçando-o quando eu for para casa ver minha mãe no Natal.

Vianna: Manchas vermelhas aparecem em sua pele quando você fala de sua mãe.

Mulher: Sinto pena dela. Ela não consegue deixá-lo.

Vianna: Fale-me sobre a vida atual deles.

Mulher: Ele está sempre com raiva e não posso ajudá-la.

Vianna: Da maneira como você fala da situação é como se você, na verdade, não a sentisse. Sua mãe permitiu que ele machucasse você?

Mulher: Ela tem medo dele. Ela diz que simplesmente quer sobreviver e não sairá dessa situação.

Vianna: Esse comportamento vem da criação dela?

Mulher: Eu não sei. Não acredito que ela seja forte o suficiente para sair disso.

Vianna: Repita comigo:

"Eu tenho de ser forte por minha mãe e por mim."

"Eu tenho de permitir que meu pai me machuque, para que ele deixe de machucar minha mãe."

"Eu sou mãe de minha mãe."

Teste energético positivo para todos.

Vianna: Você sabe o que significa ser filho de alguém?

Mulher: Não, eu não sei.

Vianna: Alguma vez você já se sentiu como uma criança pequena?

Mulher: Não. eu não.

Vianna: Repita comigo: "Eu tenho de me esconder de tudo e de todos" *[Teste energético positivo]*. Você alguma vez já se sentiu segura?

Mulher: Sinto-me segura agora.

Vianna: Você sabe o que significa estar segura em casa?

Mulher: Não.

Vianna: Eu sou mãe e, enquanto toco sua mão, percebo que você nunca se sentiu amada como uma filha, nunca sentiu o calor de um lar verdadeiro e tem protegido sua própria mãe a vida inteira. Você me dá permissão para lhe ensinar qual é a sensação de ser uma criança e viver em uma casa acolhedora se sentindo segura? Isso também pode causar o mesmo efeito em sua mãe.

Mulher: Sim.

Vianna: Repita comigo: "Eu posso salvar minha mãe" *[teste energético positivo]*, "Eu preciso salvar minha mãe" [*teste energético negativo]*. Você não precisa dizer à sua mãe para sair dessa situação porque ela não quer, mas você pode se considerar fora disso. Você acha que ela sabe como um homem deve tratar uma mulher em um relacionamento normal?"

Mulher: Não, ela não sabe"

Vianna: Por que você não conta a ela?

Mulher: Ela já deveria saber disso.

Vianna: Há alguma esperança para seus pais?

Mulher: Não, não há.

Vianna: Você perdeu a esperança em sua mãe.

Mulher: Sim, perdi.

Vianna: Por quê?

Mulher: Porque ela não me ouviu quando tentei ajudá-la.

Vianna: Ela já lhe ouviu alguma vez?

Mulher: Não, nunca me ouviu.

Vianna: Por quê?

Mulher: Ela não quer.

Vianna: Será que ela ouve alguém?

Mulher: Não, não ouve.

Vianna: Você fica com raiva quando alguém não quer ouvir você?

Mulher: Sim, fico.

Vianna: Sua mãe é inteligente?

Mulher: Não, não é.

Vianna: Repita comigo: "Eu odeio meu pai" *[teste energético positivo].* Por que essa crença ainda está aí? Pensei que você a tivesse liberado. Repita comigo: "Eu odeio o que meu pai faz com minha mãe. Odeio minha mãe porque ela não entende. Odeio pessoas estúpidas" *[Teste energético positivo a todos].* O que você aprendeu com seu pai?

Mulher: Meu pai me ensinou que não tenho que tolerar tal tratamento. Sou forte.

Vianna: Seu pai lhe ensinou que você não tem de tolerar tal tratamento. Sua mãe não entendeu essa mensagem e por esse motivo você está zangada com ela. Ela conseguiu resolver a questão de seu pai com a ideia de que ele tem problemas mentais, mas você ainda está frustrada com a reação dela. O que você diria se ela pudesse ouvir você?

Mulher: Eu diria a ela para deixá-lo porque ele não a respeita. Será que ela gosta de ser tratada daquela maneira?

Vianna: Ela é uma vítima? Você está com raiva dela porque ela simplesmente aceita a situação?

Mulher: Ela é uma vítima. Eu disse a ela para deixá-lo, mas ela me disse que tinha de ficar lá. Meu pai odeia vítimas e eu também.

Vianna: Repita comigo:

"Minha mãe é fraca."

"Odeio vítimas."

"Eu odeio pessoas sem força."

"Acho que elas são ridículas."

"Eu nunca serei fraca."

"Eu tenho que deixar as pessoas mais fracas se aproveitarem de mim."

"Minha mãe é fraca."

"Minha mãe é uma vítima."

"Meu pai é um agressor."

Teste energético positivo para todos.

Vianna: Você me dá permissão para lhe ensinar que as pessoas fracas não podem se aproveitar de você e que você pode perdoá-las?"

Mulher: Sim.

Vianna: Repita comigo: "Eu tenho de salvar minha mãe. Posso falar com minha mãe" *[Teste energético positivo para ambos]*. Você me dá permissão para ensiná-la como viver sem tolerar o abuso e a viver livremente? Isso vai ajudar também sua mãe no nível genético.

Mulher: Sim.

Vianna: Por causa de seu pai, você é uma mulher forte. Repita comigo: "Eu sou uma vítima" *[teste energético negativo]*. Você não odeia sua mãe, mas está com raiva dela, das vítimas e de você mesma. Graças a esses *downloads*, todos esses programas se disolveram.

Mulher: Quando eu tinha 4 anos de idade, fechei a porta na cara de meu pai, senti muito medo.

Vianna: Você ainda está sentindo aquele medo?

Mulher: Sim, estou.

Vianna: Qual é a pior coisa que pode acontecer se seu pai a achar no armário?

Mulher: Ele pode me bater e gritar comigo.

Vianna: Nada pior?

Mulher: Eu posso ser forçada a odiá-lo.

Vianna: E o que acontece se você o odiar?

Mulher: Quando eu era criança, queria vê-lo morto.

Vianna: O que teria acontecido se ele estivesse morto?

Mulher: Poderíamos ter conhecido a paz.

Vianna: Repita comigo: "Eu sei qual é a sensação de viver em paz enquanto meu pai está vivo" *[Teste energético negativo].* "Eu conhecerei a paz quando meu pai estiver morto" *[teste energético positivo].* Você me dá permissão para alterar esses programas e "baixar" a sensação de paz?

Mulher: Sim.

Vianna: Quando você tinha 4 anos, seu pai ficou bravo com você porque você fechou a porta na cara dele. Como você se sente agora em relação a isso?

Mulher: O medo passou. Eu me sinto tranquila agora.

Vianna para a turma: Ela está leve e feliz agora.

TRABALHO DE *DIGGING* – EXEMPLO 14: MANTER UMA PROMESSA

Vianna: O que você gostaria de trabalhar?

Homem: Uma parte importante de minha vida foi apagada porque fui tirado da terra onde nasci e não me lembro de nada daquele tempo. É como se minhas raízes tivessem sido cortadas. Nasci na Austrália e recentemente tenho sentido um forte desejo de voltar para lá, mas não sei a razão disso.

Vianna: Então, do que você está sentindo falta?

Homem: De um amigo meu que mora lá.

Vianna: Qual o nome dele?

Homem: Não sei. Não me lembro.

Vianna: Como ele era quando você o viu pela última vez?

Homem: Ele era uma criança pequena, um aborígine com quem cresci.

Vianna: Quem era a família dele?

Homem: Eu me lembro que ele tinha duas irmãs.

Vianna: Bem, você disse que não se lembrava de nada daquele tempo, mas você se lembra de muitas coisas! Você prometeu a ele que voltaria?

Homem: Sim, fiz isso antes de ir embora.

Vianna: E seu coração ainda se comunica com esse menino?

Homem: Sim, mantemos contato.

Vianna: O que isso significa para você?

Homem: Eu não sei. Acho que eles estão esperando por mim.

Vianna: Ele e a família dele? Quantos anos ele teria agora?

Homem: Ele teria por volta de 45 anos.

Vianna: Quando ele espera que você volte?

Homem: Eu não lhe disse em quantos anos voltaria.

Vianna: Mas, se tivesse dito, que idade você teria dito?

Homem: 50 anos. É o primeiro número que me veio à mente.

Vianna: Repita comigo: "Eu combinei de voltar quando tivéssemos 50 anos" *[teste energético positivo]*. Um fragmento de alma desse período se prendeu em sua alma. Podemos devolvê-lo para aquele tempo? Ou você quer manter esse fragmento? Você quer voltar?

Homem: Sim.

Vianna: Repita comigo:

> *"Eu me sinto forçado a cumprir a minha promessa."*
>
> *"Eu quero cumpri-la."*
>
> *"Eu tenho de voltar àquele país, para recuperar meu direito de nascença."*
>
> *Teste energético positivo para todos.*
>
> *"Eu quero meu fragmento de alma de volta sem retornar para a Austrália."*
>
> *Teste energético negativo.*

Nessa memória você consegue ter paz?

Homem: Eu tenho uma sensação de leveza com ela.

Vianna: Pensar naquele período de tempo lhe faz bem?

Homem: Sim, faz.

Vianna: Posso pedir ao Criador para lhe ajudar a lembrar facilmente aquelas memórias?

Homem: Sim, pode.

Vianna: Qual é o nome do seu amigo?

Homem: Eu acho que é Ryan, mas não tenho certeza.

Vianna: E o seu sobrenome?

Homem: Algo como Bramma.

Vianna: Você acha que irá encontrá-lo, se voltar?

Homem: Sim, acho que sim.

Vianna: Você sabe onde você irá encontrá-lo?

Homem: Sim, sei.

Vianna: Assim que você voltar para a Austrália, o que acontecerá? Você encontrará seu amigo ou você encontrado por ele?

Homem: Acho que encontraremos um ao outro.

Vianna: Eu acho que você já chegou a uma conclusão sobre onde e quando se encontrariam. Seu coração está mais leve agora?

Homem: Sim, está, mas a dor foi para cima.

Vianna: O que você está sentindo? Que tipo de dor é essa?

Homem: É uma dor aguda, e acho que vem da promessa que fiz de voltar.

Vianna: Seu pai forçou-o a deixar a Austrália?

Homem: Sim, ele forçou. Minha irmã e eu tentamos de tudo para ficar, mas no final tivemos de ir porque meu pai tinha de ver o meu avô, que estava morrendo. Então ficamos na Itália. Não sei por que não voltamos para a Austrália.

Vianna: Repita comigo: "Eu odeio meu pai por me trazer aqui" *[teste energético positivo]*. Você quer liberar esse sentimento?

Homem: Sim, quero.

Vianna: Repita comigo: "Eu odeio meu pai por me forçar a sair da Austrália".

Teste energético negativo.

Homem: Eu posso manter minha promessa a meu amigo.

Teste energético positivo.

Vianna: Você está pronto para trabalhar no mundo todo e ter muitas casas em muitos países?

Homem: Sim, estou.

Vianna: Eu acho que você viajará muito. Você é casado?

Homem: Eu fui casado.

Vianna: A dor em seu peito desapareceu?

Homem: Está mais leve do lado esquerdo, mas persiste do lado direito.

Vianna: É de seu pai. Repita comigo: "Eu tenho que deixar meu pai me machucar" *[teste energético negativo]*. "Meu pai me impede de ir adiante na vida" [*teste energético positivo*]. O que isso significa para você?

Homem: É uma forma de me proteger.

Vianna: Seu pai está impedindo-o de ir à Austrália?

Homem: Se eu olhar para trás, posso associar minha incapacidade de voltar para a Austrália a ele.

Vianna: Repita comigo: "Estou com medo de voltar à Austrália" *[teste energético positivo]*. Por que você está com medo?

Homem: Talvez eu esteja com medo de ficar preso lá.

Vianna: Então você acha que, se voltar, terá de ficar lá. Você está com medo de se sentir decepcionado com o que encontrará lá? Você culpa o Criador por essa situação?

Homem: Bem, muitas vezes me sinto abandonado pelo Criador e o culpo por coisas que aconteceram comigo.

Vianna: Você me dá permissão para lhe instalar os programas "Eu sei como confiar em Deus" e "Eu sei como confiar em meu pai", e a consciência de que você chegará em casa com segurança?

Homem: Sim.

Vianna: Onde está a dor agora?

Homem: Ela se foi.

TRABALHO DE *DIGGING* – EXEMPLO 15: AMOR

Vianna: Você está apaixonado por alguém?

Mulher jovem: Sim, eu estou.

Vianna: É a primeira vez que acontece com você?

Mulher: É a primeira vez que me apaixono dessa maneira.

Vianna: Quantas vezes você já se apaixonou?

Mulher: Três vezes.

Vianna: O que é diferente desta vez?

Mulher: Eu estou diferente.

Vianna: Fale-me sobre esse amor que você sente.

Mulher: Acho que ele é o homem com quem sempre sonhei.

Vianna: Então, qual é o problema?

Mulher: Ele disse que me ama, mas estou com medo. Talvez eu não seja capaz de lidar com relacionamentos. Estou com medo de que alguma coisa terrível possa acontecer.

Vianna: Que coisa terrível poderia acontecer?

Mulher: Ele poderia me deixar.

Vianna: E o que aconteceria então?

Mulher: Eu ficaria com raiva e arrasada.

Vianna: E então?

Mulher: Eu pediria a ele para voltar.

Vianna: E então?

Mulher: Você acha que eu teria aprendido alguma coisa!

Vianna: Então você está com medo de quê?

Mulher: Eu tenho medo de me entregar completamente.

Vianna: Repita comigo:

"Eu tenho medo de me entregar completamente."

"Estou com medo de amar."

"Se eu amar demais, as pessoas me deixam".

Teste energético positivo para todos.

Vianna: Sempre foi assim?

Mulher: Sim.

Vianna: Você gostaria de viver seu dia a dia sem ter medo de nada?

Mulher: Sim, eu gostaria.

Vianna: Repita comigo: "Se me amarem muito, eu os deixo" *[teste energético positivo]*. Mudaremos esse programa também. Tenho sua permissão?

Mulher: Sim.

Vianna: Você tem medo de amar e de ser amada na definição do Criador. O que aconteceria se você ficasse com esse homem e passasse os próximos 30 anos com ele?

Mulher: Eu ficaria feliz.

Vianna: O que há de errado com essa felicidade?

Mulher: Eu ficaria com medo de ele me deixar. Talvez não fosse capaz de satisfazê-lo.

Vianna: Por quê?

Mulher: Eu não sou boa o suficiente para ele.

Vianna: O que você quer dizer? Você já teve um longo relacionamento com um homem?

Mulher: Sim, tive.

Vianna: O que aconteceu?

Mulher: Acabou porque não nos amávamos mais.

Vianna: Você sabe como manter uma longa história de amor agora?

Mulher: Sim, acho que sim.

Vianna: Você odeia o homem que deixou?

Mulher: Não, mas me senti irritada quando o encontrei novamente. Agora estou bem.

Vianna: Você está com medo de deixar o homem que você ama agora, ou daqui a dez anos?

Mulher: Estou com medo de deixá-lo tanto em uma semana, quanto em dez anos!

Vianna: Por quê?

Mulher: Estou com medo de não ser boa o suficiente para ele e não ser capaz de satisfazê-lo.

Vianna: Você quer aprender como viver se sentindo suficiente? Alguma vez você já se sentiu boa o suficiente?

Mulher: Na verdade, não. A vida toda foi assim.

Vianna: Você gostaria de aprender a sentir que é boa o suficiente e que pode se expressar livremente? Que tal saber que você e esse homem são compatíveis e podem se amar?

Mulher: Sim!

Vianna: Como você se sente agora?

Mulher: Muito bem!

Vianna: Repita comigo:

"Esta relação pode contribuir para meu crescimento."

"Eu posso amar esse homem livremente."

"Eu posso aceitar seu amor livremente."

Teste energético positivo para todos os três.

Vianna: Às vezes, nosso medo mantém o amor longe de nós. Como você se sente agora?

Mulher: Sinto-me leve.

Vianna para a turma: Ela ainda está um pouco assustada com todos os novos sentimentos, mas se acostumará com eles.

Vianna à mulher: O que você acha de seu corpo?

Mulher: Acho difícil olhar para mim mesma. Sou gorda e tenho varizes, por isso tendo a não olhar para minhas pernas. Amo nadar na praia, mas não suporto a imagem de meu corpo vestindo um maiô. Meu amado não se importa se sou feia, mas isso é importante para mim.

Vianna: O que aconteceria se você se aceitasse inteiramente?

Mulher: Seria excessivo.

Vianna: Para quem?

Mulher: Para meus pais. Eu era um perigo para meu pai.

Vianna: O que significa isso?

Mulher: Ele foi duro comigo e escapei dele mais de uma vez. E, se eu estivesse muito bonita, minha mãe ficava com ciúmes. É errado ser muito feminina.

Vianna: Repita comigo:

"Tenho medo de ser muito feminina."

"É errado ser muito feminina."

Teste energético positivo para ambos.

"É seguro ser uma mulher de verdade."

Teste energético negativo.

Você gostaria de viver estando segura por ser uma mulher? Ser bonita e ao mesmo tempo se sentir em segurança em relação a seu pai?

Mulher: Sim.

Vianna: Você escapou dele – o que significa isso?

Mulher: Nada. Eu o amei e me senti culpada pelo que fiz.

Vianna: O que você fez?

Mulher: Nada.

Vianna: Você gostaria de viver sem se sentir culpada? Você ama seu marido como um pai?

Mulher: Sim.

Vianna: Repita comigo: "Se eu fosse bonita, deixaria meu marido" *[teste energético positivo]*. Gostaria de ter a chance de escolher? Posso lhe ensinar que você pode ser bonita e ao mesmo tempo pode ficar com seu marido, porque as almas de vocês se amam?

Mulher: Sim.

Vianna: Repita comigo: "Tenho de ser do jeito que sou agora, para poder ficar com meu marido. Meu marido está com medo de que eu possa deixá-lo se eu for bonita demais" *[teste energético positivo para ambos]*. Você me dá permissão para "baixar" em você os sentimentos de "Minhas pernas são bonitas" e "Meu corpo é belo"?

Mulher: Sim.

Vianna: Como você se sente agora?

Mulher: Melhor. Mas não estou completamente bem.

Vianna: Você gosta de se sentir bonita? Seu coração está com medo porque lhe ensinei novos sentimentos.

Mulher: Não sei se tenho o direito de ser bonita. Sempre julguei pessoas bonitas.

Vianna: Você acha que pessoas bonitas são estúpidas?

Mulher: Bem, não – ou talvez, sim, elas sejam! Ou talvez elas não sejam estúpidas, mas as pessoas são atraídas por sua aparência e ninguém se preocupa com seu cérebro. Não se pode ser bonita e ao mesmo tempo ser uma boa curadora.

Vianna: A beleza a assusta? As mulheres têm medo de mulheres bonitas?

Mulher: Competi com outras mulheres por toda minha vida. Tenho medo de não conseguir vencê-las se eu expressar meu intelecto completamente.

Vianna: Repita comigo: "Se eu for bonita, as pessoas irão me levar a sério" *[teste energético negativo]*. "Se eu for bonita, os homens virão a mim por outras razões e não para serem curados" *[teste energético positivo]*. Você me dá permissão para instalar os programas e os sentimentos "Eu posso ser respeitada pelos homens que são meus clientes e, ao mesmo tempo, ser bonita" e "Eu sei como viver sem me esconder"?

Mulher: Ok.

Vianna: Eu posso ver que você está estressada agora. Por quê?

Mulher: Talvez seja sobre sexo. Minha mãe queria que eu fosse freira.

Vianna: Vamos ver. Repita comigo: "Sou uma freira" *[teste energético positivo]*. "Se for sou bonita, será errado ter relações sexuais" *[teste energético positivo]*.

Mulher: Sexo me faz sentir pouco à vontade, tipo estranha.

Vianna: Por que o sexo a perturba dessa maneira?

Mulher: Eu tenho medo de ser recusada ou considerada estúpida. Preciso confiar na outra pessoa completamente para ter relações sexuais.

Vianna: Posso lhe ensinar como se sentir bem com o sexo?

Mulher: Sim.

Vianna para a turma: Ela se sente como se tivesse de escolher entre ser uma esposa e uma curadora.

Vianna para a mulher: Você me dá permissão para lhe trazer a sensação de que você pode ser bonita, tanto como mulher quanto como curadora?

Mulher: Sim.

Vianna: Como você se sente agora?

Mulher: Sinto-me maravilhosa. Muito mais leve! Obrigada.

Nota ao leitor: Por estar em um ambiente de aula, algumas questões não foram abordadas neste capítulo. Você pode fazer ideia de quais são elas?

8

Os Sete Planos da Existência

Os sete planos da existência são as forças visíveis e invisíveis do cosmos. Eles são compostos não apenas do universo físico e "conhecido", mas também das forças invisíveis que desafiam a explicação científica atual. Esses planos são tão vastos que é preciso que a mente humana esteja em um estado abstrato para compreendê-los. O estado Theta nos permite perceber toda a majestade dessas forças inexplicáveis por meio do Criador de Tudo o Que É, e, por sua vez, os planos da existência nos permitem compreender a glória do Criador de Tudo o Que É.

Como relatado no livro *ThetaHealing*, o conceito dos sete planos da existência me foi apresentado pela Lei da Verdade. Ele nos dá um meio de entender como e por que o mundo funciona nos níveis físico e espiritual, e como tudo isso se relaciona conosco. Os planos foram criados para o desenvolvimento da humanidade e, naturalmente, trabalham juntos em uma "sinfonia" de proporções cósmicas, embora nossos sistemas de crenças possam interferir nisso. Em alguns casos, podemos também nos tornar seduzidos pelas "elucubrações mentais" dos planos.

Cada um dos planos tem sua própria energia, que é mais bem descrita como uma vibração, e está sujeito às suas próprias condições, regras, leis e compromissos. Aqui está um breve resumo das características de cada um dos planos. Vamos analisá-los com mais profundidade nos próximos capítulos.

O Primeiro Plano

O Primeiro Plano da Existência consiste em todos os materiais não orgânicos na Terra, todos os elementos que compõem a Terra em sua forma bruta e todos os átomos da tabela periódica antes de começarem a se ligar a bases de carbono. São os minerais, os cristais, o solo e as rochas. Ele consiste em cada pedaço da Terra, desde o menor cristal até a maior montanha, na forma não orgânica.

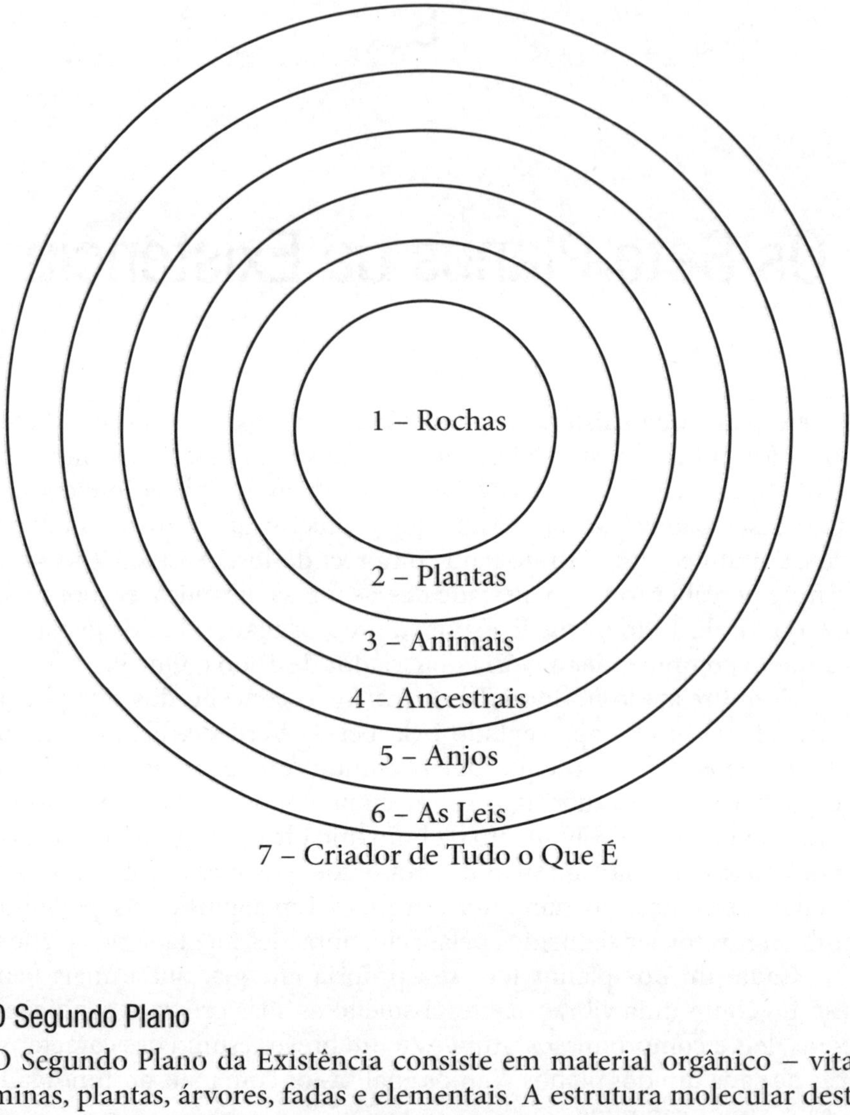

O Segundo Plano

O Segundo Plano da Existência consiste em material orgânico – vitaminas, plantas, árvores, fadas e elementais. A estrutura molecular deste plano contém as primeiras estruturas de uma molécula de carbono, portanto é matéria orgânica. Os minerais são não orgânicos e as vitaminas são orgânicas; ambos são essenciais para a vida ocorrer.

O Terceiro Plano

É o plano onde existem os animais e os seres humanos. Em parte, nós o criamos para nosso próprio uso. É nesse plano que temos o desafio de sermos governados por emoções, desejos instintivos, paixões e a realidade de estar no corpo humano no mundo físico. Esse é o plano das formas de vida à base de proteínas.

O Quarto Plano

O Quarto Plano da Existência é o reino do espírito, onde as pessoas vivem após a morte e onde nossos ancestrais estão à espera. Esse é o plano que algumas pessoas considerariam o "mundo espiritual".

O Quinto Plano

É o plano da última instância do dualismo. É dividido em centenas de graus. Os graus mais baixos são onde as entidades negativas habitam e os graus mais elevados são os reinos dos anjos, os Conselhos dos Doze, que orientam as famílias de alma, as próprias famílias de alma, os mestres e nossos pais celestiais.

O Sexto Plano

É o plano das Leis, tais como a Lei do Tempo, a Lei do Magnetismo, a Lei da Gravidade, a Lei da Luz e muitas outras Leis que criam a própria teia do Universo.

O Sétimo Plano

É o plano do Criador de Tudo o Que É. Esse é o nível a ser usado para curas instantâneas, leituras e as mais altas manifestações. É um lugar de segurança, amor e do "simplesmente ser".

Conectando-se com os planos

Acredito que as pessoas que são intuitivas começam a se conectar com as energias dos planos da existência à medida que desenvolvem suas habilidades. Um dos benefícios da ativação do DNA é permitir que a pessoa se conecte e transite pelos planos da existência. Cada filamento de DNA em nosso corpo controla 100 mil funções diferentes. Portanto, seria absurdo supor que os novos filamentos de DNA que são despertados com a ativação do DNA só seriam associados a certas coisas, tais como felicidade, amor e outras emoções. Cada novo par de cromossomos adiciona um novo reino, uma nova compreensão dos planos, dando um novo significado à frase "conectado a Tudo o Que É".

Cada plano dá ao buscador uma visão do divino através de sua perspectiva. Acredito que foi assim que as religiões se formaram. A conexão é feita com a consciência de um plano, e os sistemas de crenças deste plano se projetam no buscador e transmitem em palavras escritas.

Podemos nos tornar enamorados com a beleza e a majestade de cada plano, seus sistemas de crenças, poderes e propriedades curativas.

Somos influenciados por todos os planos da existência. Somos parte mineral, parte do reino vegetal, porque o consumimos; parte do reino animal, porque temos um corpo; parte do reino do espírito, porque temos um espírito. E porque vivemos sob as leis universais, estamos conectados ao Sexto Plano.

Assim, é possível que você esteja doente porque tem níveis baixos de um mineral? Sim. Mas você pode estar em baixa com um mineral por ser incapaz de absorvê-lo por causa de um programa emocional. Se você continuar tomando o mineral cujo nível está em baixa, trabalhará no programa emocional? Eventualmente, sim. Mas estamos conectados a tantas coisas, até mesmo com nossos antepassados – eles são nossa conexão com o DNA do passado –, por isso, exatamente quando você pensa que estamos todos juntos, pode estar limpando programas transmitidos para você geneticamente!

O Conceito de Deus

Tem sido especulado que muitos de nós carregamos uma predisposição genética para a crença em Deus, um "gene de Deus", se assim quiserem chamar. Isto não é surpreendente, considerando que é provável que essa predisposição teria benefícios de sobrevivência. Esses provavelmente seriam sutis, mas, em tempos difíceis, o que é mais eficiente do que a crença e a comunicação com o Criador? Nessa comunicação, conectamo-nos com a essência divina que está dentro de todos nós e a trazemos para o mundo físico, enriquecendo assim nossas vidas.

Ao longo da história, a humanidade tem buscado Deus. Nossa percepção de Deus está em constante mutação e dependente de muitas influências, desde o lar até a sociedade externa, a religião e, mais recentemente, a ciência moderna. Os conceitos da ciência não são necessariamente *contra* Deus, e não foram concebidos como tal. Eles não são uma "rebelião" contra a religião ou Deus. A ciência é simples: é uma observação de nosso Universo através do fato explicável. O conceito de Deus poderia ser entendido como uma ciência própria – uma observação do Universo que é espiritual e nem sempre depende da causalidade física, e sim da essência invisível do pensamento e da crença.

Há quem diga que a crença em Deus é uma tentativa de explicar a morte e a esperança de uma vida após a morte. Parece ser uma percepção que permeia a ideia de que, quando morrermos, nos tornaremos nada. Um dos medos mais predominantes que vejo nas pessoas é "o medo do nada". Acredito que essa crença resulta de uma visão superficial e materialista do Universo. Acho que isto é falta de qualquer tipo de imaginação ou de amor-próprio. Minha opinião é que não nos tornamos nada. Você pode perguntar: "Então para onde vamos quando morremos?". Acredito que, uma vez que deixamos o mundo físico, muitos de nós nos transferimos para uma esfera superior de evolução. Nessa esfera superior, nossas capacidades podem ser percebidas como algo divino por aqueles que ainda vivem no Terceiro Plano.

Acredito que, quando levamos os alunos até o Sétimo Plano, estamos levando-os para dentro de seu próprio cérebro, até os neurônios, os mensageiros do corpo. Eles acessam a energia atômica existente em cada átomo. Ao fazer isso, sua mente é estimulada com a consciência de que estão conectados a cada molécula, cada átomo e à energia associada com as partículas subatômicas. Esse é o primeiro passo para a ascensão.

É essa consciência interior que nos levará à percepção de que não temos mais a necessidade da incrível competição deste mundo, e a batalha da dualidade chegará ao fim. O enorme poder do Universo está dentro de nós, esperando-nos para ser encontrado por meio do pensamento focado. Uma vez que esse poder tenha sido reconhecido no interior, ele fluirá ao exterior até o macrocosmo, em nosso dia a dia, e continuará se expandindo através dos planos da existência para o imenso macrocosmo do Sétimo Plano da Existência e do Criador de Tudo o Que É, para se tornar a cocriação.

No passado, acredito que aprendemos por meio da experiência de um plano da existência por vez, e aprendemos sua mensagem. Acredito que a mensagem do Quinto Plano é o amor incondicional. Acredito que a mensagem do Sexto Plano é a verdade absoluta e, talvez, a compaixão. *Acredito que agora é o momento em que estamos aqui para nos tornarmos cocriadores de nossas vidas, de forma consciente, despertos e atentos.*

Percebendo os planos

Nossa percepção dos planos depende de nosso desenvolvimento espiritual ou nível de vibração. Assim, a maneira com a qual as energias dos primeiros seis planos é percebida será diferente de pessoa para pessoa. Por exemplo, duas pessoas estão se conectando com um anjo específico do Quinto Plano da Existência: essas duas pessoas veem o anjo de maneira diferente com seus olhos da mente. A razão pela qual a essência do mesmo anjo é vista de forma diferente por pessoas diferentes é porque todos nós estamos vibrando em frequências diferentes. A essência do anjo é a mesma, mas somos diferentes. Portanto, não há certo ou errado nas percepções das duas pessoas, apenas diferentes frequências.

Entenda que todos os planos têm suas próprias frequências específicas e suas energias de cura. O truque é saber como usar o poder inerente em cada um deles sem ser consumido por isto. A fim de ganhar maestria sobre os planos da existência, a energia de nossa *kundalini* deve ser despertada aos poucos, ou já estar desperta.

Quanto mais profundo entrarmos em uma pura e controlada onda cerebral Theta, mais ela se tornará natural para acessar os planos por intermédio do Criador de Tudo o Que É do Sétimo Plano.

9

O Sétimo Plano

O Sétimo Plano é a pura energia da Criação; ela abrange tudo. Esse é o lugar da pura sabedoria, da energia criativa, do puro *amor*, o lugar de curas instantâneas, manifestações e da mais alta verdade. Ele forma os outros planos; é a fonte subatômica de Tudo o Que É. É o núcleo do átomo da criação. Contém os elétrons, prótons e nêutrons que criam a vida. Essas partículas são a fonte de toda a vida.

Pelo Criador de Tudo o Que É do Sétimo Plano, criam-se as curas instantâneas, a responsabilidade instantânea e os resultados instantâneos. Quando curas são feitas a partir do Sétimo Plano, não estamos sob nenhuma obrigação de honrar os contratos e as condições que regem os seis primeiros planos de existência.

Cada plano é dividido por um fino *véu* que se encontra como um programa dentro da mente inconsciente de cada homem, mulher e criança neste planeta. Quando vamos até o Sétimo Plano, aprendemos a soltar esses véus para que possamos perceber que não estamos *separados*, mas, sim, ligados a todos os planos. Uma vez que a mente (em um nível subconsciente) dá esse salto (não simplesmente falando sobre isso, mas vivendo-o), os planos podem ser utilizados para criar manifestações e curar o corpo físico. Essa é a primeira vez na história da humanidade que os planos da existência estão abertos simultaneamente.

Entendendo o Sétimo Plano

Para chegar a uma compreensão do Sétimo Plano, primeiramente você deve perceber que os primeiros seis planos da existência são apenas ilusões criadas pelos habitantes de cada um. A verdade pura é o Sétimo Plano e o Criador de Tudo o Que É, o espírito que move, entrelaça e conecta tudo na existência. Alguns dos meus alunos referem-se a essa energia como o "Espírito Santo", e outros se referem a ela como "Fonte". Refiro-me a ela como "Tudo o Que É", a pura energia do átomo, as partículas de prótons. Independentemente de como você a chame, sua intenção pura, usada com uma onda Theta, é o fator decisivo no acesso a essa energia de puro amor.

Com a energia do Sétimo Plano, você está consciente de cada escolha. Você não perde tempo com pequenas coisas sem importância, como o drama, o caos e a destruição. Questões são alteradas sem autocrítica. Crenças podem ser mudadas instantaneamente. Uma vez que a compreensão desse plano é atingida, você alcança o conhecimento da Criação.

Ao usar o Sétimo Plano, você precisa entender que isso aumentará imediatamente sua capacidade de manifestação. Portanto, é importante evitar pensamentos negativos, para que você não os manifeste.

Votos, compromissos e programas podem nos impedir de acessar o Sétimo Plano e, portanto, impedir-nos do domínio destes planos.

Votos ou compromissos a serem limpos, a fim de utilizar o Sétimo Plano

Estes são os votos que a maioria de nós não percebe que tem:

"Tenho de morrer para me conectar a Deus."
"Eu tenho de sofrer para estar com Deus."
"Tenho de morrer para provar meu amor a Deus ou para agradar a Deus."
"Eu tenho de sofrer para crescer espiritualmente."
"Eu tenho de morrer e voltar para crescer espiritualmente."

Programas que nos bloqueiam do Sétimo Plano

São estes:

"Eu tenho medo de meu próprio poder."
Substituir por: "Eu sei qual é a sensação de ter meu próprio poder" ou "Eu me sinto seguro com meu próprio poder".

"Eu tenho de ficar sozinho para estar perto de Deus."
Substituir por: "Eu posso ser fiel a Deus e estar com um companheiro" ou "Eu posso amar alguém e ser um curador".

"Eu tenho de sacrificar um de meus sentidos [tais como os olhos e os ouvidos] para estar perto de Deus."
Substituir por: "Eu estou completamente em sintonia com meu corpo, mente e alma, e tenho todos os meus sentidos".

Curando a partir do Sétimo Plano

Quando o curador se conecta ao Sétimo Plano e testemunha a energia de cura do Criador, a cura é feita. É simples assim.

Curadores trabalhando nesse plano podem alcançar curas instantâneas, embora suas crenças possam bloquear a cura. O livre-arbítrio do cliente deve sempre ser respeitado. Nesse plano, a doença pode simplesmente ser transformada em saúde perfeita. E, ao contrário dos outros planos onde o curador pode ficar esgotado pela vibração do plano, o Sétimo Plano simplesmente abraça o curador no amor, ao mesmo tempo em que muda a vibração humana à perfeição.

Curadores que usam essa energia se elevam à vibração da saúde perfeita. Eles podem usar todos os planos sem estar vinculados por quaisquer juramentos ou compromissos de outros planos. Eles perceberão como controlar seus pensamentos e experimentar manifestações instantâneas que removem as crenças limitantes ligadas ao medo.

Alguns curadores têm medo de usar esse plano, pensando estar indo para o Deus de Deus, mas o Criador diz que você está apenas acessando seu direito de nascença como uma parte de Tudo o Que É, sem separação.

10

O Sexto Plano

O Sexto Plano da Existência tem sido chamado de o grande vazio. Esse é o plano das Leis. Existem Leis que governam nosso Universo, nossa galáxia, nosso Sistema Solar, a Terra e até mesmo nós. Existem Leis que governam todos os outros planos. É por causa dessas Leis que há uma divisão imaginária entre os planos, embora eles realmente existam todos juntos.

As Leis têm uma essência espiritual, uma vida, uma consciência em movimento. Ao longo da história houve pessoas que foram capazes de canalizá-las para permitir a ascensão da vibração da humanidade. Platão, Aristóteles, Leonardo da Vinci, Galileu, Newton, Tesla, Edison e Einstein, todos nasceram com essa capacidade. Tesla, por exemplo, canalizou a Lei do Magnetismo e a Lei de Eletricidade.

Chamando pelas Leis

Nos dias posteriores à minha primeira experiência com as Leis, na forma de rostos enormes em minha sala, minha curiosidade foi despertada e decidi experimentar interagir com elas. Quando eu, pela primeira vez, conversei com uma Lei, fiquei com medo, porque não sabia o que era. Pensei que tinha enlouquecido. Para provar a mim mesma que tinha sido real, decidi dizer a ela para voltar, a fim de que eu pudesse apresentá-la a meus dois amigos. Quando ela apareceu em minha frente junto a meus amigos, um deles desmaiou e o outro viu esferas brilhantes de luz se movendo pela sala.

Minha curiosidade despertou ainda mais; decidi tentar uma experiência com 17 pessoas que se ofereceram para ajudar a construir uma sala extra para meu escritório. Estávamos tendo uma conversa sobre fenômenos psíquicos e o assunto se voltou para as Leis. Apesar do fato de que muitas dessas pessoas *não* tinham a mente aberta o suficiente para esse tipo de coisa, decidi chamar as Leis para que elas pudessem conhecê-las.

Quando o fiz, as Leis se apresentaram como bolas de luz que flutuavam pela sala. No momento em que isso aconteceu, a maioria das pessoas na sala adormeceu. Todos os que ainda estavam acordados viram as luzes, porém uma pessoa queria falar com elas. Um amigo não estava muito feliz com todas aquelas esferas pulando a seu redor, mas, como era fã da causa e efeito, ele pediu que a Lei da Causa e Efeito viesse a este plano.

Essa Lei entrou em meu corpo com uma força enorme. Senti um peso incrível, como se eu estivesse sendo lentamente esmagada. A Lei começou a usar meu corpo para falar com aqueles do grupo que ainda estavam acordados. Senti-me separada do processo e apenas observava o que estava acontecendo a meu redor.

Para testar a Lei, uma pessoa perguntou a ela: "O que é emoção?". A Lei então começou a me sufocar para mostrar-lhes que sabia o que era emoção. Eu estava ficando azul, quando Mark, um de meus melhores amigos, veio em meu socorro. Ele comandou para que a Lei deixasse meu corpo. Ela o deixou e comecei a respirar novamente em suspiros profundos.

Ter aquela Lei em meu espaço quase me matou. Foi assim que percebi que era permitido enviar sua consciência para o Sexto Plano e conversar com as Leis para ter o conhecimento, mas "chamar" as Leis, sendo uma ou muitas, para este plano, *não* era uma boa ideia. Essas energias são o que move o Universo. Elas são incrivelmente poderosas e é difícil para o corpo humano sentir toda a força de uma Lei dentro dele. Portanto, jamais permita essas energias em seu espaço. Você deve sempre falar com esses seres por intermédio do Sétimo Plano da Existência.

Curando a partir do Sexto Plano

A qualquer hora em que tons, cores, números, magnetismo, geometria sagrada, grade magnética da Terra, astrologia e numerologia são usados em curas, um curador está se utilizando das Leis do Sexto Plano da Existência. Aqui há o conhecimento dos tons que equilibram perfeitamente o corpo e mudam a vibração de qualquer vírus. A filosofia no Sexto Plano é: "Se está quebrado, conserte".

Curadores usando o Sexto Plano da Existência se percebem vivendo em uma ilusão e sabem direcionar sua própria ilusão. Sabem que já não precisam se punir para progredir. Nesse plano, a batalha entre o bem e o mal é eliminada e substituída pela pura verdade.

Uma das Leis que você irá explorar quando fizer o trabalho em Theta é a Lei da Verdade, que irá ajudá-lo durante toda sua vida.

Para ativar uma Lei, você deve primeiramente ir ao Sétimo Plano. Se você quer ancorar a energia da Lei a fim de aplicar essa energia, deve primeiro pedir pelo nome da Lei. O nome é um tom ou vibração que ativará a Lei. Então você espera a energia, vibração e informação vir até você.

É também no Sexto Plano onde aprendemos a acessar os Registros Akáshicos. Aqui é onde as informações sobre as experiências de vida das pessoas são armazenadas. Para criar uma visão de nós mesmos acessando esse Salão, é preciso manter um bom estado Theta-Delta.

Vórtices do Sexto Plano

Muitos anos atrás, quando eu estava no início do namoro com Guy, eu tinha de dirigir até Roberts, Idaho, para visitá-lo. A área de Roberts tem condições meteorológicas peculiares, especialmente no inverno. Quando o sol aquece o ar, a umidade do Rio Snake sobe, causando uma névoa tão espessa que às vezes é difícil dirigir com segurança. Quando a temperatura cai de repente, aparece uma névoa nas áreas próximas ao rio. Para um intuitivo, essa névoa é um portal que facilita a visão de todos os tipos de fenômenos psíquicos.

Toda essa região onde Guy estava vivendo naquele momento é um lugar misterioso. O caminho para sua casa foi nomeado Alameda Stibal, pois seu bisavô foi o primeiro a se estabelecer lá. Reza a lenda que na entrada da Alameda Stibal, pelo caminho da longa estrada de Bassett, havia um cemitério de índios nativos americanos. Pessoas da área teriam visto espectros de indígenas vestidos com roupas antigas, andando ao longo daquela parte da Alameda Stibal. Houve também outras visões estranhas, especialmente quando a névoa se formava no sinuoso Rio Snake. Certa noite, Guy e eu tivemos uma visão curiosa.

Guy conta a história:

No inverno de 1997, Vianna e eu tínhamos acabado de nos conhecer e estávamos namorando. Estávamos vivendo em casas separadas e visitávamos um ao outro sempre que podíamos. Eu estava trabalhando na fazenda e Vianna estava fazendo leituras, assim ambos estávamos muito ocupados. Teríamos de nos revezar visitando um ao outro e, em uma dessas noites nebulosas de inverno peculiar para a área de Roberts, era a vez de Vianna vir me ver.

Mais tarde naquela noite, ela teve de ir para a casa de sua filha Bobbi, que na época estava grávida. Estávamos no auge de um novo amor

e eu queria passar o máximo de tempo possível com ela. Andamos juntos até seu carro. A noite já tinha caído e, com isso, um manto de névoa espessa tinha se formado. Ao sairmos de onde ela havia estacionado seu carro, vimos duas colunas de energia girando lentamente a cerca de nove metros de altura. Eram redemoinhos de cor branca perolada em baixa movimentação. Uma das colunas estava próxima ao carro, e Vianna, rindo, entrou no meio dela e imitou seus movimentos girando com seus braços. Saindo, ela me explicou que esses eram vórtices – portais de aberturas entre dimensões. Fiquei curioso, mas Vianna não teve tempo de me explicar melhor. Ela entrou em seu carro e foi lentamente em direção a Idaho Falls através das névoas.

Ela me ligou ao chegar em casa e começou a me contar o que sabia dos vórtices. Um vórtice é um campo ionizado de energia positiva e negativa que cria uma abertura entre dimensões, espaço e tempo. Há muitos tipos diferentes de vórtices. Alguns são naturais e outros são criados por formas-pensamento ou, às vezes, até por rituais.

Um vórtice lhe dá a oportunidade de criar uma grande mudança, mas sua energia pode beneficiá-lo somente se você estiver em um bom estado. Portanto, antes de você vivenciar um, verifique se está centrado em si mesmo, senão o vórtice pode lançar sua energia em diferentes direções. Você pode usar um amuleto que seja um harmonizador e protetor de chacra, como uma caroíta ou labradorita, para ajudar a mantê-lo centrado na missão e no propósito de sua vida.

Os vórtices estão a nosso redor mais do que imaginamos, e todos nós, em maior ou menor grau, somos vórtices em nós mesmos.

O sistema nervoso do corpo pode sentir e até mesmo criar um vórtice de energia. Isto pode trazer à tona o bom ou o ruim das pessoas. Um curador deve ser um vórtice controlado, a fim de trazer para fora o que precisa ser limpo em uma pessoa. Mas isso pode ser um desafio quando sua própria presença traz à tona as questões de alguém. Quando uma pessoa tem sistemas de crenças extremamente negativos, é importante que seu espaço seja adentrado através do Criador de Tudo o Que É do Sétimo Plano da Existência. Se um intuitivo entra no espaço do cliente usando o terceiro olho, isto irá acionar os programas do cliente. O intuitivo, então, começará a reagir a esses programas, assumindo que o cliente e o profissional têm esses programas em comum, o que pode fazer com que o praticante modifique a maneira com que trata o cliente. Por exemplo, o cliente pode ter o programa de que ninguém se importa com ele e de que ele não é

importante. A menos que o praticante esteja em sintonia com o processo, ele pode se tornar ocupado e o cliente pode se sentir ignorado. É importante não reagir ao vórtice de energia que uma pessoa cria a partir de programas negativos.

Para ver o vórtice de energia criado por programas, comande "ver" o espaço de uma pessoa diretamente a partir de seu terceiro olho e veja como a energia gira e pulsa em torno da pessoa. Isto é feito de uma forma similar a ver a aura de alguém.

Um vórtice de energia descontrolado em uma pessoa pode influenciar seu próprio comportamento, bem como o das pessoas a seu redor. Em uma pessoa intuitiva, pulsos elétricos do corpo (que são o vórtice de energia) causam uma luz ultravioleta iridescente que é liberada a partir do sistema nervoso do corpo, afetando mente-corpo-alma de várias maneiras. Isto é manifestado externamente de maneiras diferentes. As abelhas serão atraídas até você, aparelhos elétricos serão afetados e os espíritos podem aparecer para você. Para lidar com esses desafios, comande que sua energia seja equilibrada e que todos os espíritos errantes que estiverem em torno de você sejam enviados para a luz de Deus.

11

O Quinto Plano

Quando meu negócio começou a decolar em 1998, eu trabalhava muito. Às vezes ficava um pouco melancólica, enfiada em meu escritório fazendo leituras durante o dia inteiro. Um dia, durante uma rara pausa, eu saudosamente olhei pela janela e pensei em tudo que gostaria de fazer e nos lugares distantes aos quais eu gostaria de ir. Eu tinha uma folga de uma hora de almoço entre as leituras, então decidi ir para um desses lugares de outro jeito – em uma fuga rápida pela meditação.

Pedi à minha amiga Chrissie para fazer uma grade de cristais para mim. A grade de cristais é uma técnica de imaginação guiada que é projetada para ajudar uma pessoa a ir a outros lugares e épocas com os olhos da mente. Deitei-me na maca que usamos para essas jornadas e Chrissie montou a grade de cristais em volta de meu corpo. Ela colocou suas mãos sobre minha cabeça e, com sua voz calma e rítmica, me guiou para o cosmos, o espaço e o tempo do passado.

De repente, eu estava no meio de uma visão completamente clara, via tão claramente como se eu estivesse ali de corpo presente. Encontrei-me no que só posso descrever como uma sala de tribunal, mobiliada com madeira escura polida. Organizados ao redor da sala de tribunal, estavam homens magníficos e mulheres que pareciam emanar luz. Um deles se adiantou e me disse: "Você está atrasada. Entre e tome seu lugar na frente!".

"Oh", eu disse, "desculpe, eu estava em meu corpo na Terra. Eu não tinha ideia de que era hora do tribunal".

Fiquei surpresa comigo mesma por dizer isso e de repente todo aquele cenário era estranhamente familiar para mim. Eu sabia que tinha estado ali antes e visto todos esses seres em outro tempo. O que tornou isso mais bizarro foi que eu sabia, num piscar de olhos, por que estava naquele lugar agora.

Um dos seres me acompanhou até o centro do tribunal, para o lugar do advogado de defesa. À minha direita estava um homem alto trajando um manto cinzento e com longos cabelos brancos. Seus olhos brilharam de alegria quando encontrou meu olhar. Eu sabia que era o deus Odin, meu velho adversário. Ele sorriu e, quando falou comigo, sua voz era bonita de se ouvir. Ele chegou a mim como a música faz quando se ouve uma canção comovente pela primeira vez.

"Então", disse ele, "mais uma vez vejo que você veio para ser a defensora da humanidade! Por um momento, pensei que você não apareceria. Você irá sempre tentar salvá-los?".

Não caí na armadilha de sua voz mágica e desdenhei os tons melodiosos que ele enviou para mim.

"Seu truques de mágica não funcionarão em mim, Odin. Você sabe que lutarei por eles, como sempre fiz!"

As brincadeiras entre nós eram de boa índole, porque, você vê, Odin e eu não éramos inimigos – pelo menos não no sentido geral. Vamos dizer que tínhamos uma divergência de opinião sobre a raça humana... Você vê, esses seres eram cuidadores da raça humana. Nesse momento e lugar, cabia a eles decidir se os humanos deveriam ser autorizados a continuar ou serem destruídos como civilização, e suas almas serem transferidas para outros lugares. Alguns na sala do tribunal eram a favor da destruição e da renovação, enquanto outros eram como eu – defensores da continuidade, do carinho e de ensinamentos aos seres humanos.

O juiz bateu seu martelo e disse: "O Tribunal está em sessão! Vamos ouvir os argumentos do estimado deus Odin *[Odin inclinou a cabeça em cumprimento]*, que é o defensor da destruição da raça humana como ela o é agora, para que possa ser reconstruída desde o início, com as últimas sementes remanescentes da humanidade se espalhando através das estrelas e começando de novo, limpa de toda maldade, vício e mal. O advogado para a humanidade é, como sempre, o representante da Deusa venerada, que argumentará contra a destruição de toda a humanidade".

Inclinei minha cabeça e disse: "É mais uma vez um prazer, Meritíssimo".

"Primeiramente ouviremos o argumento do deus Odin para a destruição de toda a humanidade. Prossiga."

Odin sorriu e começou a falar com sua voz sedutora e cheia de persuasão. Ele abriu suas mãos, indicando a audiência.

"Meritíssimo, estimados mestres ascensos e anjos da mais alta vibração! Estamos aqui reunidos novamente para julgar os méritos da raça humana. Acho que sua destruição é o único recurso que podemos seguir. Preciso apenas direcionar sua atenção para a história até o presente momento."

Um vórtice se abriu no centro da sala do tribunal e a história da humanidade começou a se desdobrar em um holograma tridimensional.

"Olhem para eles! Desde o alvorecer da agricultura vimos o início da guerra. O desejo por riqueza, poder e recursos tem sido insaciável. Vimos como eles têm, em um curto período de 10 mil anos, repetidamente despido a Terra até o osso, que só fez seu melhor para alimentá-los. Olhem como eles criaram a entidade da guerra, uns sobre os outros, por causa da ganância e da arrogância. Eles têm impiedosamente destruído ecossistemas inteiros e, com esses, milhares de espécies! Eles têm escravizados outras espécies para alimento e para burros de carga. Por quê? Eles têm, inclusive, escravizado uns aos outros! Olhem, meus companheiros celestiais, como eles têm permitido alguns dentre eles a serem reis e rainhas, porque eles são muito preguiçosos para se governar. Olhem como esses povos primitivos saíram da inocência, onde estavam, e criaram a idade dos metais para dominarem o fogo. Foi aí que as coisas realmente se desequilibraram. Ao incrementar seu poder e estabelecer-se a tecnologia, com suas garras começaram a envenenar as mentes dos homens e das mulheres, com um desejo de dominar seu ambiente e cada ser vivo na Terra sob a vontade da humanidade.

Ouçam! E isto não é o pior que tem sido feito, uma vez que há pecados mais sutis. Cada um de vocês sabe que parte de nossa missão como seres celestiais é trazer conhecimento sagrado para a humanidade de tempos em tempos, trazendo homens e mulheres de inspiração divina para o caminho da filosofia e da religião, com rituais e simbolismos que enriquecem e estimulam os corações dessas criaturas patéticas. Cada um de vocês sabe como foram recompensados por seus problemas. Nomeiem-me uma filosofia, uma religião, uma tradição mágica que foi deixada na pureza na qual foi dada! Nomeiem-me uma!"

Os olhos brilhantes e a voz mágica de Odin saíram para a audiência como uma onda de choque.

"Em todo o tempo que tenho sido um emissário deste tribunal, nunca vi um momento, em todos os anais da história da humanidade, em que o conhecimento sagrado não tenha sido retorcido, adicionado, mudado, alterado e mesmo mal utilizado a ponto de que qualquer semelhança com a divindade original tenha sido totalmente destruída. Desafio até mesmo um de vocês a me dar um exemplo no qual a pureza e a inocência não foram perdidas! Ah, e não esqueçamos os últimos 4 mil anos de instalação de guerras e do massacre de pessoas inocentes em ambos os lados das facções em guerra...! Devo admitir que, para mim, a guerra, por uma única vez, serviu a um propósito – o de baixar gradativamente os números dessa espécie perigosa e violenta. Mas, como podemos ver, até mesmo a guerra não pode fazer parar os bilhões que estão no planeta agora. Preciso mencionar os crimes de assassinato, incesto, estupro, abuso infantil, abuso de drogas e corrupção? Preciso mencionar pessoas que passam fome e o genocídio? O tribunal realmente quer que eu vá adiante? Acredito que tenho meu objetivo e meu caso claramente estabelecidos pela destruição e nova propagação da humanidade, para começar de novo, fresca e imaculada pelo mal que ainda persiste nos corações de todos os seres humanos."

Com isso, Odin se virou, irradiou um sorriso caloroso para mim e disse: "Sua vez".

O holograma piscou e apagou.

O juiz disse: "Vamos agora ouvir os argumentos da representante da Deusa mãe".

Dentro de mim, eu podia sentir a construção do poder. Levantei meus braços acima da cabeça, como se estivesse segurando algo. A luz pulsante começou a brilhar, saindo de minhas mãos. A luz começou a crescer até que todas as pessoas na sala estavam cegas pelo brilho do que eu tinha em minhas mãos. Em um lampejo, eu estava segurando um lindo bebê minúsculo. Havia uma luminescência perolada vinda dele, e eu podia me ouvir falando com uma voz forte que repercutiu em todo o tribunal. "Que tal *isso*?" – eu disse enquanto mostrava o bebê brilhante para todos verem, virando-me em um movimento circular e encontrando os olhos de cada um na assembleia. "Tenho em minhas mãos a essência da inocência!"

O pequeno bebê começou a rir com um som como o tilintar de minúsculos sinos de prata. O riso permeou a sala com uma essência de pureza tocando o coração de cada ser na sala do tribunal.

"Olhem", eu disse à assembleia, "tão perfeito e puro! Acredito que cada um de nós deve defender a humanidade em cada oração!".

Por longos momentos, houve silêncio absoluto na sala do tribunal, até que o juiz trouxe seu martelo, esmagando-o para baixo. "Caso encerrado!", disse ele. "A humanidade continuará como tem sido. Você ainda tem seu cronograma. Proceda como planejado."

Naquele momento cheguei à conclusão de que, por um breve instante no tempo, eu era um dos muitos advogados de defesa da humanidade, e era a representante de todos os milhões de desejos positivos para salvar o mundo. Acredito que é o desejo interior de todos os curadores que defendem essa responsabilidade.

Então, fui levada da sala do tribunal para o passado, ao tempo em que tudo começou, ao tempo em que nós, do Quinto Plano da Existência, concordamos com a responsabilidade de cuidar de nossas crianças, da raça humana...

Filhos dos mestres

Para explicar quem somos, por que estamos neste planeta e como nos relacionamos com os planos da existência, começaremos com esse simples esboço.

Nossos espíritos começam como essências de energia no Quinto Plano, como filhos dos mestres. Um mestre do Quinto Plano é um ser iluminado que aprendeu a manipular o tempo, a matéria e as partículas subatômicas. Quando nascemos como crianças no Quinto Plano, temos grande capacidade criativa. Mas, como todas as crianças, temos de aprender adequadamente o discernimento na utilização dessas habilidades. Assim, somos como crianças de pura energia que são enviadas em uma imensa jornada além do espaço e do tempo, deixando o Quinto Plano para ir ao Quarto Plano da Existência, o mundo espiritual. Aqui estamos tutelados, nutridos e amados, e recebemos diferentes atribuições, de acordo com nossas habilidades.

Primeiro, somos enviados para o Primeiro Plano para compreendê-lo completamente, para aprender a estrutura molecular do reino mineral e os alicerces da matéria inorgânica. Uma vez que esse conhecimento foi assimilado, voltamos ao Quarto Plano para relatá-lo. Tudo o que aprendemos é gravado. Então somos enviados ao Segundo Plano, para o reino das plantas, a fim de estudá-las. Então voltamos ao Quarto Plano para relatar essas experiências. Na verdade, é possível que esses jovens espíritos sejam muitas vezes percebidos como fadas.

Uma vez que tenhamos assimilado esses dois planos, somos enviados para o Terceiro Plano, onde aprendemos sobre o corpo físico de carne e sangue. No corpo mortal, aprendemos a tomar decisões e a criar a partir dos desafios da matéria.

Do plano físico, aprendemos a superar o corpo físico e a controlar nossos pensamentos, e nos é dada a oportunidade de compreender que somos constituídos de Tudo o Que É. Aprendemos a criar com Tudo o Que É por meio de nossa mente, projetando pensamentos a partir do físico e recuperando nosso *status* de cocriadores. Há um velho ditado: "Penso, logo existo". Meu ditado seria "Penso, logo sou parte Tudo o Que É" ou "Sou, portanto penso".

O Terceiro Plano da Existência é também o lugar para superar programas disfuncionais. Essa é uma razão pela qual estamos aqui.

Uma das melhores razões para liberar esses programas é porque eles podem se manifestar em sua existência. Por exemplo, se realmente acredito em algo, então o atrairei a mim. Isso acontece porque o subconsciente é guiado pelo pensamento mais predominante dentro dele. O sinal desse pensamento é projetado, e o mundo nos trata de acordo com isto. Assim, por exemplo, uma pessoa pode trazer para esta encarnação a crença de que "Eu sou forte – tomarei seu castigo para mim" e, em seguida, toma a punição de alguém, por toda a sua vida.

O que é triste é que podemos estar tão confortáveis com uma crença, a ponto de não saber que a temos ou que ela é disfuncional. Algumas das crenças mais autodestrutivas que carregamos são como um lobo em pele de cordeiro, que se esconde à vista de todos.

O ciclo de aprendizado continua até que o Terceiro Plano seja dominado e nos é dada a chance de voltar ao Quinto Plano. Todo mundo que subiu ao Quinto Plano pode fazer coisas incríveis, porque eles têm aprendido que sua essência espiritual não é separada do Criador. Aprenderam como rejuvenescer o corpo físico, mental, emocional e espiritual.

Quando tiver concluído esse processo de aprendizagem, podemos voltar a nosso lugar junto aos nossos pais espirituais, como mestres no Quinto Plano, para criar com controle e discernimento adequado. Os seus próprios pais ainda estão evoluindo, aprendendo a usar e dominar o Sétimo Plano, até chegar ao mais alto nível de progresso e tornarem-se parte do Sexto Plano.

O Terceiro Plano da Existência foi, na verdade, criado para os pais poderem assistir ao progresso de suas crianças. Até recentemente, eles não eram autorizados a fazer mais do que isso. Agora, estão autorizados a participar. O que está acontecendo agora é que mestres ascensionados estão chegando ao Terceiro Plano em uma missão para ajudar seus filhos a salvar a humanidade.

Neste caso, o mestre ascenso vem à Terra e nasce como uma criança. Uma criança no ventre, por sua própria natureza, tem uma imensurável inocência e pureza, porque é muito próxima ao Criador. É somente por essa pureza que é possível para um mestre habitar a carne por longos períodos de tempo. Em um ato de autoentrega, o mestre condensa suas vastas energias e reduz sua vibração para habitar o embrião. Conforme a criança cresce até um adulto, o mestre sobe lentamente à alta frequência de sua verdadeira natureza. Essa é uma das maneiras nas quais uma união entre os Terceiro e Quinto Planos é feita.

Alguns seres do Quinto-Plano têm uma energia magnífica de tal forma que precisam de mais de um corpo humano para abrangê-la e habitam mais de uma pessoa de cada vez.

Pode haver desvantagens para habitar um corpo humano, pois, uma vez que um mestre se torna um recém-nascido, as memórias de quem ele era antes da encarnação às vezes são suprimidas. A maioria dos mestres que vieram em uma missão para este plano não lembra imediatamente quem eles são. À medida que crescem, sentem que há muito mais para si e se esforçam para lembrar quem são. Com o tempo, lembram quem e o que eles são. Refiro-me a eles como Crianças Arco-Íris.

Em algum momento, eles lembram sua missão:

1. Eles devem reaprender a usar o Sétimo Plano e remover suas limitações e, em seguida, ensinar esse processo.
2. Eles devem ensinar seus alunos a ter disciplina em seus pensamentos e a como estar em Tudo o Que É.

Uma vez que a memória do mestre começa a voltar, a primeira percepção que eles têm é a de que não pertencem a este lugar. Eles têm sentimentos estranhos, como "Eu estou na família errada, e algum dia a família certa me encontrará" ou "Estou no planeta errado". É por sua família de alma que eles estão almejando, e começam a procurar encarnações desses seres espirituais em forma humana nas pessoas que encontram. Em muitos casos, irão encontrar uma pessoa e reconhecê-la como sendo um membro dessa família que está aqui, em uma missão também. O reconhecimento desses membros da família de alma será forte, e as memórias retornarão para lembrá-los de que eles uma vez estiveram em uma família espiritual de alta frequência.

Em alguns casos, esses sentimentos e memórias unirão duas pessoas em matrimônio. Mas isto é como um irmão e uma irmã se casando sem saber disso. Há uma diferença entre um membro de uma família de alma e uma alma gêmea. Famílias de alma são reunidas para fazer o trabalho do Criador. Elas descem para habitar famílias físicas neste plano. Almas gêmeas, por outro lado, têm sido apaixonadas em um amor que se estende por tempos e muitos planos da existência.

ThetaHealing está reunindo as famílias de alma para fazer o trabalho do Criador. Esse é o intuito do trabalho.

O mesmo cenário dos planos que está sendo desenrolado neste mundo está acontecendo em todas as galáxias e em outras civilizações, com o intuito de ensinar os outros ramos de nossas famílias de alma naqueles lugares.

À medida que nós, no Terceiro Plano, nos tornamos mais conscientes de nós mesmos e de nosso entorno, a ilusão do Terceiro Plano desaparece. Isto não significa que estamos criando o mundo como um holograma para brincarmos nele e que somente existimos neste holograma. No nível da alma, estamos todos cientes dessa ilusão e de que estamos todos vivendo nela juntos, embora separados por nossos sistemas de crenças. Uma das maiores lições que estamos aqui para aprender é ter respeito por nós mesmos e pelo outro.

Curando a partir do Quinto Plano

Pessoas que canalizam anjos e profetas e encorporam espíritos para realizar cirurgias espirituais estão se sintonizando a esse plano da existência. Curadores que usam essa energia estão submetidos às "regras" do Quinto Plano e, muitas vezes, curarão com um sacrifício de energia.

Nos níveis mais baixos deste plano, o *ego* ainda reside. Programas negativos, tais como "Eu devo ser punido", "É egoísmo curar a mim mesmo" e "Eu devo combater o mal o tempo todo", devem ser liberados para utilizar esse plano. (Mais programas são dados no livro *ThetaHealing.)* Se você tem o programa "Eu tenho de lutar contra o mal", por exemplo, é possível que atraia energias maléficas, a fim de batalhar com elas. Esse programa deve ser substituído por "Eu sou imune ao mal". Isto não quer dizer que não há mal no mundo, apenas que, se você tem esse programa, não irá atraí-lo. Outros programas a instalar são:

"Eu estou sempre seguro."
"Eu sei qual é a sensação de estar seguro."
"Eu sei como viver sem raiva."
"Eu sei como viver com fé."
"Eu sei a definição do Criador de qual é a sensação de ter fé."
"Eu sei como viver sem medo."

Certifique-se de que não existem compromissos como o de que você tem de ser sozinho para ser um curador, ou o de que você tem de trocar um dos seus sentidos para ganhar poder, ou de que você tenha quaisquer votos ou compromissos de outro lugar ou tempo (veja a lista completa no livro *ThetaHealing*). Algumas pessoas têm a crença de que elas não têm permissão para se defender ou se proteger, ou que você tem de permitir que as pessoas a controlem. Essas crenças devem ser retiradas e substituídas.

Conforme explicado no livro *ThetaHealing*, quando os curadores experimentam a conexão com o Quinto Plano, primeiro eles vão aos limites do Terceiro Plano, por exemplo, com os programas "Eu sou mortal" ou "Eu tenho limites". É importante lembrar que esses limites só foram criados para que possamos ultrapassá-los e voltar ao Quinto Plano.

Lembre-se também de que, se você está trabalhando com uma consciência do Quinto Plano, seu ego pode interferir em seu discernimento. Caso isso aconteça, você se recusará a olhar para a possibilidade de não estar sendo correto ou para o fato de ter de trabalhar em si mesmo. Esteja atento a isso.

Espíritos do Quinto Plano podem atuar como mediadores entre humanos e o Criador de Tudo o Que É, mas também esteja atento para o fato de que esses seres inadvertidamente lançam suas próprias opiniões nas informações transmitidas, e isso pode confundir. Deve-se aprender com esse plano; portanto, não seja arrastado pelo drama da batalha do bem contra o mal nem se confunda com as opiniões dos seres desse plano.

Cada plano tem sua própria versão da verdade, mas o Sétimo Plano é a mais alta verdade. Então, quando você receber informações de um espírito do Quinto Plano, suba e verifique as informações com o Criador de Tudo o Que É. No Sétimo Plano, todas as informações estão disponíveis para aqueles que pedem e o Criador irá sempre ajudá-lo.

Ataque psíquico, influências negativas

Alguma vez você já sentiu que foi atingido por um ataque psíquico? E se você fosse imune a essas influências? Espíritos, formas-pensamento negativas, energias do mal – e se essas coisas fossem embora de sua vida?

Pessoas que fazem muitas curas e trabalhos psíquicos podem ser afetadas por essas influências. Tanto curador quanto cliente podem ficar vinculados a um plano da existência particular e utilizar apenas a energia deste plano na cura. Um dos planos que os curadores usam extensivamente é o Quinto Plano, que é o plano da batalha, do bem contra o mal, em um conflito constante. Esse conflito está conectado e é bastante exercitado no Terceiro Plano. Mas, e se não houvesse necessidade desse conflito, e se você pudesse se conectar a um plano que simplesmente é? E se você pudesse se sintonizar totalmente no amor incondicional e ser protegido, forte, saudável e estar no centro de todas as coisas? E se a raiva de outra pessoa não o afetasse, porque você pode intuitivamente ver de onde ela está vindo e desfazer essa raiva com seu entendimento? É aqui onde você quer estar? Essas energias estão no Sétimo Plano da Existência.

Proteção e orientação dos anjos

Como um exercício de como usar a energia do Quinto Plano da Existência, você pode enviar um anjo para proteger e guiar outra pessoa. Se direcionado a partir do Sétimo Plano, o anjo simplesmente protegerá a pessoa e não se envolverá no drama do bem e do mal.

Processo para direcionar um anjo da guarda

1. Centre-se em seu coração e visualize-se descendo em direção à Mãe Terra, que é parte de Tudo o Que É.
2. Visualize-se trazendo a energia da Terra, que entra pelos seus pés, abrindo cada chacra até o chacra da coroa. Em uma linda bola de luz, vá para o Universo.
3. Vá além do Universo, além das luzes claras, além da luz escura, além da luz clara, além da substância gelatinosa que são as Leis, até uma luz branca perolada iridescente, no Sétimo Plano da Existência.
4. Reúna o amor incondicional e faça o comando ao Criador de Tudo o Que é: "*Criador, é comandado que um anjo da guarda proteja essa pessoa. Gratidão. Está feito. Está feito. Está feito*".
5. Testemunhe o anjo da guarda indo para o espaço da pessoa para protegê-la.
6. Imagine-se sendo enxaguado. Imagine sua energia retornando a seu espaço e descendo até a Terra. Puxe a energia da Terra através de todos os seus chacras até seu chacra da coroa.
7. Faça a quebra energética.

12

O Quarto Plano

Quando comecei pela primeira vez a fazer leituras intuitivas profissionalmente, comecei a ter sonhos visionários com maior intensidade, tanto dormindo quanto acordada. Em retrospecto, acredito que esses sonhos eram sonhos de iniciação para os planos da existência. Cada visão estava me levando a explorar os planos; cada uma foi um guia para perceber as nuanças associadas a cada plano específico. Algumas delas aconteceram quando eu estava perto da água. Acredito que a razão para isto é que a água é uma boa condutora de energia elétrica. Um portal visionário muitas vezes parece ser criado quando estou sentada em uma banheira de água morna, relaxando após um longo dia de leituras.

Uma das mais fortes e intensas dessas experiências visionárias recentes me ensinou uma de minhas lições mais importantes. A primeira parte veio em um sonho, quando eu estava dormindo.

Eu me encontrei em um lugar que pareciam ser as montanhas do deserto do Arizona. Era noite e eu estava sentada perto de uma fogueira de acampamento, que ardia brilhantemente na escuridão. A visão era tão real que eu podia sentir o calor do fogo em minha pele, assim como o vento abanando as chamas.

Diante de mim estava um homem, um índio nativo americano. O poder que ele emanava me deixava nervosa. Ele parecia muito estranho. Seus cabelos eram trançados e emaranhados com penas saindo em todas as direções e que pareciam estar amarradas de alguma maneira a um coque parcial. Seu rosto estava pintado de preto de um lado e branco do outro. Ele se sentou me olhando, imóvel por algum tempo; então, de repente, se levantou e começou a cantar e a dançar ao redor do fogo. Conforme ele dançava, começou a fazer estranhos ruídos animalescos. Sentei paralisada, congelada no lugar, incapaz de me mover enquanto observava aquela dança primitiva.

Então ele começou a falar em alguma língua antiga nativa americana. Não sei como, mas de alguma forma pude entendê-lo.

Ele disse: "Hoje, se você quiser, eu posso lhe dar o poder do *metamorfo*. Mas você deve respeitar certas regras".

Sem esperar por minha resposta, ele pegou uma machadinha de obsidiana de má aparência que estava a seu lado e veio até mim com ela. Tão rápido como o pensamento, ele balançou a machadinha fazendo um arco brilhante sobre sua cabeça. Não fui rápida o suficiente para evitar seu movimento relâmpago e a machadinha me atingiu, enquanto eu estava subindo para me levantar. Eu a senti cortando algo profundamente dentro de mim. Ele me fatiou, abriu meu peito desde cima até o fundo, e foi abrindo meu esterno. Dessa ferida aberta em meu corpo, transformei-me em uma bela águia dourada, como se estivesse saindo de um ovo.

Agora, em forma de águia, eu abria minhas asas em um esforço para escapar. Mas, antes que eu pudesse subir ao céu, o nativo americano gritou para mim: "Olhe!". E ele cortou com a machadinha o peito da águia. Dessa ferida aberta, apareceu um leão da montanha.

Na forma de leão da montanha, cortei a mim mesma com minhas garras e rosnei para o homem. Ele gritou para mim novamente: "Olhe!". Com uma velocidade incrível, ele me cortou novamente. Incapaz de escapar, eu só podia assistir, impotente, enquanto ele cortava, abrindo o peito do leão da montanha, no qual havia me tornado. Dessa ferida veio um falcão gritando, que voou para o ar.

Ainda não havia escapatória. Uma vez mais, o homem gritou para mim: "Olhe!", e cortou, abrindo a forma na qual eu havia me tornado. Dessa ferida aberta veio uma loba preta, marrom e cinza.

Finalmente, senti-me bem. O lobo era eu; eu era o lobo e senti a estranha sensação de familiaridade, como se tivesse me tornado lobo muitas vezes antes. Senti a liberdade e a paixão que só vêm quando se é um animal selvagem. Em um instante me lembrei de todos os tempos em que tive de correr com os lobos, em meus sonhos e em todas as vidas que eu tinha experimentado antes. De repente, lembrei-me de minhas experiências torturantes quando tive câncer nesta vida. Quando pensei naquela época, uma dor intensa retornou para mim, como a antiga memória genética dos dentes de um carnívoro rasgando minha carne. A dor geralmente se tornava tão intensa que eu faria uma viagem astral para deixar meu corpo e correr com a matilha de lobos nas montanhas de Montana. No início, eu corria com eles na forma humana, mas, depois de um tempo, pulava entre os lobos e me tornava parte da matilha.

E, enquanto corria com esse bando de lobos, eu ia procurar meu homem de Montana.

Tudo isso voltou para mim num piscar de olhos, enquanto eu estava em quatro pernas na frente do índio, na forma de uma poderosa loba preta, marrom e cinza, olhando para ele fixamente, com os olhos verdes que ainda eram humanos.

Ele disse para mim: "Estas são as regras do metamorfo: você não deve cortar seu cabelo durante seis anos. Três anos a partir de agora irei procurá-la novamente para lhe dar orientação. Em seis anos, você aprenderá a dominar o poder do metamorfo. Você deve seguir as minhas instruções ou estará perdida".

Quando acordei do sonho, meu esterno estava dolorido ao toque. Dois ou três dias depois, Guy e eu tivemos um terrível acidente de carro. Fui jogada para a frente com tal violência, que o cinto de segurança quebrou meu esterno.

Depois que fiquei curada, o sonho começou a me assombrar. Parecia haver uma correlação entre ele e o acidente, mas eu não sabia o que era. Sabia que estava passando por uma "pequena morte", um processo de iniciação para me tornar um ser metamorfo, algo que poderia acabar por me matar, para que eu alcançasse o domínio do poder. Então, a primeira coisa que fiz foi cortar meu cabelo, já que essa era a única coisa que o homem tinha dito que eu não deveria fazer.

Acho que, quando cortei meu cabelo, foi um ato de puro desafio.

Eu tinha começado a perceber que muitas pessoas intuitivas focavam em apenas um específico plano da existência, a cada momento, e às regras ligadas a ele; e tinha começado a perceber, por meio dessas experiências visionárias, que tinha de haver uma energia abrangente, única, de *Tudo o Que* É, uma energia à qual você poderia se sintonizar para fazer as coisas acontecerem sem ter de seguir regras específicas de diferentes dimensões e encarnações. Então tive a iluminação de Tudo o Que É do Sétimo Plano da Existência, ensinando-me pelas Leis do Sexto Plano, e comecei a questionar as regras associadas às diferentes energias dos planos e como eu poderia transcendê-las.

Seis anos depois do dia do primeiro sonho, eu estava relaxando na banheira após um longo dia de trabalho. Fechei meus olhos por um instante e de repente eu estava mais uma vez dentro daquela visão, naquele lugar, nas montanhas do Arizona. As chamas do mesmo fogo subiram para o céu e lamberam a escuridão. Lá estava ele, o magnífico índio nativo americano, do outro lado do fogo, olhando para mim através das chamas, com o rosto pintado e cabelo estranho.

Ele falou comigo naquele mesmo antigo dialeto que eu poderia de algum modo compreender: "Você ganhou o direito de se tornar um metamorfo. Vou lhe ensinar os segredos da metamorfose e você se lembrará que já os conhece de algum lugar".

Nesse momento, lembro-me de olhar para ele por um longo tempo e secamente dizer: "*Não, obrigada*. Não escolho segui-lo ou aprender com você. Só escolho seguir o Criador de Tudo o Que É".

Ele parecia irritado e disse: "Mas olhe! Posso lhe dar esse poder para usar como você preferir. Esse é um grande e maravilhoso poder! Aceite-o, ele é seu!".

"Na verdade, isso que você tem a oferecer é formidável", eu disse a ele, "mas o verdadeiro e maravilhoso poder é o Criador de Tudo o Que É. Não preciso pegar este dom que você oferece. É o *Criador* que é o mestre deste dom. Pelo Criador, posso criar isso sozinha. Obrigada, mas, por favor, saia".

O homem abaixou sua cabeça no que parecia ser uma resignação. Um silêncio parecia cair sobre a visão; mesmo o estalar do fogo se tornou silencioso. Uma imensa quietude parecia crescer sobre mim. Deste silêncio, ouvi uma voz falando, vinda de todas as direções ao mesmo tempo. Ela disse: "*Você passou no teste. Sua iniciação está completa. Você fez bem, minha filha*".

O índio nativo americano olhou para mim com aqueles seus olhos ferozes, emotivos, e disse: "Essa era a resposta certa. Parabéns".

Voltei a mim mesma, na banheira, com a percepção de que algo importante havia acontecido comigo, mas o que veio a seguir foi verdadeiramente profundo.

Enquanto eu estava deitada na água morna, uma presença divina veio até mim e fui direcionada a enviar minha consciência até o lugar onde eu sempre tinha ido antes. Fiz o que me foi direcionado e enviei minha consciência a "Subir e Buscar a Deus". (Eu não sabia disso na época, mas essa presença divina era meu pai celestial, no Quinto Plano da Existência.) Enquanto me banhava nessa divina presença, a incrível essência de meu pai celestial falou comigo e disse: "Está na hora. Venha comigo até o Sétimo Plano".

Eu estava confusa. Pensei que esse *era* o Sétimo Plano e que esse *era* o Criador. Afinal de contas, era tão divino, tão sereno e bonito aqui. Eu tinha feito tantas curas deste lugar. Como poderia haver a possibilidade de qualquer lugar além deste?

Percebendo minha confusão, meu pai celestial explicou: "Até este momento, você tem apenas se conectado ao Sétimo Plano da Existência para fazer suas curas. Venha, e vamos levá-la a esse plano, para que você possa estar presente nele e realmente possa experimentá-lo sem estar separada dele".

Eu estava confusa com tudo isso. Eu tinha ido até as Leis para obter muitas respostas e estava apavorada de ir a um lugar que estava além delas. Estava com medo de me transformar em pura luz ou energia e ser liberada de meu corpo. Eu estava com medo de que Guy pudesse entrar no banheiro e encontrar nada, além de minhas roupas e uma banheira cheia de água.

Falei sobre meu medo ao meu pai celestial. Ele começou a me confortar, dizendo-me que tudo ficaria bem. Ele me disse que eu iria mudar, sim, mas não me tornaria pura luz porque eu já era parte de Deus, uma parte da criação.

Confiando em meu pai celestial, decidi dar o próximo passo. Imaginei-me subindo e passando as Leis. Passei por uma membrana de substância gelatinosa e me imaginei subindo, até chegar ao puro lugar da criação, a energia criativa de Tudo o Que É.

Naquele momento, percebi que eu nunca havia sido separada de Deus. Percebi que o que a minha mente-corpo humano tinha percebido como uma ilusão era parte da energia de Tudo o Que É. Percebi que somos *todos* parte de Tudo o Que É. Não há *separação.*

A partir daquele momento, todas as curas se tornaram mais eficazes. E, ao mesmo tempo, algo estranho aconteceu dentro de mim: eu já não sentia que tinha de *corrigir* a todos. Eu podia ver, com desapego, as pessoas vivendo suas vidas e passando por seus processos de aprendizagem. Antes daquilo, eu procurava corrigir os problemas das pessoas usando qualquer um dos planos com os quais as pessoas estavam aprendendo. Procurava me esforçar, focada em levá-los a alcançar o lugar que eu achava que era o certo. Depois, percebi que a energia do Criador de Tudo o Que É está em tudo ao nosso redor e encontrei uma maneira de retirar o véu da separação. Encontrei uma maneira de olhar para os seres humanos com uma perspectiva diferente, através da simples observação.

Eu não possuo nenhum livro que me fale sobre a energia de Tudo o Que É. A filosofia é boa, mas pode se tornar superidealista e perder-se em ideias. Mas a mensagem que recebi tornou um pensamento idealista em realidade, uma realidade que você pode usar no mundo físico *à vontade.* Esse foi o início do DNA 3. O DNA 3 é a capacidade de *criar à vontade.*

Quando passei pela iniciação do Quarto Plano com o índio nativo americano, aquela era a última barreira para mim. Essa iniciação abriu um novo nível de consciência.

Os planos da existência são numerados de 1 a 7. Mas as iniciações destes planos podem acontecer a qualquer momento e em qualquer plano, dependendo de seu desenvolvimento espiritual e de sua vibração. A única razão existente para que os planos sejam numerados é para criar atrativos suficientes para a mente a fim de que possamos compreendê-los. Passei através de iniciações dos planos da existência de uma forma indireta, por mim mesma. Fui iniciada no Primeiro Plano da Existência em primeiro lugar. Em seguida, fui iniciada no Quinto Plano; depois, no Sexto; então, no Segundo; e, por último, no Quarto, para ser levada até onde estou hoje.

Uma iniciação dentro dos planos não precisa ser uma iniciação na qual se passa por portas da morte, nem está estipulado que você tem de morrer para progredir. O truque é passar pelo Sétimo Plano *primeiramente* para descobrir o que as iniciações são e experimentá-las por intermédio do Criador de Tudo o Que É. A lição do Quarto Plano da Existência para mim era não ser pega na "elucubração mental" e permanecer focada na essência do Sétimo Plano do Criador de Tudo o Que É.

Desse dia em diante, comecei a ensinar os planos de existência com mais intensidade do que nunca. Naquele dia me foi ensinada uma forma de focar a mente para chegar ao lugar certo, fazer perguntas e criar curas; e ir ao lugar onde não há opinião, apenas a verdade. Foi por essa iniciação que fui capaz de encontrar o caminho ao Criador de Tudo o Que É.

Depois disso, minhas percepções da natureza fundamental de Deus começaram a mudar radicalmente. Por exemplo, pegue a palavra "Deus". Pense nos sistemas de crenças em torno dessa palavra. Para muitos, parece gerar questões relativas ao merecimento da humanidade para se conectar a Deus. Descobri que algumas pessoas tinham dificuldade de ir até o Sétimo Plano da Existência do Criador de Tudo o Que É usando o termo singular "Deus", principalmente por causa de suas percepções da palavra. Para responder a esse desafio, o processo de comando foi permanentemente alterado para *"Pai, Mãe, Deus, Criador de Tudo o Que É, é comandado..."*.

À medida que os ensinamentos progrediram e o ThetaHealing tocou mais pessoas, vi que algumas se conectavam de forma consistente com o Criador de Tudo o Que É e outras se perdiam ao longo do caminho. Eu sabia que tinha de encontrar uma maneira para que todos pudessem se conectar ao mais alto plano, sem a interferência de seu ego e das crenças que se vinculam a ele. Em resposta a essa necessidade, comecei a explicar os planos da existência com mais profundidade. Um caminho conceitual para o Criador de Tudo o Que É estava se formando para todos.

O reino do espírito

O Quarto Plano é o plano onde aprendemos a dominar o espírito, ou o que percebemos como o aspecto espiritual da Criação. É o lugar entre a vida e a morte e a porta de entrada para os reinos além da morte. Quando morremos, nosso corpo à base de carbono é colocado para descansar, mas o nosso ATP (Adenosina Trifosfato – nucleotídeo responsável pelo armazenamento de energia nas ligações químicas) vai adiante para o Quarto Plano da Existência. De lá, alguns espíritos optarão por permanecer como espíritos; outros, por encarnar de novo; e outros ainda irão se deslocar para outros planos.

Como espíritos, ainda temos essência e podemos sentir, ouvir, saborear e tocar. Certamente, essas sensações não são experimentadas da mesma maneira no Quarto Plano como no Terceiro, porém são similares. Lá podemos sentir o ar correr direto através de nós e podemos sentir a essência do pão recém-assado. Nossos sentidos são realmente melhores do que no Terceiro Plano. Novas cores se tornam aparentes para nós, e a audição amplia.

No Quarto Plano, ainda comemos e temos de nos nutrir. Esse mundo é simplesmente um mundo de vibração mais elevada, onde as moléculas estão se movendo mais rapidamente do que no Terceiro Plano. Nenhum plano é realmente "sólido" – todos eles são simplesmente diferentes combinações de energia, vibração e luz.

Muitos guias altamente evoluídos vêm do Quarto Plano. Esse é o lugar onde as crianças do Quinto Plano inicialmente aprendem a respeito da criação.

Curando a partir do Quarto Plano

Este plano oferece acesso aos *antepassados espirituais*. Xamãs e pajés costumam usar seus antepassados e outros espíritos para ajudá-los na cura, utilizando tanto a sabedoria dos antepassados, como a cura ou as ervas sugeridas por eles. Dessa forma, eles fazem uma "equação" entre os Segundo, Terceiro e Quarto Planos da Existência (uma equação é usar mais de um plano de existência ao mesmo tempo).

Os curadores que entendem a energia específica de cura deste plano são, muitas vezes, restritos às obrigações da consciência que existem aqui. Para recapitular brevemente:

- Pessoas que usam esse plano para a cura acreditam que o curador não pode curar a si mesmo. É o plano de trocar uma coisa por outra, de levar a doença de uma pessoa para si mesmo e, depois, livrar-se dela.
- Curadores conectados às energias do Quarto Plano têm um programa de que é errado aceitar dinheiro por sessões de cura; somente presentes são aceitos.
- Esse plano, como outros planos, ensina através de iniciações. Há crenças nesse plano que dizem que uma pessoa tem de chegar perto da morte, ou até mesmo morrer, para aprender mais – para dominar o plano, elas devem dançar com a morte ou passar pela "pequena morte" da iniciação.
- A iniciação nesse plano é o autossacrifício. A ideia é de que devemos sofrer para aprender, para superar as crenças de nossos antepassados e para vencer o mundo material e as crenças conectadas a ele.
- Espíritos no Quarto (e Quinto) Planos da Existência podem ser enganadores e muitas vezes têm uma tendência a fazer o curador acreditar que ele é mais especial do que ninguém. Pode-se obter uma falsa sensação de poder a partir desse plano.
- Curadores que ainda têm compromissos no Quarto Plano acreditam que não podem trabalhar em si mesmos. Esse é também um padrão do Quinto Plano.

Faça o teste energético para:

"Eu tenho de sofrer para aprender."
"Eu aprendo da maneira mais difícil."
"Eu tenho de sofrer."
"Quanto mais sofro, mais perto estou de Deus."
"Tenho de atravessar uma porta da morte ou morrer para crescer espiritualmente."

Substituir por:

"Eu aprendo sem sofrimento."
"Eu aprendo com o Criador."
"Eu aprendo com facilidade e liberdade."

"Eu sei a definição de dedicação do Criador de Tudo o Que É."
"Estou sempre conectado com o Criador de Tudo o Que É."
"Eu cresço espiritualmente por meio do Criador de Tudo o Que É."

Espíritos e antepassados

Espíritos errantes

É neste plano que aprendemos como enviar energias descontroladas ou espíritos "errantes" para a luz de Deus. Espíritos errantes, você deve se lembrar, são aqueles que estão temporariamente presos entre o Terceiro e o Quarto Planos, com medo de ir para a luz. Eles podem ser espíritos que simplesmente não acreditam na luz, ou que cometeram suicídio, ou que tiveram mortes traumáticas, ou que têm medo de ir para a luz, porque temem se tornarem a luz. Eles podem ser enviados para a luz do Criador, usando um simples exercício. Para recapitular:

O processo para os espíritos errantes

1. Centre-se em seu coração e visualize-se descendo em direção à Mãe Terra, que é parte de Tudo o Que É.
2. Visualize-se trazendo a energia da Terra, que entra por seus pés, abrindo cada chacra até o chacra da coroa. Em uma linda bola de luz, vá para o Universo.
3. Vá além do Universo, além das luzes claras, além da luz escura, além da luz clara, além da substância gelatinosa que são as Leis, até uma luz branca perolada iridescente, no Sétimo Plano da Existência.
4. Faça o comando: *"Criador de Tudo o Que É, é comandado que todos os espíritos errantes em torno de [nome da pessoa] sejam enviados à luz de Deus para ser transformados. Gratidão! Está feito. Está feito. Está feito"*.
5. Mova sua consciência para acima do chacra da coroa da pessoa. Testemunhe os espíritos errantes serem enviados para a luz do Criador, usando sua conexão ou conexão do cliente com a Fonte. Certifique-se de acompanhá-los por todo o caminho até a luz do Criador, evitando que eles escapem.
6. Assim que o processo tiver sido concluído, enxágue-se e coloque-se de volta a seu espaço. Vá para a Terra, puxe a energia da Terra através de todos os seus chacras até seu chacra da coroa e faça a quebra energética.

Conectando-se com seus antepassados

Algo muito útil a ser usado com a energia do Quarto Plano é a conexão com seus ancestrais ou com os de seus clientes. Ao fazer isso para um cliente, é muito provável que encontre nele programas que não tenham sido finalizados, conectados ao falecido. Esse processo irá ajudá-lo a finalizá-los.

Nesse processo, você irá comandar que alguém conhecido do cliente venha visitá-lo. Pergunte ao cliente o nome da pessoa falecida com quem ele gostaria de conversar e chame por esse espírito. Você será o porta-voz do espírito, sem permitir que ele entre em seu corpo.

Tenha em mente que os espíritos mantidos nesse plano não são necessariamente seres iluminados e virão até você quase com a mesma *personalidade* que tinham quando vivos. Eles manterão alguns de seus atributos físicos, como a atração sexual e muitas outras paixões. Por isso, é recomendável que o cliente chame somente por alguém querido.

Você pode falar com animais que tenham partido também. Confie nos primeiros pensamentos e vozes que vêm a sua mente.

Outros motivos para se praticar esse exercício são: mostrar que você pode falar com espíritos ancestrais ou amigos e permitir que você perceba como são as diferentes dimensões. Ele lhe mostra a diferença entre esses níveis e a Criação, assim como a sensação da forma-pensamento divino em oposição aos seus próprios ou aos de outras pessoas.

Processo para conectar-se com seus antepassados

Antes de começar este exercício, peça permissão para ver e falar com o espírito ancestral da pessoa. Pergunte pelo nome do espírito.

1. Aterre e centre-se.
2. Comece enviando sua consciência para dentro do centro da Mãe Terra, que é parte de Tudo o Que É. Traga a energia da Terra, que entra por seus pés, passa por seu corpo através de todos os chacras até o chacra da coroa, suba e projete sua consciência para cima em uma linda bola de luz para além das estrelas, em direção ao Universo.
3. Vá além do Universo, além das luzes claras, além da luz escura, além das luz clara, além da substância gelatinosa que são as Leis, adentre uma luz branca perolada iridescente, o Sétimo Plano da Existência.

4. Reúna o amor incondicional e faça o comando: "*Criador, é comandado ver e falar com [nome do espírito] agora. Gratidão! Está feito. Está feito. Está feito*".
5. Vá diretamente para o espaço da pessoa e olhe por cima de seus ombros. Chame o espírito do ancestral ou espírito do animal e espere que se mostrem.
6. Você pode ver bolas de luz. Pergunte ao espírito as questões do cliente e compartilhe com eles as respostas recebidas. Confie nos primeiros pensamentos que vêm à sua mente.
7. Quando tiver terminado, enxágue-se, coloque-se de volta ao seu espaço e faça a quebra energética.

13

O Terceiro Plano

É o plano de nossa realidade diária. Em parte, nós o criamos para nosso uso. É neste plano que temos o desafio de sermos governados por emoções, paixões, desejos instintivos e pela realidade de estar no corpo humano. Nossa consciência permanece, de modo geral, neste plano, mesmo estando profundamente conectada a todos os planos.

Na criação de nossa própria realidade, criamos programas, formas-pensamento e consciência coletiva do Terceiro Plano que nos mantêm nele. Isto significa que algumas das nossas capacidades físicas, mentais e espirituais estão bloqueadas. A fim de nos libertarmos das correntes que nos prendem, devemos nos concentrar na alegria da vida em vez de no medo, na raiva e no ódio. Uma vez que o ego reside no Terceiro Plano, devemos controlar o ego negativo em nós mesmos. O modo como equilibramos nossas emoções ditará quanto somos capazes de nos libertarmos do Terceiro Plano para podermos acessar e transitar livremente por todos os outros planos, criar saúde e manifestar outras mudanças nesta realidade.

Muitas vezes esquecemos que estamos aqui para experimentar a *alegria*, para respirar, para viver dessa maneira maravilhosa. Nossos pulmões comemoram cada vez que inspiramos um sopro de ar. Paramos para sentir essa celebração? Devemos lembrar que esse é um plano maravilhoso para se existir. As células do corpo estão se esforçando para nos dar essa experiência de vida. O fígado e outros órgãos estão trabalhando horas extras para estarmos aqui. Considerando que o exercício físico mantém nosso corpo enraizado, desfrutando o Terceiro Plano, é importante seguir uma rotina de exercícios regulares, a fim de celebrar o corpo humano.

Estamos aqui para aprender como seres espirituais, e alguns de nós ainda aprendem a partir da dor e do sofrimento. Este é um dos nossos desafios espirituais neste plano: aprender sem sofrimento e pela alegria.

É nossa responsabilidade aceitar que o corpo humano é um lugar maravilhoso para se viver.

Os seres humanos são, na realidade, milagres ambulantes! Aprendemos a manipular nosso corpo, usamos o nosso cérebro, controlamos nossos membros, comunicamos nossas ideias e agimos de acordo com nossos pensamentos, ideias e sonhos. É o plano da imaginação, da resolução de problemas, do lutar ou fugir.

Vivendo em todos os planos

Podemos pensar que estamos fisicamente no Terceiro Plano da Existência, mas na verdade existimos em todos os sete planos. Na realidade, como já foi explicado, os seres humanos do Terceiro Plano são filhos do Quinto Plano. Alguns de nós temos alguma lembrança consciente disto. Na verdade, muitas religiões se baseiam neste pensamento. Isto explica por que muitas pessoas acreditam que sejam "filhos de Deus", pois todos nós temos um pai e uma mãe celestial no Quinto Plano, mas ainda assim estamos conectados a Tudo o Que É.

Nossos pais espirituais nos dão o encorajamento, a compaixão e o aconselhamento. Cada um de nós tem esses seres incríveis que nos guiam ao longo do caminho da iluminação. Eles são mestres superiores do Quinto Plano. Para encontrar seus pais espirituais, é melhor passar pelo Criador de Tudo o Que É do Sétimo Plano. Isso se dá porque, uma vez que você tenha sido purificado na essência do Criador, será mais capaz de se comunicar claramente com eles.

Lembre-se de que muitas das pessoas que estão aqui na Terra agora são, na verdade, mestres do Quinto Plano que vieram aqui para ajudar seus alunos/crianças do Terceiro Plano a retornar para casa, o Quinto Plano. Se você costuma sentir que não pertence à Terra, que este planeta é muito duro, que as pessoas são cruéis, e sente saudades imensas de casa e de sua família espiritual, então você pode ser um mestre do Quinto Plano. Se você sabe que tem habilidades incríveis e uma forte conexão com o Criador, pode ser um mestre acordando para ajudar a Terra. Os mestres do Quinto Plano que vieram até aqui podem facilmente lembrar como direcionar sua mente. Todos os mestres elevados do Quinto Plano utilizam o Sétimo Plano para criar.

Curando a partir do Terceiro Plano

Lembre-se de que os curadores que trabalham a partir do Terceiro Plano muitas vezes se envolvem no drama deste plano e acreditam que algumas coisas são incuráveis por causa da consciência de grupo. Eles são regidos pelo tempo e, muitas vezes, também se envolvem com o dualismo do bem e do mal, uma energia do Quinto Plano, em vez da energia do amor do Sétimo Plano e de Tudo o Que É.

No Terceiro Plano se dá a remoção e substituição dos sistemas de crenças, bem como a adição de *sentimentos* que nos proporciona a abertura para as vibrações de outros planos da existência. É aí que somos liberados das influências cármicas. Conforme mudamos nossas crenças, mais rapidamente somos capazes de ter acesso a outros planos.

Curadores no Terceiro Plano usam frequentemente os outros planos instintivamente. Por exemplo, se um cirurgião realiza uma operação e utiliza um bisturi, então ele está acessando o Primeiro e o Terceiro Planos da Existência. Ele é a representação do Terceiro Plano, e o bisturi, do Primeiro Plano. Outros planos são acessados no processo cirúrgico, tais como as Leis do Universo do Sexto Plano.

Um exemplo disto seria o próprio processo de pensamento da cirurgia: "Se eu cortar o tumor deste órgão da maneira correta, os tecidos separarão de tal forma que o tumor será removido sem causar maiores danos, sendo um benefício para essa pessoa". Neste processo, o cirurgião instintivamente acessa a Lei da Causa e Efeito. Enquanto tudo isso está acontecendo, o cérebro envia estímulos através dos neurônios do sistema para mover as mãos do cirurgião e, ao mesmo tempo, regula os vários sistemas em seu corpo. Isto é uma façanha incrível da engenharia de Deus. E, enquanto o cirurgião está salvando a vida da pessoa, os outros membros da equipe têm acesso ao Segundo Plano, pela administração da penicilina e do soro intravenoso no paciente.

É no Terceiro Plano que você pode se comunicar com os animais e curá-los, conforme descrito no livro *ThetaHealing*.

A principal coisa para lembrar sobre a realidade do Terceiro Plano é que esse plano é uma *ilusão* e não é real. A única coisa real é o que você cria nele.

14

O Segundo Plano

Minha primeira experiência com o Segundo Plano da Existência foi no norte de Idaho, nos primeiros anos do ThetaHealing.

Nessa época, a maioria dos meus seminários era organizada por pessoas que tinham feito sessões de leitura comigo. Uma de minhas clientes, Gretchen, tinha coordenado um curso na cidade de Sandpoint, Idaho. Encontrei no norte de Idaho um lugar muito bonito, com densas florestas, montanhas altíssimas, rios correntes e lagos de águas cristalinas. Localizado entre os Estados de Idaho e Montana de um lado e o Estado Washington do outro, o lugar é selvagem, primitivo e permeado com a energia da natureza. Sandpoint é bem no meio dessa área e foi palco de uma de minhas primeiras aulas de DNA Básico. Esse curso tinha duração de dois dias, então Guy e eu fomos para lá, para ficar por duas noites.

Gretchen tinha organizado para ficarmos com uma das estudantes chamada Peggy. Ela morava no alto da cidade, nas montanhas, em uma linda cabana feita de troncos de madeira. Nem é preciso dizer que ela tinha uma beleza rústica que encantou Guy. Para mim, era como uma casa de doces de um conto de fadas.

Como notamos, Peggy acreditava piamente em pequenas criaturas, as fadas. Ela nos disse sem nenhuma vergonha que uma de suas ambições na vida era ver uma fada em carne e osso, mas até então tinha sido malsucedida. Ela era uma pessoa corajosa, com muita personalidade, e nos disse que podia sentir os espíritos da natureza à sua volta, mas acabou deixando escapar que eles não apareciam para ela.

Nessa fase da minha vida, eu não acreditava muito em fadas. Já havia visto fantasmas e aparições, mas nunca tinha visto fadas, e levantei uma cética sobrancelha como a do sr. Spock para Peggy. Achei que ela estava um pouco ansiosa e também muito hostil em seu comportamento em relação a essas fadas que não apareceriam para ela.

Tenho de admitir que o lugar tinha uma essência mágica para isso, um tipo de atemporalidade que você só encontra em determinados locais. Era o início do verão e havia flores brotando no jardim. Enquanto a escuridão caía sobre as montanhas, a noite começou a cantar sua canção, e Guy e eu fomos dormir para estarmos prontos para o primeiro dia do seminário, no dia seguinte.

Pela manhã, Peggy nos acordou e relutantemente levantei da cama para tomar banho. Eu não sabia, mas estava prestes a ter uma experiência que abalaria meu sistema de crenças como uma árvore em um vendaval.

Eu estava no chuveiro, raspando minhas pernas, como regularmente faço, cuidando da minha vida, quando, de repente, três pequenas criaturas entraram voando através de uma janelinha que estava aberta. No começo, pensei que eram beija-flores. Mas elas pareciam pequenas pessoas com asas. Elas giravam ao redor de meu corpo como um redemoinho, com uma curiosa energia. Fiquei congelada no meio do movimento com um barbeador na mão, tão surpresa que não podia me mover.

Os seres não estavam usando nenhuma roupa e todos pareciam ser do sexo feminino. Pareciam meninas de 9 anos de idade com asas. A cor de suas peles era bronzeada e tinham cabelos compridos em diferentes tons de castanho. Seus olhos brilhavam para mim enquanto voavam. Suas asas estavam se movendo tão rápido que quase não dava para ver. Uma delas pairou na altura de meus olhos, e eu pude ouvir uma voz em minha cabeça que de alguma forma sabia que vinha de todas as criaturas ao mesmo tempo.

"O que você está fazendo?"

A resposta me veio automaticamente: "Estou raspando os pelos de minhas pernas".

Houve uma breve pausa e então a voz musical soou em minha cabeça de novo: "*Por que* você está raspando os pelos de suas pernas?"

Eu lhes disse: "Eu sou uma mulher humana. Tenho de raspar os pelos em minhas pernas".

Elas caíram na gargalhada, que soava como sinos tilintando em minha cabeça e rolavam em pleno ar, apontando para mim. Com um *puf*, uma delas fez crescer longos cabelos em suas pernas. As outras riram dela, girando em círculos, às gargalhadas.

De repente, todas voaram pela janela afora, para a floresta, e num piscar de olhos desapareceram.

Senti-me transtornada! Achei que havia perdido a razão. Corri aos prantos para o quarto e no impulso contei a Guy sobre minha experiência. Perguntei-lhe se eu estava ficando louca.

Guy olhou para mim calmamente e disse: "Vianna, você acabou de ver fadas".

Olhei para ele perplexa.

"Você sabe, *espíritos da natureza*. Muitas pessoas já as viram, mas não é muito comum. Elas estão ligadas a lugares onde as flores crescem e as árvores são grossas, e às vezes a velhos locais sagrados. Elas têm sido vistas em todos os continentes de alguma forma ou de outra. Os índios nativos americanos têm muitas lendas sobre elas que são um pouco semelhantes às lendas da Irlanda. Como você é uma pessoa intuitiva, torna-se mais fácil para você vê-las do que para a maioria das pessoas. Você é como uma ponte entre os humanos e o mundo das fadas. Portanto, acalme-se! Você não irá enlouquecer, apenas tem a capacidade de vê-las".

Enquanto eu o ouvia, comecei a me recompor. Pouco a pouco, restabeleci-me e comecei a me vestir para sair, olhando o tempo todo de rabo de olho, com medo de ver uma aparição indesejada.

Descemos à cozinha para o café da manhã e eu disse a Peggy o que tinha visto, pensando que ela ficaria feliz em ouvir a respeito. Eu estava errada. Ela ficou muito chateada, porque tentava ver fadas há mais de 20 anos, colocando tigelas de leite com mel como oferendas a elas por muito tempo; e então cheguei a sua casa e em poucas horas elas tinham aparecido para mim! Ela tinha ficado um pouco mal-humorada com tudo isso e continuou assim durante os dois dias que ficamos com ela.

Sua manhã já tinha sido complicada por outro incidente. À noite apareceram ursos em sua casa e parece que um deles havia feito uma escalada quase impossível no deck de trás para assaltar o comedouro dos pássaros. O comedouro tinha sido destruído e havia sementes em toda parte. Peggy estava intensamente frustrada por isso, e os pássaros também não estavam muito felizes. O urso faminto tinha deixado um cartão de visitas fedorento no deck como uma última lembrança.

Dois dias depois, havíamos terminado o seminário. Enquanto estávamos indo embora da casa de Peggy, eu disse adeus para a casinha das fadas e para aquelas pequenas criaturas que por instantes tinham me chocado, roubado minha inocência e a devolvido em seguida.

Esse incidente com as fadas mudou meu conceito de realidade para sempre. Abriu para mim as portas para o Segundo Plano da Existência.

◊◊◊◊◊

Minha experiência com as criaturas do Segundo Plano não tinha acabado. Pouco tempo depois de meu encontro com as pequenas fadas no chuveiro, fui novamente visitada por elas. Eu estava a caminho de casa saindo de um seminário em St George, Utah. Para aqueles de vocês que não conhecem essa área, é um lugar muito bonito. O deserto de Utah é uma área selvagem com vastas paisagens vermelho-sangue. Há intermináveis florestas zimbro, majestosas montanhas carmesim que mudam com a luz, e o leito do Rio Virgin com salgueiros e choupos que convidam ao descanso no calor do deserto.

Nesse dia senti que deveria lavar os cristais que tinha acabado de adquirir. Sempre que adquiro novos cristais, é uma espécie de ritual para mim lavá-los, em uma correnteza, de quaisquer impressões fantasmas. Encontrei um lugar perfeito no rio e parei para purificá-los perto da entrada do Parque Nacional de Zion.

Andei até o rio e me abaixei para lavar meus cristais, quando de repente duas fadas materializadas a partir de um feixe de luz voaram ao redor de minha cabeça. Elas estavam vestindo roupas feitas de folhas de outono, e suas pequenas asas batiam tão rápido que eram difíceis de ver, muito parecidas com as de um beija-flor. Eram um menino e uma menina. Meu primeiro pensamento foi: "Oh! Elas também vêm em forma de meninos".

A fada menino voou perto de meu rosto e disse: "Dê para mim!", indicando o cristal em minha mão.

Senti-me imediatamente irritada. Eu disse a ele: "Não! Você não pode pegar isso".

A fada menino era insistente e se tornou agressiva, voando ao redor de minha cabeça e puxando meu cabelo. Ele gritou para mim: "Dê para mim!".

"Não!", gritei de volta enquanto abaixava para evitar o ataque outra vez.

Ele era incrivelmente forte para seu pequeno tamanho. Começou a voar ao redor de mim, empurrando-me em uma tentativa de me fazer cair no rio que estava atrás de mim. Ele era pequeno, mas tão poderoso! Comecei a me debater enquanto o golpeava. Senti medo de cair dentro da água, já que nessa época do ano o rio era profundo, e a água, muito fria.

Então, de rabo de olho, vi um movimento atrás de mim. De repente, uma mulher alta emergiu do rio, uma visão de beleza líquida e fluida. Ela apontou para a fada menino e seus olhos brilharam com um azul elétrico, demonstrando estar aborrecida com ele. Ela disse: "Deixe-a em paz!".

Ambas as fadas estavam aterrorizadas. Com pequenos gritos, elas voaram. Logo haviam desaparecido.

Grata ao belo ser elemental da água que tinha me salvado, peguei meus cristais e saí correndo para meu carro, onde desabei sobre o banco e comecei a chorar. Meu marido me confortou. Quando me senti melhor, voltamos para casa.

Este incidente não significa que todas as fadas eram ruins. Elas podem ser travessas, mas podem se tornar boas amigas, se tivermos respeito por elas. No entanto, as energias desse plano são poderosas, por vezes intensas. É por isso que nossa conexão com o Criador de Tudo o Que É do Sétimo Plano da Existência deve ser clara. Embora eu não soubesse disso na época, tudo que eu precisava fazer quando a pequena fada me atacou era me conectar ao Criador e, por meio d'Ele, comandar que ela fosse embora.

Desde aquele tempo tive muitos outros encontros com esses seres abençoados, e em mais de um continente. Mas essas são outras histórias.

Espíritos da natureza – elementais

Graças à evolução espiritual da humanidade, os véus entre os planos estão se tornando finos. É muito mais fácil as pessoas verem através deles agora do que antes. O véu entre o Segundo e o Terceiro Planos está se tornando particularmente fino. Por causa dessa abertura no tempo-espaço contínuo, um maior número de pessoas está testemunhando as fadas.

Eu gosto de chamá-los de elementais e, não se engane, eles não são humanos de *forma alguma*. Eles podem controlar a frequência de sua vibração molecular para assumir as diferentes formas dos elementos – terra, ar, água e fogo. Podem se tornar um punhado de vento, o murmúrio da correnteza, a terra abaixo de nossos pés ou até mesmo o fogo do relâmpago. Podem se fundir com as plantas, tornar-se um ser líquido, um ser do ar ou tomar uma forma sólida. É quando eles optam por tomar a forma sólida que os vemos em suas inumeráveis diferentes formas e tamanhos como fadas.

Quem tem um amor especial por árvores ou plantas terá uma ligação intrínseca com os elementais, e alguns deles têm aprendido a se comunicar com seres humanos. Para alguns seres humanos isso é bom; para outros, pode não ser. Fadas nem sempre agem com benevolência para com os seres humanos. Não gostam que lhes deem ordens, mas podem ser úteis se abordadas de forma correta.

Em um de meus cursos na Austrália, alguém me trouxe uma perspectiva interessante: descobriu que sempre que se conecta aos elementais e lhes pede ajuda; eles esperarão um presente em troca. Então, se você sentir falta das chaves em sua bolsa, ou se algum outro objeto desapareceu, pode ser apenas as fadas exigindo o que lhes é devido.

Se você decidir abrir sua casa para as fadas, então você deve fazê-lo a partir do Sétimo Plano da Existência. Dessa maneira, humano e elemental irão cooperar um com o outro e não estarão em desacordo. Através do Sétimo Plano, as energias do Segundo e do Terceiro Planos irão trabalhar juntas.

Segue abaixo uma lista de orientações:

- Sempre vá ao Sétimo Plano antes de falar com os elementais.
- Nunca vá a qualquer lugar com um elemental até que você tenha ido até o Sétimo Plano primeiro.
- Nunca peça um favor a um elemental, porque eles esperam uma troca de energia e levarão objetos brilhantes sem permissão, sentindo que isso é totalmente justo.
- Elementais não são deuses.
- Elementais respeitarão mais você se você respeitar a si mesmo.
- Elementais apenas se mostram para aqueles que são puros de coração.
- Você não tem de acreditar em elementais para que veja um.
- Elementais só irão se mostrar se eles souberem que não estão em perigo.
- Elementais são encantados pelo canto e pelo riso dos seres humanos. (As músicas devem estar afinadas.)
- Elementais amam arte. Eles adoram ver pessoas pintando quadros.

Elementais têm uma tendência a amar coisas brilhantes, por causa do índice de refração da luz que elas criam, quase da mesma maneira que apreciamos o brilho de um diamante. Há elementais que são atraídos por belas formações de cristal, tais como quartzos e ametistas. Quando a luz atinge a formação de cristais, uma energia é criada. Essa fusão de luz e cristal, essa *luminescência*, é alimento para o corpo dos elementais. É por isso que eles são atraídos por cristais.

Pelo fato de os véus entre os planos da existência estarem começando a cair, acredito que alguns elementais têm vindo habitar na forma humana. Nós todos temos visto pessoas que agem como se fossem duendes ou fadas. Quase parece que eles estão evoluindo ou retrocedendo para ser tornarem novamente fadas. Acredito que muitos elementais fazem isso apenas para ter a experiência do Terceiro Plano. Muitos deles estão aqui no Terceiro Plano para proteger os elementais e seu habitat. Com frequência, são ambientalistas e naturalistas.

Vivendo em harmonia com o Segundo Plano da Existência

Como espécie, temos desenvolvido uma relação simbiótica com as plantas. Elas nos usam para se propagar e se espalhar e são, por sua vez, indispensáveis para nossa sobrevivência. Plantas realizam o milagre da fotossíntese, a transformação sagrada da abençoada luz solar em pura energia, para nosso consumo. Prosperamos sob essa energia e plantamos as sementes na terra para começar um novo ciclo.

As plantas são altamente evoluídas; elas vivem da luz e dos minerais e, em geral, não usam outro material vivo orgânico. Cada ser vegetal tem sua própria consciência. Com a terra e com os espíritos do ar, atuam na dança sagrada da interconexão entre o Primeiro e o Terceiro Planos da Existência, transmigrando a força da vida para o uso dos animais.

Plantas e árvores estão entre as criaturas mais evoluídas e sagradas de Deus. No ciclo de nascimento e morte, elas retêm nutrientes através de suas raízes fixadas na Mãe Terra e ainda seguem retendo os mesmos nutrientes por muito tempo depois de morrer. Elas seguem o ciclo sagrado da Natureza e só competem para viver, e não para destruir. Enquanto apenas consomem a luz solar, o ar e o solo para se sustentar, elas fornecem alimento e abrigo para muitos outros seres vivos.

Amor, alegria, felicidade e respeito são as chaves para compreender verdadeiramente as plantas e as árvores. Quando as usamos para curar, sejam elas cultivadas ou silvestres, devemos nos lembrar de colher com respeito apenas o que for necessário. Lembre-se de ir acima de seu espaço e de se conectar com o Criador; em seguida, peça a permissão das plantas para colhê-las. Elas responderão e irão direcioná-lo para a planta que irá atender ao uso pretendido. No momento em que você colhe a planta, esteja conectado ao Criador, volte para o tempo em que a planta era uma semente e derrame amor e bênçãos dentro da semente, enquanto você a vê crescendo até sua forma atual.

O reino elemental está entrelaçado com as plantas e também com a pura essência da luz. Portanto, o Segundo Plano da Existência transmuta a luz do sol e direciona essa energia ao longo de todos os planos para criar a vida.

A luz solar é a essência da vida. Todas as criaturas da Terra precisam dela para viver. Tudo neste planeta é baseado no fogo da luz, e nós a assimilamos através do consumo das plantas. A força vital real, a *luz* que está dentro da planta, é o que importa para o corpo humano. Essa utilização da luz é uma maneira de nos mantermos em conexão com todos os planos da existência.

Os curadores que utilizam o Segundo Plano da Existência sabem como usar as ervas e as vitaminas, a fim de alcançar a saúde. Curar a partir desse plano requer tempo e persistência. Trabalhar com esse plano requer dos curadores um amplo conhecimento de plantas e dos efeitos dos remédios. Sem esse conhecimento há um risco para o cliente. Mas há uma combinação orgânica de plantas para cada doença.

Como já mencionado, ao usar ervas ou outras plantas para curar, o procedimento correto é abençoar a planta desde a semente até o tempo presente. Da mesma forma, quando você compra ervas, vitaminas ou alimentos, lembre-se de perguntar ao Criador de Tudo o Que É se eles são para seu bem maior. Você pode fazer isso conectando-se com o Criador enquanto segura o produto.

Precisamos abençoar todos os alimentos que comemos, uma vez que tudo tem uma consciência e absorvemos essa essência quando os consumimos. Se eles não forem tratados com o respeito que merecem, seus benefícios serão reduzidos. Lembre-se de que os alimentos geneticamente modificados têm uma consciência que talvez não seja boa para nós. Se houver dúvidas sobre a essência de qualquer alimento, volte atrás e o abençoe desde a sua origem.

Conheça o Segundo Plano da Existência por meio do Sétimo Plano

A melhor maneira de experimentar o Segundo Plano da Existência é ir ao Sétimo Plano da Existência primeiro e, depois, ir para o Segundo.

As plantas são muito sensíveis e, se você envia seus pensamentos em direção a elas com muita força, elas podem literalmente morrer. Este exercício foi elaborado para demonstrar como as plantas são sensíveis e ensinar a você como adentrar e sair suavemente do espaço de outro ser, sem ser detectado, e dar-lhe a oportunidade de praticar suas habilidades de escaneamento. Isso irá aguçar suas habilidades, bem como seu discernimento.

Conheça uma planta

1. Enraíze-se e centre-se.
2. Comece enviando sua consciência para dentro do centro da Mãe Terra, que é parte de Tudo o Que É. Traga a energia da Terra, que entra por seus pés, abrindo cada chacra até o chacra da coroa. Em uma linda bola de luz, vá para além das estrelas, em direção ao Universo.
3. Vá além do Universo, além das luzes claras, além da luz escura, além da luz clara, além da substância gelatinosa que são as Leis, até chegar a uma luz branca perolada iridescente, até o Sétimo Plano da Existência.
4. Reúna amor incondicional e faça o comando para o Criador de Tudo o Que É: *"Criador de Tudo o Que É, é comandado que essa planta seja escaneada. Mostre-me o que preciso ver. Grato. Está feito. Está feito. Está feito"*.
5. Vá até a planta tão suavemente quanto uma pluma em uma brisa de verão. Agora, imagine-se indo gentilmente para dentro dela, dando uma rápida olhada e então saindo de seu espaço. Lembre-se, se você for com muita força, pode realmente causar danos à planta.
6. Enxágue-se, enraíze-se, retorne a seu espaço e faça a quebra energética.

15

O Primeiro Plano

Quando eu tinha 29 anos, ouvi falar que tinha chegado à cidade um vendedor ambulante de rochas e cristais. Ele estava vendendo suas mercadorias em um estande num *shopping* local. Sempre amei a essência e a vibração das rochas, minerais e cristais. No sudeste de Idaho, a comunidade ligada à metafísica está sempre à procura de bons negócios em cristais de alta vibração energética. Então, quando ouvi falar desse vendedor ambulante, fiquei curiosa para ver o que ele tinha. Fui ao *shopping* como a uma aventura para encontrar o cristal perfeito.

O vendedor ambulante de pedras era um homem que se chamava Chuck. Naquela época, ele tinha cerca de 55 anos. Descendia de índios nativos americanos e tinha cabelos longos. Enquanto eu estava vendo o que ele tinha em seu pequeno carro, avistei um pequeno cristal na forma de uma pirâmide pendurado em uma corrente de prata e imediatamente me apaixonei por ele.

Naquela época de minha vida eu estava passando por tempos difíceis, equilibrando as finanças. Eu estava estudando e tinha muito pouco para sobreviver. Apesar disso, tirei 15 dólares do meu bolso para comprar o colar.

Chuck olhou para mim e disse: "Você não quer aquele colar".

Isto me deixou perplexa e me incomodou um pouco. Eu disse: "Sim, quero".

Ele respondeu: "Não, você não quer. Você quer este, ou talvez este outro".

Os colares que ele indicou eram muito mais complexos e mais bem projetados do que o cristal que eu tinha escolhido, mas eu disse: "Não, não quero nenhum desses. Quero este", e indiquei o pequeno cristal na forma de pirâmide.

Entreguei meu dinheiro, e, enquanto fazia isso, Chuck disse: "Bem, se você comprar esse colar, você também precisará deste".

De dentro do carro, ele pegou uma pedra preta com pequenas facetas brilhantes sobre ela. Era absolutamente impressionante.

Olhei para ele e lhe perguntei: "Quanto é?".

Ele disse: "Quanto você tem?".

"Eu tenho oito dólares.

Ele olhou para mim, sorriu e disse. "Então, para você, é oito dólares, e me entregou a pedra.

A partir desse dia minha vida começou a mudar. A partir do momento em que eu trouxe a pedra para casa, comecei a me tornar muito mais psiquicamente sintonizada com as coisas a meu redor.

Devo admitir que eu estava profundamente fascinada com a pedra. Era quase como se ela falasse comigo. Descobri que, a cada vez que eu a segurava, podia focar minhas habilidades intuitivas com mais facilidade.

Isso despertou minha curiosidade em descobrir que pedra era aquela. Perguntei a muitas pessoas, mas ninguém sabia me dizer. Finalmente, cerca de um ano e meio depois, fui a uma exposição de pedras e minerais. Levei o cristal comigo e mostrei para um dos vendedores de lá. Ele imediatamente se ofereceu para comprá-lo por 80 dólares, mas não quis me dizer o que era. Recusei sua oferta e a levei para outro vendedor. Ele me disse que era um cristal melanita, da família do mineral granada andradita. Eu não estava familiarizada com o termo e disse: "Desculpe-me?".

O homem disse: "Querida, esta pedra é o que alguns comerciantes chamam de rubi negro. Eu nunca tinha visto um deste tamanho em minha vida. Eles normalmente só surgem em simples facetas quadradas muito pequenas e raramente são aglutinadas como este. Não sei quanto esta espécie em particular vale, mas, se eu fosse você, ficaria com ela".

Desde aquele dia, meu pequeno "rubi negro" se tornou um de meus cristais especiais. Após essa experiência, descobri que ela era uma das poucas pedras que poderiam manter a energia sob uma pirâmide. A maioria das pedras se tornaria tão fria quanto gelo sob uma pirâmide. As únicas pedras que encontrei que mantinham sua energia eram o quartzo rutilado e meu rubi negro.

Descobri que meu rubi negro mantinha muitos segredos místicos e mágicos. O aspecto mais importante disso era que ele despertava meu sentido intuitivo. Até hoje ele é um de meus mais dóceis e preciosos amigos dentre todos os meus cristais.

Foi assim que me tornei intimamente familiarizada com o Primeiro Plano da Existência e o poder dos cristais.

A vida no Primeiro Plano da Existência

Do Primeiro Plano, aprendemos que a vida não orgânica tem vida e consciência próprias. A própria Mãe Terra é um campo de energia gigante ou um espírito gigante. Cada pedaço de terra, do menor cristal à maior montanha, tem seu próprio espírito característico. Mesmo que, como seres humanos, não vejamos esses espíritos se movendo, eles ainda têm sua própria força de vida.

Para haver vida, como a ciência a entende, você precisa ter um átomo de carbono para obter uma estrutura de carbono molecular. No Primeiro Plano existe vida que vai além de tudo o que consideramos ser à base de carbono. Esse plano é composto por materiais inorgânicos.

Essa vida inorgânica está a nosso redor. A Mãe Terra embala as rochas, e dentro delas estão os minerais. Os minerais são compostos de cálcio, magnésio e selênio, dos quais precisamos de uma quantidade mínima para sobreviver. Na verdade, junto com a água, somos compostos desses verdadeiros minerais. Essa é a base da estrutura molecular.

Minerais

Os minerais têm duas funções genéricas: construir e regular. Suas funções de construção afetam nossos ossos, dentes e todos os tecidos moles. Suas funções regulatórias incluem uma ampla variedade de sistemas, tais como o bater de nosso coração, a coagulação de nosso sangue, a manutenção das respostas nervosas e o transporte do oxigênio de nossos pulmões para os tecidos. Com proteínas, carboidratos, gorduras, água e vitaminas, temos minerais para construir um corpo forte e levar a cabo todos seus delicados processos vitais. Se não estivéssemos em constante acordo com o Primeiro Plano através dos minerais, nós nos transformaríamos em água, porque são os minerais que, em grande parte, compõem nossos ossos e tecidos.

Como pessoas conscientes de nossa saúde, todos nós sabemos que é necessário fornecer a nosso corpo vitaminas e minerais apropriados, mas pouquíssimos de nós entendemos o porquê. Apesar de as vitaminas e os minerais serem muito diferentes, o corpo necessita de ambos. Uma diferença óbvia é que as vitaminas contêm carbono e são consideradas substâncias orgânicas. Minerais são deficientes em carbono e, portanto, são classificados como substâncias inorgânicas.

Ambos têm um papel importante. O corpo pode continuar a funcionar sem obter a dose diária recomendada de algumas vitaminas, mas uma deficiência mineral pode ter efeitos desastrosos. Por exemplo, para fabricar a hemoglobina que se encontra nos glóbulos vermelhos, o corpo necessita de ferro. A fim de ter dentes e ossos fortes, precisa-se de cálcio. O cálcio também é vital para o bom funcionamento dos rins, músculos e nervos. Sem níveis suficientes de iodo, a glândula tireoide não consegue produzir energia. Manganês, selênio e zinco são antioxidantes, e algumas de suas tarefas incluem ajudar a curar feridas, auxiliar o sistema esquelético a se desenvolver apropriadamente e proteger as membranas celulares.

O corpo necessita de duas classes de minerais: minerais principais (macroelementos) e oligoelementos. A diferença entre eles tem a ver com a quantidade necessária. É fundamental para o corpo ter um mínimo de cem miligramas por dia dos minerais principais (macroelementos) para realizar suas funções adequadamente. No caso dos oligoelementos, são necessárias menos que cem miligramas por dia.

Os sete minerais principais (macroelementos)

cálcio
cloreto
magnésio
fósforo
potássio
sódio
enxofre

Os microminerais

cromo
cobre
fluoreto
iodo
ferro
manganês
molibdênio
selênio
zinco

Se há falta de minerais, há falta de apoio.

Fontes minerais

Nós obtemos nossos minerais dos alimentos que comemos. Como isso acontece? Os minerais fazem seu caminho em nosso corpo por meio dos alimentos que crescem do solo e dos animais terrestres. Frutas, legumes, carnes magras, aves domésticas, produtos lácteos, grãos e legumes são algumas das fontes primárias dos minerais que nosso corpo necessita para prosperar. Alimentos processados são fracos em minerais, e as pessoas que não têm uma dieta adequada muitas vezes sofrem de doenças diretamente atribuíveis a deficiências de vitaminas e minerais.

De todas as deficiências que encontrei em clientes, poucas são tão predominantes como as deficiências de cálcio e magnésio. Muito poucas pessoas das quais fiz leitura intuitiva têm, de fato, cálcio suficiente em seu corpo.

Acredito que a deficiência mineral é uma causa subjacente de muitas doenças modernas. Em razão do esgotamento de nossos solos, minerais não estão mais tão disponíveis para nós como estiveram um dia.

Por causa do fato de que quantidades excessivas de alguns minerais em nosso corpo podem ter um efeito tóxico, existem controvérsias em torno da suplementação mineral. Devemos fazer o melhor possível para atender as nossas necessidades diárias de minerais provenientes dos alimentos, mas uma sugestão para a absorção adequada dos suplementos minerais é tomar um mineral *quelatado*. É mais fácil para ele entrar na corrente sanguínea e ser absorvido pelas paredes das células. A absorção de minerais não quelatados é mais difícil.

O praticante de Theta aprende de forma intuitiva a ver as deficiências dos minerais no corpo e pode psiquicamente produzir diferentes minerais no corpo, caso tenha o domínio deste plano.

Este é o plano da maestria do *alquimista* e do conhecimento da transmutação de minerais de uma forma para outra. Por se tratar da movimentação da matéria inorgânica, o poder da telecinese é aprendido aqui também, em uma equação do Sexto e Sétimo Planos. A capacidade de mover objetos ou entortar colheres com o poder eletromagnético da mente é realizada neste plano.

Quando um terapeuta utiliza minerais, está usando esse plano da existência. Há um mineral para cada doença. Curas feitas com cristais são também provenientes desse plano da existência. Isto requer tempo e energia.

Cristais e pedras de cura

O Primeiro Plano da Existência nos ensina a nos conectarmos com as rochas, pedras preciosas, minerais, o ar que respiramos e a Terra abaixo de nossos pés. Em última instância, o objetivo é promover uma relação de respeito e honra com nosso planeta Terra, que é parte de Tudo o Que É.

O Primeiro Plano tem sua própria consciência específica. Mesmo que você não veja a olho nu os minerais decompostos em seus elementos compostos, e apenas os veja como sólidos, entenda que ainda assim eles estão se movendo, só que muito lentamente. Estou lhe dizendo que há uma consciência em tudo o que é. Assim como você e eu temos uma, o mesmo acontece com as formas de vida inorgânicas.

Povos antigos do mundo inteiro se conectaram com as energias dos cristais e dos minerais e deram a si nomes de poder, como o "povo de pedra". Eles estavam cientes dos diferentes atributos dos cristais e minerais e de como esses poderiam ser usados para melhorar as habilidades de uma pessoa, assim como para abrir portais para os poderes dos outros planos da existência. É possível ter acesso a muitos portais para outros planos ao se utilizar as energias dos cristais e minerais. Podem-se usar cristais para conexão com a memória do DNA ancestral em uma equação com o Terceiro Plano da Existência, por exemplo.

Uma pessoa intuitiva pode aprender a linguagem oculta dos minerais e cristais e descobrir o conhecimento detido nos registros armazenados neles. É por isso que muitas vezes ela é atraída por uma pedra ou um cristal em particular. Aquela pedra a chama porque é apropriada para aquela pessoa naquele momento de sua vida, por uma razão mística ou física, ou porque essa pessoa precisa dela de alguma forma.

Você sabia que a ciência moderna descobriu que os hormônios do corpo têm, na verdade, uma estrutura cristalina? A maneira com que eles são liberados e enviados através do corpo é quase idêntica à formação dos cristais.

Também é interessante notar que se acredita que a maioria das pedras preciosas foi criada há mais de 200 milhões de anos. Criadas por profundos ciclos hidrotermais e magmáticos da Terra, muitos dos tesouros e pedras que conhecemos foram submetidos a uma longa e magnífica jornada antes de se tornarem nossos aliados na cura, joias e ornamentos. Sua idade incrível, acompanhada por sua beleza, dá-nos uma conexão com a serenidade e o mistério do mundo em que vivemos.

A maioria das pedras, semipreciosas ou não, vem com suas próprias tradições. Algumas pessoas as usam para *feng shui* e para transmutar energia negativa. Um verdadeiro mestre de pedras preciosas só as usa para melhorar as coisas e nunca dá o poder de tomada de decisão às próprias pedras. Lembre-se, você realmente não precisa de nenhuma ajuda ou ferramenta para comandar uma cura, você simplesmente precisa ir ao Criador de Tudo o Que É. Você está aprendendo sobre os cristais para que possa se comunicar com as pessoas que ainda pensam que precisam dessas ferramentas. Também é divertido saber de muitas coisas e de como trabalhar com cada plano da existência, mas não fique muito preso a essas elucubrações mentais. O Criador é tudo de que você precisa.

A lição de cura do cristal é o discernimento. Cristais só potencializam a energia de quem os possui e utiliza, assim como equipamentos elétricos são potencializados pela eletricidade. Você deve entender que as pedras realmente trabalham com a eletricidade de sua própria mente e corpo. Como sua vibração de energia muda, você é atraído por pedras com diferentes atributos.

Se você usar ou carregar consigo pedras e cristais, descobrirá que elas têm qualidades especiais, dadas pelo Criador. Aprenda sobre as qualidades das pedras a seu redor, elas irão ajudá-lo a perceber que você não está separado de Tudo o Que É.

Como cuidar dos cristais

Para cuidar dos cristais, purifique-os deixando-os à luz do Sol, da Lua, no sal grosso ou lave-os na água do mar, na água corrente ou até mesmo tonifique-os com diapasões ou sinos.

Lembre-se de que alguns cristais são delicados e não devem ser lavados.

A forma mais apropriada de limpar os cristais é ir até o Criador de Tudo o Que É e fazer o comando para que sejam limpos.

Cristais de cura

As pedras têm muitas finalidades. Aqui está uma lista de pedras e alguns de seus propósitos. Lembre-se de que nem todos os livros referentes aos cristais e seus atributos metafísicos concordarão uns com os outros.

Ágata de fogo: uma pedra de proteção.

Ágata de laço azul: tem um efeito calmante, pacífico e de cura.

Ágata musgo: refresca a alma e nos acorda para a beleza que nos rodeia. Diminui a dor e estimula os sistemas linfático e imunológico.

Ágata: pedra de aterramento que traz equilíbrio emocional, físico e mental e ajuda a superar negatividade, amargura e raiva interior.

Água-marinha: estimula a libertação e a mudança, dá coragem e aumenta a intuição e a clarividência.

Âmbar: essa não é um cristal, e sim a seiva petrificada de uma árvore, sendo, assim, um fóssil. Ela tem o poder de remover doenças. Também elimina o estresse e é uma pedra de grande cura para todos os órgãos internos. Ativa memórias de vidas passadas, sejam nossas ou genéticas.

Ametista: aumenta a clarividência e a conexão divina, e traz o bom senso.

Aventurina: traz aventura em nossa vida e nos ajuda a realizar os nossos sonhos.

Azurita: aumenta a intuição surpreendentemente e limpa os chacras. Foi extremamente valorizada pelos antigos, até mais do que o lápis-lazúli.

Caroíta: conecta-nos a nosso propósito divino verdadeiro. Ajuda a lidar com mudanças à medida que avançamos para um nível espiritual mais elevado. Transmuta a energia negativa em cura, converte doença em saúde e traz sonhos poderosos.

Cianita: uma pedra de cura incrível que nunca deve ser lavada. Ela leva a dor embora. Não armazena nenhuma energia negativa, mas transmuta-a instantaneamente. Inspira a compaixão e reduz a pressão arterial.

Citrino: traz prosperidade e abundância.

Cornalina: dá coragem, promove escolhas positivas de vida, dissipa a apatia e motiva o sucesso nos negócios e outras atividades.

Dioptásio: cura e conforta o coração, e traz o perdão. Ajuda-nos a viver no momento presente.

Esmeralda: converte a energia negativa em positiva e traz paciência. A pedra mais importante para o chacra do coração, traz proteção e cura.

Fluorita: é excelente para a aprendizagem, tem um efeito emocional estabilizador e é boa para infecções.

Granada: traz prosperidade e paixão, inspira o amor e regenera o corpo.

Hematita: proteção do guerreiro, enraizamento. É usada no tratamento de artrite e pressão alta.

Jade: proteção, cura; absorve todas as energias negativas e se quebra quando está carregada delas. Nunca deve ser lavada. Não guarda quaisquer impressões fantasmas.

Jaspe Madagascar: uma pedra rara e bela encontrada apenas em um único lugar no mundo.

Jaspe: todos os jaspes têm propriedades curativas.

Labradorita: pedra de místicos, converte a energia negativa em energia positiva. Sempre nos conecta com a verdadeira magia.

Lápis-lazúli: uma pedra antiga usada para enviar mensagens telepáticas, despertar e melhorar as habilidades psíquicas.

Larimar: afetuosa, traz clareza e pensamento construtivo.

Madeira petrificada: novos começos e proteção.

Malaquita: usada para proteção, coragem e para fortalecer o desejo. Quebra-se quando estamos em perigo.

Moldavita: usada para transformação. Acelera o que já estamos criando em nossa vida. Evite-a se seu mundo já estiver em ritmo acelerado.

Obsidiana: oferece proteção contra as formas-pensamento negativas e os feitiços.

Olho de tigre: ajuda nossa capacidade de ver o futuro. Integra ambos os lados do cérebro. Use-a para atingir seus objetivos.

Ônix preto: proteção contra energias negativas. Ajuda a dissolver uma relação indesejada.

Ônix: cura e proteção.

Opala: uma vez me disseram que, se você usasse uma opala, não poderia usar qualquer outra pedra. Esse foi um boato criado por vendedores de diamantes, porque as opalas estavam se tornando mais populares do que diamantes. A opala nos conecta com nossa verdadeira capacidade. É uma pedra de água; ela adora água. Use-a com qualquer coisa que você goste.

***Pedra de sangue*:** a lenda é de que Cristo sangrou em certas pedras, e essas poucas pedras são chamadas de pedras-sangue. Elas nos dão coragem e nos despertam para nossa energia crística.

***Pirita*:** a pedra do sexo masculino; acorda nossos atributos masculinos.

***Quartzo fumê*:** utilizado para proteção das energias negativas e para o enraizamento.

***Quartzo rosa*:** usada para o amor e a cura do coração.

***Quartzo*:** traz clareza, cura.

***Rodocrosita*:** traz amor e nos ensina a amar e cuidar de nós mesmos.

***Selenita*:** traz nossa alma gêmea, incentiva o sonho lúcido, aumenta a capacidade psíquica e acalma as emoções.

***Serafinita*:** irmã da caroíta, traz conexão espiritual.

***Sodalita*:** inicia-nos em nossa jornada.

***Topázio amarelo*:** traz dinheiro.

***Topázio*:** amplia nossa intenção, converte a energia negativa em energia positiva.

***Turmalina negra*:** purifica o corpo.

***Turmalina*:** aumenta as energias de um cristal de quartzo. É dez vezes mais forte do que o quartzo. É um melhor condutor que o quartzo, utilizado em telescópios, televisores e outros aparelhos elétricos. Os antigos acreditavam que ela os ajudava a receber mensagens mais claras, a enviar pensamentos telepáticos e a aumentar suas habilidades psíquicas. Traz paz interior.

***Turquesa*:** a turquesa azul é curadora; elimina a dor da artrite.

16

Curando com os Planos

Quando uma pessoa usa a técnica Theta pela primeira vez, ela se conecta com o poder dos diferentes planos sem estar familiarizada com o que está utilizando. Uma vez que todos os planos estão ligados ao divino, pode ser muito fácil se confundir. A melhor maneira de aprender sobre a cura com os planos é conectar-se a eles e experimentá-los. Sempre vá para o Sétimo Plano primeiro, para que você não fique limitado pelas regras e compromissos dos outros planos.

Lembre-se de que cada um dos planos tem a cura para cada emoção ou doença do corpo. No Primeiro Plano, por exemplo, há uma combinação química ou uma combinação de minerais para curar uma doença. Essa combinação tem a mesma vibração que o programa que pode estar contribuindo para a doença, e por isso pode ser substituído.

Do mesmo modo, há uma erva ou vitamina ou, possivelmente, várias ervas ou vitaminas, do Segundo Plano da Existência, para curar cada doença. Vivemos no Terceiro Plano, das proteínas, o que significa que existem combinações de aminoácidos que contribuirão para a cura de qualquer doença. No Quarto Plano da Existência, existem os carboidratos certos para criar cura energética no corpo, e os xamãs usam as plantas e os ancestrais espirituais para curar. No Quinto Plano da Existência, anjos e pais celestiais podem curar seu corpo. Você pode ter de barganhar para a cura, você pode ter de fazer mudanças, mas no processo irá limpar seus sistemas de crenças. As essências do Quarto e do Quinto Planos normalmente farão com que você prometa certas coisas *que irão mudar sua vibração.*

Uma vez conectado ao Sexto Plano da Existência, você ouvirá música e sons. Isto significa que nesse plano usamos vibrações para curar.

Afinal de contas, todos os planos são *luz* e *vibração*. Com o mineral certo, existe a vibração certa; com a planta certa, existe a vibração certa. Tudo o que você consome pode ter a mesma vibração que o trabalho de crenças que você realiza e curar seu corpo. Uma erva que age como um antibiótico tem a vibração certa para curá-lo de uma bactéria, por exemplo, e isso significa que também tem a vibração certa para curá-lo do programa de culpa que atrai a bactéria. Isso ocorre porque cada plano de existência tem a resposta certa. Há o mineral certo, a vitamina certa, a proteína certa, o programa certo e o sentimento correto.

É possível que o trabalho de crenças faça o mesmo que qualquer outra cura a partir de qualquer um dos planos da existência. Então o que fazer se você tem um cliente que realmente não acredita no trabalho de crenças? Bem, você não faz, porque seus clientes estão vindo a você para o trabalho crenças. Recomendo que seja "baixado" neles todos os programas do trabalho de sentimentos deste livro (*ver páginas 54-83*). Então será possível para eles deixar ir embora de forma fácil e rápida tudo o que não os serve mais.

A verdadeira cura vem para todos que finalmente aprendem qual é a sensação de ter amor. O atrito entre o medo e o amor existe no Quinto Plano e aqui no Terceiro. Acredito que, uma vez que não haja medo, novamente chegaremos à questão de "apenas ser", como é no Sétimo Plano. Mas você pode descobrir isso por si mesmo agora que entendeu como funcionam os planos da existência.

A Estrutura da vida nos planos

Para recapitular rapidamente as informações ensinadas no livro *ThetaHealing*, o corpo humano é constituído por cinco diferentes componentes: lipídios, carboidratos, proteínas, adenosina trifosfato (ATP), ou energia, e ácido nucleico, que é o DNA. Esses cinco componentes são os alicerces da vida que se interconectam em você tornando-o um ser do Sétimo Plano.

Vivendo com a Carência

A lista a seguir demonstra o que será criado se há falta destes componentes no corpo físico:

Carência de:	***Criará:***
Primeiro Plano: Minerais	Falta de apoio
Segundo Plano: Vitaminas	Falta de amor

Terceiro Plano: Proteínas	Falta de afeto
Quarto Plano: Carboidratos	Falta de energia
Quinto Plano: Lipídios	Falta de equilíbrio espiritual
Sexto Plano: Ácido nucleico	Falta de estrutura espiritual
Sétimo Plano: ATP	Falta de espírito

***O Primeiro Plano*:** Se você apresenta carência de minerais no corpo, terá falta de apoio em um nível emocional e estará propenso a doenças que têm a ver com a falta de apoio, tais como alguns tipos de artrite.

***O Segundo Plano*:** Se você apresenta carência de vitaminas, terá falta de amor em algum nível. Por outro lado, se você tem falta de amor, não irá absorver suas vitaminas corretamente.

***O Terceiro Plano*:** Se você apresenta carência de proteína, terá falta de afeto.

O Quarto Plano: Se você tem carência de carboidratos, haverá falta de energia.

O Quinto Plano: Se você tem carência de lipídios, estará sem equilíbrio em seu sistema, e seus hormônios estarão em disfunção. Hormônios mantêm seu corpo equilibrado.

O Sexto Plano: Se você tem carência de ácido nucleico, faltará estrutura em sua vida.

O Sétimo Plano: Se você apresenta carência de ATP, terá falta de essência espíritual em sua vida. ATP é uma substância importante para o metabolismo do corpo. Quando ele é quebrado, libera grandes quantidades de energia que podem ser utilizadas por células e tecidos para desempenhar suas funções. Às vezes é chamado de energia universal. É a energia que impulsiona o funcionamento das células, a *energia pura* que é produzida nas mitocôndrias. As mitocôndrias são a essência que recebemos do DNA de nossa mãe. O espírito está nas mitocôndrias, não no DNA. O DNA é o programa de computador, a mitocôndria é a eletricidade consciente. Quando as pessoas morrem e a energia é vista deixando o corpo, são as mitocôndrias começando a deixar a dimensão física. A falta de ATP e, portanto, a baixa energia espiritual, pode significar que temos muitos fragmentos de alma em muitos lugares e que é preciso repor as energias gastas.

O poder do pensamento

Os pensamentos são reais. Eles têm essência. Podem criar qualquer coisa nos planos da existência. Sabemos que isso é um fato, porque, quando demos um curso de Anatomia Intuitiva no Havaí, limpamos tantas questões dos alunos que, ao final das três semanas, todos estavam com o ph alcalino equilibrado em 7.2. Tecnicamente, você tem de comer alimentos alcalinos para manter sua alcalinidade em 7.2, e então nada poderá deixá-lo doente. Mas, em geral, não é um processo simples. Sei por experiência que, mesmo quando alguém consome somente alimentos alcalinos, ainda permanece por meses com níveis elevados de acidez.

Essas pessoas passam por grandes crises de cura e outros dramas, enquanto seu corpo se alcaliniza. No entanto, o trabalho de crenças fez minha turma inteira ficar com um nível de alcalinidade 7.2 em um curto período de tempo. E eles ainda estavam comendo bolo de chocolate. Suas crenças podem criar exatamente a mesma energia que uma vitamina, um mineral ou nutriente.

Você sabe que, se as pessoas tomam o aminoácido ou a vitamina que está faltando pelo período de um mês, elas esclarecem muitas de suas questões emocionais e inconscientes? Além disso, podem se estabilizar, não precisando mais tomar os suplementos.

Você também sabe que deveria ser capaz de lidar com todas as questões da vida? Como uma máquina bem ajustada, você é projetado para isso. Você sabe que é projetado para sobreviver educando adolescentes? É verdade!

Você sabe que, quando uma mãe que amamenta beija seu bebê, ela intuitivamente produz os nutrientes corretos para sua próxima mamada? Quando bebê, eu era amamentada com mamadeira. Além disso, quando minha mãe estava grávida de mim, ela estava tão doente que perdi nutrientes desde o útero. Sua vesícula biliar era tão ruim e ela teve tantas infecções, que todos ficaram surpresos por ela ainda estar viva. Ela teve de fazer uma cirurgia e, quando a abriram, descobriram que ela estava grávida de mim. Os médicos lhe disseram que ela não iria conseguir manter a gestação e que eu deveria ser abortada. Você sabe o que ela me disse recentemente? "Olhe em meus olhos, Vianna, e crie um vínculo comigo. Não criamos um vínculo quando você nasceu porque nunca pensei que iria chegar ao fim da gravidez." É triste que ela tenha carregado esses pensamentos por todos esses anos. Foi ótimo ter a oportunidade de limpar aquelas crenças.

Utilizando os planos para curar

As equações dos planos da existência

Os curadores sempre irão usar mais de um plano da existência por vez. Chamamos isso de *equação*.

O curador tem um papel importante como testemunha nesta equação:

Criador + Cliente + Testemunha = Resultado

A cada vez que você usa qualquer plano da existência, na verdade, está usando dois ou mais planos de uma vez. Toda vez que você estiver usando a energia do Primeiro Plano, estará automaticamente usando o Sexto Plano com ele, por exemplo. Isso é útil porque os minerais do Primeiro Plano podem interagir com a Lei da Eletricidade para tornarem-se ainda mais potentes.

Modalidades de cura

Todas as modalidades de cura têm seu próprio significado dentro dos planos da existência. Por exemplo, a acupuntura utiliza o Sexto, Terceiro, Segundo e Primeiro Planos da Existência e funciona maravilhosamente. O ThetaHealing não compete com qualquer outra modalidade de cura, *especialmente com a medicina moderna.*

Tudo o que você aprendeu com cada técnica de cura e com todas as religiões que já estudou o trouxe até o ponto onde você pôde dizer para si mesmo: "Eu quero eliminar meus problemas rapidamente" e "Tenho a capacidade de fazer o que vim fazer aqui". Todas essas modalidades lhe trouxeram experiência.

Iniciações dos planos

Houve uma época em que cada vez que uma pessoa atingia um avanço ou a maestria de um plano, era submetida a uma iniciação, uma gigantesca mudança mental, o que poderia ser traumático em razão do drama mantido em todos os planos. No ThetaHealing, por termos aprendido a não nos vincular aos planos, podemos libertar nossas mentes e, portanto, avançar de forma menos traumática.

Entretanto, avançamos: sempre que você vai ao Criador e pede uma cura ou uma bênção para a Terra, abre sua mente-espírito para novas possibilidades e níveis, e passa por suas iniciações correspondentes. Você já sentiu ou ouviu uma voz psíquica lhe dizer que você tem passado por uma iniciação? Alguma vez você já teve uma experiência de quase morte? A experiência de quase morte, ou a porta da morte, pode ser a iniciação de um curador em seu processo de crescimento e desenvolvimento. A "pequena morte", como é chamada, é o portal psíquico para outro plano da existência.

Com o trabalho de crenças, somos capazes de passar suavemente pelas iniciações, sem termos de nos sacrificar ou morrer para realizá-las. *Na verdade, o trabalho de crenças é a iniciação.*

Apego individual aos planos

Enquanto faço meu melhor para me conectar ao Sétimo Plano durante as curas, a pessoa com a qual estou na sessão pode ser receptiva apenas à energia de um determinado plano. Por exemplo, uma maneira de saber se uma pessoa se mantém a um sistema de crenças oculto do Quinto Plano é quando você vê um anjo de alta vibração vindo para ajudar na cura. Isso indica que a pessoa tem votos, compromissos ou conexões com o Quinto Plano da Existência. Se o anjo está ajudando na cura e usa somente a energia do Quinto Plano, então o anjo só trabalhará na pessoa em camadas, porque isso é tudo o que ele está autorizado a fazer.

Por estarmos tão interligados com todos os outros planos, às vezes mantemos compromissos e obrigações com eles e não nos elevamos primeiramente ao Criador. Acostumamo-nos tanto a usar somente determinados planos que nos tornamos vinculados às suas regras. No entanto, se você for ao Criador de Tudo o Que É pedir que algo seja feito, a energia irá combinar os planos e trabalhar em uma equação diferente.

Algo que você deve ter em mente também é que uma velha alma terá elementos instintivos de poder da consciência coletiva, bem como memórias de vidas passadas ou de ancestrais, e podem ter trazido com eles para esse espaço e tempo um conhecimento íntimo de um plano da existência em particular.

Digamos que o espírito de uma pessoa conheça os segredos do Quarto Plano e o poder da energia xamânica dele. Com aquela energia xamânica, a pessoa possui certas limitações que têm sido criadas por suas próprias crenças ou pelas crenças das energias espirituais empregadas pelo adepto que lhe ensinou ou mesmo pela consciência da condição humana daquela época. Isto não quer dizer que o xamanismo seja ou não evoluído, tampouco a consciência de certos indivíduos, somente indica que talvez as habilidades dessa pessoa, naquele lugar e tempo, eram reguladas pelas ordens daquele específico plano da existência e pelas limitações da consciência coletiva daquele tempo. Assim, esse indivíduo aprendeu bem tais limitações do passado, talvez bem até *demais*, e as trouxe para o espaço e tempo presente, assim como suas crenças *limitantes*, sendo, portanto, afetado por essas regras e regulamentos neste tempo e espaço.

Em outro exemplo, um curador pode estar em uma sala com uma pessoa cujo pescoço está doendo, quando, de repente, o mestre ascenso do Quinto Plano, por exemplo, é constantemente lembrado das limitações do corpo humano e confrontado com os sistemas de crenças coletivos de outros habitantes dessa existência. Essa é uma das iniciações enfrentadas pela velha alma: reconstruir os elementos de poder nesta vida e não suspirar constantemente pela vida passada.

Enviando e trazendo

Em uma cura, primeiro você deve sempre subir e conectar-se ao Criador; então, vá para um plano da existência específico que você tenha escolhido, para usar qualquer poder que esteja neste plano.

O conhecimento e a energia do Sétimo Plano sempre lhe oferecerão a melhor e mais elevada resposta para a situação, levando-o para além das limitações da Lei da Causa e Efeito. Dessa forma, você busca caminhar em harmonia com todos os planos da existência e alcançar a maestria.

Se você quer usar a energia de Tudo o Que É, deve, é claro, ter a consciência da forma correta de chegar ao Sétimo Plano. Sugiro que chame pelo Criador de Tudo o Que É. Essa frase, criada como uma forma-pensamento viva, junto ao conhecimento acertivo que é ir desde seu espaço até o Sétimo Plano, irá colocá-lo na energia correta.

Quando sugiro que você vá ao Sétimo Plano, aconselho-o a testemunhar a "des-criação" da doença. Isso significa que você deve criar a realidade de que não há doença. Diga ao corpo que a doença lhe foi negada e que há um novo cenário. Para isso, é preciso limpar as crenças limitantes que lhe dizem que você não é capaz de fazer isso.

Quando algumas pessoas realizam a cura energética, elas se elevam além de seu espaço e comandam que a energia entre através de seu corpo e saia através de suas mãos. Mesmo que essa energia venha do Sétimo Plano, ela passará por todo o processo através do corpo do curador antes de ir para a pessoa a ser curada, e é possível que, uma vez que o curador é apenas semidivino, a energia seja alterada no processo. Ela ainda sai como uma energia de cura, mas terá sido filtrada através das crenças do Terceiro Plano, que fazem parte do sistema de crenças do curador. Por essa razão, pode ser que a cura não funcione tão bem.

17

Memórias Flutuantes

Os exercícios nos capítulos seguintes são alguns dos processos ensinados nos cursos de ThetaHealing DNA Avançado.

◊◊◊◊◊

O exercício de memórias flutuantes foi ensinado no livro *ThetaHealing*, mas vale a pena repetir aqui. Foi inspirado pelo trabalho com uma mulher que me procurou, preocupada com as convulsões que vinha tendo. Ela queria ter um bebê, mas não podia engravidar por usar uma medicação para convulsão, o que poderia causar defeitos de nascença. Quando eu estava em uma sessão com ela, perguntei ao Criador o que poderia ser feito para parar seus ataques. A resposta me veio direta: "*Vianna, retire todas as suas memórias flutuantes*".

Eu entendia um pouco sobre memórias flutuantes a partir de algumas coisas que meu ex-marido havia me ensinado, anos antes. Elas são gravações no cérebro que foram impressas por eventos, traumáticos ou não, que tiveram lugar em algum momento, enquanto estivemos inconscientes, seja por acidentes de cirurgia, traumas de guerra, abuso extremo ou uso excessivo de álcool ou drogas.

Você sabe que seu cérebro está sempre consciente? Mesmo quando você está dormindo, está ciente de tudo o que está acontecendo em sua vida. Quando você está inconsciente, ainda é capaz de ouvir o que está acontecendo a seu redor. Pense em todas as pessoas que fizeram cirurgia ou foram deixadas inconscientes – todas as palavras ditas naquela situação foram gravadas em seu cérebro. Isso pode ser altamente significativo se você estiver tendo uma cirurgia com um tumor cancerígeno, ou mesmo com um tumor não cancerígeno, e o médico diz algo como "eu acho que é cancerígeno".

O ponto é que, quando a mente está *consciente*, ela sabe como processar os eventos corretamente. Quando está *inconsciente*, não pode fazer isso e os eventos então podem se tornar memórias flutuantes. Essas memórias podem se repetir várias vezes, pois sempre que as palavras, os ruídos ou a situação que ocorreu com a pessoa inconsciente são repetidas no mundo desperto, ela irá reviver o trauma. Então, se você tiver um cliente que lhe parece resistente à cura, verifique se há memórias flutuantes.

Com minha cliente, fiz como o Criador me instruiu: testemunhei todas as memórias flutuantes, que não eram benéficas, sendo liberadas de seu cérebro. Aparentemente, uma situação no passado, quando ela estava inconsciente, havia causado nela o início das convulsões. Toda vez que ela sentia o cheiro, ouvia ou experimentava algo que era semelhante à situação original, uma crise era desencadeada.

Seu marido me ligou no dia seguinte, dizendo-me que ela tinha tido outro ataque. Trabalhei com ela novamente e testemunhei o mesmo processo. Dessa vez, suas crises pararam para sempre.

Após fazer sessões comigo, os médicos puderam interromper a medicação para convulsão, e ela teve um filho no ano seguinte. Ela veio a um de meus seminários na Califórnia e me mostrou seu pequeno bebê.

É possível que muitos de nós tenhamos memórias flutuantes que estão nos impedindo de desenvolver nosso pleno potencial.

Para liberar uma memória flutuante usando ThetaHealing, siga este processo:

Processo para a liberação das memórias flutuantes

1. Centre-se em seu coração e visualize-se descendo em direção à Mãe Terra, que é parte de Tudo o Que É.
2. Visualize-se trazendo a energia da Terra, que entra por seus pés, abrindo cada chacra até o chacra da coroa. Em uma linda bola de luz, vá para o Universo.
3. Vá além do Universo, além das luzes claras, além da luz escura, além da luz clara, além da substância gelatinosa que são as Leis, até uma luz branca perolada iridescente, no Sétimo Plano da Existência.
4. Faça o comando: *"Criador de Tudo o Que É, é comandado que qualquer memória flutuante que não seja mais necessária, que não sirva mais para essa pessoa, seja retirada, cancelada e enviada*

para a luz de Deus, para o bem maior, sendo substituída pelo amor do Criador. Grato. Está feito. Está feito. Está feito".

5. Mova sua consciência até o cliente e testemunhe a cura ocorrendo. Assista como as memórias antigas são enviadas para a luz de Deus e a nova energia do Criador de Tudo o Que É substitui a antiga energia.
6. Assim que o processo tiver sido concluído, enxágue-se e coloque-se de volta a seu espaço. Vá para a Terra, puxe a energia da Terra através de todos os seus chacras até seu chacra da coroa e faça a quebra energética.

Este processo é muito benéfico para aqueles que têm estado doente por um longo período de tempo, para aqueles que fizeram operações ou para aqueles que ouviram um médico dizer que são doentes terminais, especialmente se eles têm ouvido coisas negativas ou experimentado traumas negativos quando inconscientes. A liberação das memórias flutuantes permite que a mente crie um novo cenário de crença em saúde.

Uso esse exercício, com os exercícios "Enviando amor ao bebê no ventre" e "Curando a alma partida" (*ver capítulos seguintes*), sempre que estou trabalhando com alguém que está com doença terminal. Descobri que esses exercícios devem ser usados mais de uma vez. O cérebro irá liberar tantas memórias flutuantes quanto possível ao mesmo tempo, mas não pode liberá-las todas. Se a pessoa teve muitas operações, por exemplo, pode ser necessário realizar esse exercício várias vezes.

18

Enviando Amor ao Bebê no Ventre

Mais uma vez, este exercício foi apresentado em *ThetaHealing*, mas é de tal importância que vale a pena incluí-lo novamente aqui.

Concepção

Como você foi concebido? Você foi desejado ou não? Alguns de vocês podem ter nascido quando as pessoas não usavam anticoncepcionais, como existem agora. Sua mãe estava feliz quando você nasceu ou ela estava oprimida? Como foi a recepção a sua chegada?

Era costume dos antigos havaianos nunca dizer uma palavra ruim em torno de uma mulher que estava grávida. Pensava-se que, se você entrasse em uma discussão com sua esposa quando ela estava grávida, haveria uma punição após o nascimento. Antes de os cristãos se estabelecerem nas ilhas, as pessoas acreditavam que um bebê precisava ter a melhor chance de sobrevivência possível e que tinha de ser nascido e criado rodeado por boa energia e boas vibrações.

Sobre o que seus pais estavam conversando quando você nasceu? Houve entusiasmo e energia de boas-vindas, ou eles estavam brigando? Eles estavam contentes com sua vinda? Quando você chegou, foi caloroso? Você foi tirado de sua mãe? Você foi amamentado? Todas essas memórias são mantidas em seu corpo. Cada palavra que foi dita naquele momento foi absorvida. Que palavras fizeram você se sentir inadequado, não digno, culpado, maravilhoso ou orgulhoso de si mesmo?

A partir do momento em que é concebido, você está ciente de tudo a seu redor. Os sentimentos e as crenças de sua mãe são muitas vezes trazidos a você no ventre. Você pode sentir seus pensamentos traumáticos, sentimentos de não querer um filho, medo de ser oprimida e outros estresses, e eles afetarão seus níveis de noradrenalina e serotonina. Álcool e drogas também afetam a saúde mental e o desenvolvimento físico do feto.

Exercício de "enviar amor ao bebê no ventre"

Esse exercício é um processo de cura surpreendente. Ele pode ser benéfico para muitas doenças, como a síndrome alcoólica fetal, o distúrbio bipolar, o transtorno de déficit de atenção e o autismo, e pode simplesmente eliminá-los completamente. Parece também ajudar com os efeitos psicológicos da epilepsia, asma e outras questões relacionadas com a formação do feto no ventre.

Alguns bebês começam como gêmeos, mas a natureza só permite que cerca de um terço dos gêmeos nasça. Isso às vezes causa uma grave solidão no gêmeo remanescente. Essa solidão pode acompanhar uma pessoa durante toda a sua vida, porém esse exercício cuida disso. Ele também envia a energia da outra criança à luz.

Você pode fazer esse exercício em si mesmo, em seus filhos e em seus pais – percebendo, claro, que eles têm livre-arbítrio para recebê-lo ou não. É um dos poucos exercícios que você pode fazer sem a aceitação verbal de um membro da família. Isso ocorre porque todos aqueles que estão geneticamente ligados podem aceitar ou negar, inconscientemente, a cura que lhes está sendo enviada.

Esse exercício fez coisas incríveis para meu relacionamento com minha mãe. Ele tem ajudado pais, mães e seus filhos a se reunirem após muitos anos de discussões e desavenças. Sugiro que você o use em seus clientes e em si mesmo. *Com os clientes, é preciso ter o consentimento verbal deles para fazer esse exercício.*

Processo para enviar amor ao bebê no ventre

1. Centre-se em seu coração e visualize-se descendo em direção à Mãe Terra, que é parte de Tudo o Que É.
2. Visualize-se trazendo a energia da Terra, que entra por seus pés, abrindo cada chacra até o chacra da coroa. Em uma linda bola de luz, vá para o Universo.
3. Vá além do Universo, além das luzes claras, além da luz escura, além da luz clara, além da substância gelatinosa que são as Leis, até uma luz branca perolada iridescente, no Sétimo Plano da Existência.

4. Faça o comando: "*Criador de Tudo o Que É, é comandado que o amor seja enviado a essa pessoa assim como a um bebê no ventre. Grato! Está feito. Está feito. Está feito*".
5. Agora suba e testemunhe o amor incondicional do Criador circundando o bebê, se esse bebê é você, seu filho ou seus pais. Testemunhe o amor enchendo o ventre e envolvendo o feto, e simplesmente eliminando todos os venenos, toxinas e emoções negativas.
6. Assim que o processo estiver concluído, enxágue-se e coloque-se de volta a seu espaço. Vá para a Terra, puxe a energia da Terra através de todos os seus chacras até seu chacra da coroa e faça a quebra energética.

19

Curando a Alma Partida

Grande parte das informações que me são dadas vem quando estou dando aulas. O processo de "Curar a alma partida" veio quando eu estava ensinando a primeira turma de Anatomia Intuitiva, na Austrália. Uma das estudantes estava completamente desolada pela perda de sua filha. Ficou tão emocionada que não conseguia se recuperar. Ela estava triste e desanimada em sala de aula e não importava quanto de trabalho de crenças eu fizesse com ela, ela repetia as palavras lamentáveis, "estou partida".

Naquela noite, perguntei ao Criador como poderia ajudá-la e ouvi, *"Vianna, cure sua alma partida. Ela tem uma alma partida por toda a tristeza em sua vida".*

Perguntei ao Criador se *eu* tive uma alma partida e ouvi: *"Claro que sim".*

Eu disse: "Mas eu estive reunindo meus fragmentos de alma todo esse tempo! É impossível que eu tenha uma alma partida".

Então, pelo olho de minha mente, me foi mostrado algo como uma rachadura na bolha de energia que envolve minha alma. Pedi ao Criador para curar minha alma partida e testemunhei a rachadura sendo curada e minha alma começando a renascer. Vi velhas mágoas, antigas tristezas e dores que nunca tinha liberado sendo curadas, sentimentos que estava ocupada demais para chorar.

Fiquei surpresa diante de tudo o que foi liberado. Eu tinha certeza de que havia abusos, mas, aparentemente, eu já tinha tratado de tudo isso. O que surgiu foi completamente inesperado.

Na época em que o pai de meus filhos e eu começamos o processo de separação, tive um acidente de carro, que me atirou para o quintal de uma casa. Liguei para meu marido vir me buscar. Eu disse a ele que eu tinha destruído o carro e ele me disse que viria me pegar logo que o jogo de futebol acabasse. E lá estava eu, magoada, com medo e vulnerável, e ele me dizendo que iria primeiro terminar de assistir a seu jogo de futebol! Naquele momento, percebi que não seria capaz de criar meus filhos com essa pessoa de uma forma saudável e que estava tudo *acabado*. Foi a dor desse incidente que foi liberada, quando o Criador curou minha alma partida.

Na manhã seguinte, senti-me muito diferente. Naquele dia fiz o mesmo trabalho com a mulher durante a aula. Testemunhei o Criador curando a sua alma partida, e ela também se sentiu muito melhor. E foi assim que esse processo começou.

Percebi que a alma pode estar partida por muitos tipos de acontecimentos estranhos e duros nesta vida. Quando os sentimentos de alguém são feridos de forma irremediável e não há tempo para superá-los, pode-se formar uma fratura na energia da alma. Isto explica o padrão que eu havia começado a notar em muitos de meus clientes com câncer. Você pode preenchê-los com todos os tipos de energia, mas eles simplesmente não conseguem mantê-las. As curas *se esvaem*. Agora sei que isso acontecia porque a alma estava partida.

Logo após esse processo ter sido mostrado a mim, fui ensinar uma das primeiras turmas de Avançado em Seattle, Washington. Alguns de meus alunos de Anatomia Intuitiva estavam frequentando essa aula, e fiz o trabalho da alma partida com eles. Todos eles o fizeram muito bem, exceto uma pessoa, que teve dificuldade. Desde o início, ela tinha demonstrado certo conflito e eu suspeitava de que ela tinha algumas questões de competição comigo. Muito raro eu ter sentido toda essa raiva e ciúmes de uma aluna. Durante o processo, que demorou algum tempo para que acontecesse a cura de sua alma partida, ela decidiu ir para fora de seu espaço e interrompeu a cura. Isto a deixou com o processo inacabado em quase todos os níveis, e ela começou a agir de uma forma muito instável. Ficou desequilibrada naquela noite e causou todo um drama com seus colegas graduados em Anatomia Intuitiva. Conforme o tempo passava, felizmente, ela se tornou mais serena, graças ao apoio de seus colegas. A cada vez que você for curar a alma partida de outra pessoa, o melhor é ter certeza de que ela está mentalmente estável.

Eu tinha esperança de que essa aluna superasse seus sentimentos em relação a mim. No entanto, até hoje não acho que ela o tenha feito, é triste dizer, e eu também não acho que ela tenha superado sua aversão ao exercício "Curando a alma partida". Este é um exemplo de por que é tão importante para o praticante ver o processo *concluído* e, para o cliente, permitir-se concluí-lo.

Depois desse fiasco, eu estava um pouco desconfiada sobre o ensinamento da técnica. No entanto, quando o próximo curso DNA Avançado em Idaho Falls veio, Deus me disse: "Você irá ensiná-los a curar suas almas partidas hoje".

Seguem mais detalhes:

"Vianna, você não está lidando com um transtorno de personalidade múltipla. Você não está curando um dano cerebral, mas curando partes de sua alma. Você nunca deve sair antes de o processo terminar. Você deve testemunhá-lo até que a bola giratória, que representa sua alma, gire no sentido horário.

Se você deixá-los com a energia indo no sentido anti-horário, ela trará todos seus antigos problemas do passado e eles terão de lidar com eles antes que possam permitir que suas almas se curem. Isso irá deixá-los em um dilema por uns dois dias.

Mas, se você terminá-lo completamente, eles ficarão bem."

Então fui em frente e ensinei a técnica. No entanto, algumas pessoas estavam um pouco receosas do processo e o "decoraram" demais, em vez de apenas testemunhar o Criador fazendo o trabalho. Isso fez com que passassem por um trauma. Por causa de sua interferência no processo, o que poderia ter sido feito em 30 segundos levou três dias para terminar.

A Lei da Verdade tinha me dito que, quando alguém morria, sua alma iria para o Criador e, por meio do Criador, seria reparada. Agora, a Lei da Verdade me brindava com essa alternativa (a Verdade sempre nos brinda com alternativas): "*Vianna, cure a alma e o resto se seguirá*".

Eu perguntei: "Se isso é verdade, então por que você me ensinou a curar o corpo antes da alma?".

Eu ouvi: "Vianna, tudo lhe foi ensinado de acordo com suas necessidades. Você teve de ser ensinada a curar o corpo e, em seguida, curar a mente, antes que pudesse aprender a curar a alma. Isso aconteceu porque você não estava pronta. Era o que sua mente podia aceitar na época, e você tinha de ter a clareza sobre uma coisa de cada vez".

Era verdade – eu tinha primeiro aprendido a curar o corpo físico, estando em uma profunda onda cerebral Theta. Assim percebi que a mente podia interferir na cura, aí então me tinha sido dado o trabalho de crenças. Só então eu tinha sido ensinada de que a alma também precisa ser curada.

Curando a alma partida

A alma é magnífica! As pessoas não percebem que ela é mais divina e expansiva do que o corpo. Nossas almas são tão expansivas que podemos estar em mais de um lugar dimensional e em mais de um lugar no tempo.

Para cada tempo de vida há um fio ligado a nossa alma. Isto está ligado a todos os planos da existência. Acredito que somos parte de todos os planos de uma vez. E nossa energia é incrível. Como parte do Criador, somos perfeitos a nossa própria maneira.

Mas, assim como temos um corpo humano que pode ser partido, às vezes acumulamos problemas emocionais de tal maneira que rachaduras começam a se formar no campo energético da alma. Às vezes, a vida pode se tornar tão intensa nessa ilusão de realidade que nos tornamos oprimidos pela crueldade desta existência e todas as coisas terríveis que têm acontecido conosco. Em razão desse desânimo, podemos nos sentir vazios no âmago de nosso ser. Essa é a *dor que está além da dor*.

Excesso de doenças físicas e emocionais também pode partir o espírito, causando danos à alma. O espírito é diferente da alma. O *espírito* está dentro de nosso corpo. A *alma* é tudo o que somos.

Se nossa energia se torna muito fraturada, morremos, a fim de fazer os reparos em nossa alma. No grande esquema da consciência, essa é uma pequena questão e um modo de reparo aceito para a alma. Para a alma, a morte não é uma grande coisa. Aqui no Terceiro Plano, temos esse conceito realmente incomum da morte: agimos sempre como se ela fosse o fim. Mas, realmente, é apenas mais um passo.

Portanto, a velha maneira de curar a alma era fazer com que ela deixasse este plano, mas agora há outro processo. Algumas pessoas ainda preferem morrer para curar sua alma, pois se tornou muito partida, mas o processo de "Curar a alma partida" pode ajudá-los também.

Quando você está trabalhando com alguém, deve primeiro perguntar ao Criador de Tudo o Que É se sua alma foi partida. Não use o teste muscular, uma vez que não será preciso especificamente nessa questão. Vá para o espaço da pessoa e, se ela tiver uma alma partida, você verá uma bola de energia com rachaduras e/ou rasgos nela.

Quando alguém diz "eu estou tão partido", também é uma indicação de que você precisa curar a alma partida.

Eu sugiro que você trabalhe com a pessoa em seu sistema de crenças primeiro, então ela irá confiar em você e permitir que você cure sua alma. A confiança é muito importante em qualquer cura.

Você também deve perguntar ao Criador de Tudo o Que É o que fazer, espiritualmente, para a pessoa, pois os métodos de cura nunca serão os mesmos de uma pessoa para outra.

Uma verdade é clara: a alma partida não pode ser reparada, mas deve ser *recriada*. Quando o Criador de Tudo o Que É faz isto, o indivíduo se tornará mais forte como resultado dessa experiência. Como a ave Fênix renasce das cinzas da morte, para que haja renascimento; através do renascimento, há criação.

Processo para curar a alma partida

Primeiro, quero que você olhe nos olhos da pessoa, porque os olhos são as janelas da alma. Todos levam esses olhos consigo, a cada existência. Isto significa que, mesmo no mundo espiritual, seus olhos são os mesmos.

1. Centre-se em seu coração.
2. Comece enviando sua consciência em direção à Mãe Terra, que é parte de Tudo o Que É.
3. Traga a energia da Terra, que entra pelos seus pés, abrindo cada chacra.
4. Suba até o chacra da coroa, em uma linda bola de luz, e passe as estrelas do Universo.
5. Vá além do Universo, além das luzes claras, além da luz escura, além da luz clara, além da substância gelatinosa que são as Leis, até uma luz branca perolada iridescente, no Sétimo Plano da Existência.
6. Reúna o amor incondicional e faça o comando: *"Criador de Tudo o Que É, é comandado que a alma partida de [o nome da pessoa] seja curada e refeita inteiramente neste momento. Gratidão! Está feito. Está feito. Está feito"*.
7. Mova sua consciência para dentro do chacra coronário da pessoa, e vá para cima e testemunhe a cura. Você pode ver uma bola de luz, ou uma esfera, com rachaduras ou rasgos nela. Assista como o Criador faz com que a bola gire no sentido anti-horário e, em seguida, desacelera até uma parada total. Então assista como a esfera começa a girar no sentido horário, e as rachaduras e os rasgos se tornam inteiros. Ocasionalmente, você pode apenas estar fora no Universo, mas espere até que a bola apareça. Nunca questione o que você testemunha; não é seu trabalho. Seu trabalho é apenas testemunhar. Algumas pessoas podem demorar mais tempo do que os outras. Se a pessoa em

que você está trabalhando parecer desanimada, volte e pergunte ao Criador se seu processo terminou. Evite o cancelamento do processo no meio. Tal como acontece com toda a cura, espere até que ela pareça acabada e pergunte: "Criador, terminou?". Então espere pela resposta.

8. Assim que o processo tiver sido concluído, reconecte-se à energia de Tudo o Que É, respire profundamente e faça a quebra energética.

Quando você está testemunhando a alma sendo curada, a primeira coisa que pode ver é ela começando a girar no sentido horário; depois, anti-horário. Ela pode se abrir como uma flor-de-lótus. Você pode ver as energias espirituais dos vícios das drogas voando e se afastando dela e pode haver símbolos arquetípicos. Se você observar energias regressando a partir do exterior, essas serão provavelmente fragmentos de alma. Quando trazemos de volta nossos fragmentos de alma, energia adicional é acrescentada à alma.

Como a alma está se curando, a energia voltará para o corpo físico da pessoa. Ela descerá até o chacra do coração e girará ao redor e, então, você irá vê-la transformando-se em uma gigante esfera de luz. O processo não se completa até que você veja essa esfera girar no sentido horário. Se você sair sem testemunhar isso, a pessoa processará as emoções durante horas, dias, semanas ou mesmo meses. Às vezes, o processo de cura leva um tempo considerável, então seja paciente. O mais longo que testemunhei levou 15 minutos.

Uma vez que a alma partida é curada, a pessoa terá uma energia que não tivera durante muito tempo. O processo coloca a energia de volta à mitocôndria e impregna ATP de volta nas células. Quando a alma é reparada, será possível encontrar e curar programas e doenças físicas que eram difíceis de ver antes.

A alma é como o Axis Mundi, a Árvore do Mundo. O Criador é a árvore inteira, a Terra e tudo mais. O grande galho é a alma, o pequeno galho é o Eu Superior e a folha é o corpo.

20

O Canto do Coração

Em julho de 2006, comecei a me sentir extremamente cansada. Pensando que meus pulmões eram o problema, comecei a fazer curas neles. Enquanto eu estava no processo de uma dessas curas, a voz do Criador veio à minha cabeça e perguntou: "O que você está fazendo?".

Eu respondi: "Eu estou trabalhando em meus pulmões".

O Criador disse: "Não são seus pulmões. Você tem insuficiência cardíaca congestiva".

Em total desespero, chorei: "É impossível! Sou muito jovem".

Para confirmar que era isto o que eu tinha, fiz uma consulta com um médico. Depois de realizar alguns exames, o médico disse: "Você tem insuficiência cardíaca congestiva. Sinto muito".

Perguntei: "O que devo fazer com isso? Como é curado?".

O médico disse: "Tente esse medicamento e veja se funciona. Como você é jovem, podemos colocar seu nome em uma lista de espera para um transplante de coração".

Nesse momento de desolação, chorei para mim mesma: "De novo não! Mais uma vez, um médico está dizendo que morrerei!". Entrei no abismo "pobre de mim". O que realmente me chateou em toda essa situação era que eu tinha feito muito trabalho de crenças e agora sabia que tinha de fazer mais.

Comecei a tomar o remédio, pensando: "Bem, prometi fazer o próximo seminário ThetaHealing. Devo manter minha promessa".

Cerca de duas semanas antes de partir para Roma, onde eu deveria fazer o seminário, tive alguns convidados em minha casa. Eles eram músicos profissionais de Nova York e estavam fazendo meu curso de Anatomia Intuitiva. Tinham vindo para jantar e tocar um pouco de música. Um deles tocou uma viola magnífica, e o som que veio desse instrumento era cheio de melancolia e tocava as fibras mais íntimas do coração.

Em seguida, outro músico pediu-me para ajudá-lo a compor algumas músicas com ele. Disseram-me para cantar a música que eu tinha em meu coração. Subi e me conectei ao Sétimo Plano, e comecei a cantar em um tom triste, sentindo uma estranha emoção que vinha de meu coração. Enquanto eu sentia essas energias sendo tiradas de mim através do som que eu estava cantando, de repente vi todas as razões de minha infelicidade e razões de minha doença. Percebi que estava segurando antigas tristezas nas moléculas do meu coração. Sempre trabalhei em minhas crenças, sem pensar em livrar meu coração das antigas dores que ele estava guardando. Foi por isso que continuei a sentir uma espécie de sofrimento inabalável em meu coração. Fechei os olhos e deixei toda essa tristeza sair em um som que veio de meu coração. Continuei a manter esse som até ficar sem fôlego e, então, comecei de novo.

Quando acabei e a música parou, abri meus olhos e vi que as pessoas na sala estavam chorando. Naquele momento, percebi que eu havia encontrado uma maneira para que outros dissolvessem a dor e o sofrimento em seus corações também.

Quando nascemos neste planeta, todos nós absorvemos algumas de suas vibrações de tristeza, particularmente aqueles de nós que são intuitivos. Muitos curadores sabem que há sempre algo no fundo de nossos corações, um sentimento triste, melancólico. Quando vamos ao Sétimo Plano e ouvimos a melodia em nossos corações, sentimo-nos animados imediatamente porque conseguimos dissolver a dor das gerações que nos precederam. Descobri que a melhor maneira de deixar a tristeza ir é um tom baixo, quase um murmúrio. Gritando não se terá o mesmo efeito.

O que eu não sabia na época desse primeiro canto do coração era que esse processo tinha curado meu coração. Agora eu o uso em minhas aulas Avançadas para limpar as pessoas de suas tristezas.

O tom do coração: o canto do coração

Esse exercício é projetado para liberar a tristeza e a raiva do passado e do presente, com um tom que vem do coração, liberado em uma canção contínua. Cada órgão tem sua própria canção, e podemos liberar influências negativas de cada um cantando essa triste canção.

Para fazer isso, temos de ir para fora de nosso espaço e fazer o comando para que a tristeza seja liberada de nosso coração, como descrito a seguir. Só nós somos capazes de liberar a tristeza e a dor em nosso coração – ninguém pode fazer isso por nós. Um praticante não pode liberá-lo para um cliente; ele só pode auxiliar o cliente, incentivando-o a encontrar o tom.

Esse processo está diretamente ligado à consciência coletiva da humanidade. Quando esse processo é feito, liberamos o sofrimento de toda a humanidade em um nível universal. Muitos de nós que fazemos esse exercício iremos nos conectar ao tom universal, que libera o ódio, a raiva e a tristeza em um nível mundial.

Lembre-se de que existem três moléculas que são mantidas no corpo e que vão com a alma, por onde ela passa: uma na glândula pineal, que libera as emoções e os programas físicos; uma no coração, que libera antigas tristezas e raivas; e uma na base da coluna vertebral. Esse processo ativa a molécula no coração. O praticante deve guiar o cliente da seguinte forma:

Processo para o canto do coração

1. Centre-se em seu coração e visualize-se descendo em direção à Mãe Terra, que é parte de Tudo o Que É.
2. Visualize-se trazendo a energia da Terra, que entra por seus pés, abrindo cada chacra até o chacra da coroa. Em uma linda bola de luz, vá para o Universo.
3. Vá além do Universo, além das luzes claras, além da luz escura, além da luz clara, além da substância gelatinosa que são as Leis, até uma luz branca perolada iridescente, no Sétimo Plano da Existência.
4. Faça o comando: *"Criador de Tudo o Que É, é comandado que a tristeza seja liberada a partir do canto do coração, através de um tom em minha voz. Gratidão. Está feito. Está feito. Está feito".*
5. Imagine-se indo até a Lei da Música e pedindo o tom que liberará a tristeza e a raiva do coração. Imagine que você está indo bem fundo, em seu coração. Ouça a triste canção que seu coração canta. Deixe-a sair em sua voz, no tom que você cantar.
6. Enquanto você ouve o som que o coração emana, ouça todos os ressentimentos, todas as frustrações com a guerra, fome, ódio e raiva que estão bloqueados em seu coração. Deixe o som que está bloqueado em seu coração sair de sua boca e ser liberado. Então faça o mesmo para todos os órgãos do corpo.
7. Quando tiver terminado, conecte-se de volta à energia de Tudo o Que É, respire fundo e faça a quebra energética.

Algumas dicas:

- O praticante deve encorajar o cliente a deixar o som sair de sua boca e continuar até que todos os aspectos negativos sejam liberados do coração.
- A maneira de saber que o processo terminou é que o cliente se sinta terminado. Eles se sentirão como se tivessem liberado toda a tristeza e a raiva acumuladas no coração.
- Esse processo pode ser feito mais de uma vez, se o cliente precisa liberar as camadas do coração.
- O cliente pode não confiar completamente na liberação de toda a tristeza armazenada com outra pessoa. No entanto, ele pode usar o processo quando estiver sozinho.
- A música cantada com o coração não é alta, mas um som neutro e constante.

Uma sessão de canto do coração

Aqui está um exemplo que ocorreu em classe:

Vianna ao homem: Vá para cima e se conecte ao Criador e, em seguida, desça para o seu coração. Quero que você ouça sua música, a qual é apenas levemente audível sob o batimento cardíaco. Quero que você cante a melodia que ouve.

O homem começa a cantar em um som melancólico.

Vianna: Você está liberando essa antiga energia. Como você se sente?

Homem: Sinto como se algo estivesse se abrindo.

Vianna: Eu vou lhe ensinar qual é a sensação de saber que você está seguro e que você faz diferença neste mundo. Esses conceitos estão ligados a seu coração. Você aceita esses sentimentos?

Homem: Sim.

Ele canta por 15 minutos e, depois, parece terminar.

Vianna: OK, acho que você terminou. Como você se sente agora?

Homem: Sinto-me revivido!

Vianna: Você está exagerando?

Homem: Não, estou falando do meu coração!

Vianna: Como você se sente a partir de um ponto de vista energético?

Homem: Eu sinto que estou vivo.

Vianna para a turma: Enquanto você está fazendo isso, toque o coração da pessoa com sua mão. Há quanto tempo você não se sentia assim em seu coração?

Homem: Eu sempre senti essa dor, mas agora me sinto livre. Tem sido difícil todo esse tempo, segurando essa tristeza. Trabalhei 15 minutos nisso com você e nunca pensei que sons estranhos poderiam sair de minha boca. De alguma forma, eu os reconheci, porém vi minhas vidas passadas além do Universo.

Vianna para a turma: Somos todos diferentes, e esse exercício pode durar também dois ou dez minutos, dependendo da pessoa. A primeira coisa que você deve fazer com um cliente usando essa técnica é ser paciente e ajudar a pessoa a manter o tom até que tenha terminado completamente. Então você pode ensinar a sensação de que eles estão seguros e têm um lugar neste mundo.

Se o tom que você os ouvir cantando for uma canção feliz, diga-lhes para escavar mais profundamente em seu coração.

Minha mãe tentou fazer este exercício, mas a música que saiu a fez se sentir muito triste e ela decidiu não fazer isso nunca mais. Minha filha mais nova tentou fazê-lo e a única coisa que ela podia cantar era música feliz. Acho que isto refletia o que estava realmente em seu coração.

***Downloads* para o canto do coração**

"Tudo o que vivo tem importância."

"Desta vez, sei como despertar as pessoas para seu potencial."

21

Trabalho de Limpeza e de Crenças em Materiais Não Orgânicos

Como você sabe, os objetos podem conter memórias, emoções, sentimentos e impressões fantasmas de tudo o que passou ao redor deles, bem como dentro deles.

Por essa razão, você pode ensinar à sua casa qual é a sensação de ser um lar. Dê uma boa olhada em sua casa para ver se você precisa fazer o trabalho de crenças nela. Se a casa for velha e tiver muita história, pode possuir a energia residual das pessoas que nela viveram. Retire qualquer maldição que você encontrar na casa e envie qualquer espírito errante para a luz. Sua casa precisa entrar em ressonância com sua alma e energia.

Ensine a sua casa qual é a sensação de ter alegria e compaixão, e ela curará as pessoas que vêm a ela e que lá vivem.

Se você não está confortável em sua casa, torne-a confortável. Envie todas as memórias de dor ou tristeza para a luz de Deus.

Use fontes de água e decore com espelhos, uma vez que sua casa é um reflexo de você. Livre-se de qualquer posse que não lhe agrade, inclusive roupas. Decore seu mundo do jeito que você quer que seja. Uma vez que o material não orgânico retém pensamentos e sentimentos, "baixe" nele as emoções que você deseja que tenha.

Com o trabalho de crenças, você também pode retirar maldições de um terreno e retornar fragmentos de alma para ele, assim como faria com uma pessoa.

Esse exercício também foi dado no livro *ThetaHealing*, mas vale repetir aqui. É para instalar crenças e sentimentos em objetos, que irão refletir de volta para você e para o ambiente que você deseja criar. Você pode usar qualquer variação, dependendo do objeto.

1. Centre-se.
2. Comece enviando sua consciência em direção à Mãe Terra, que é parte de Tudo o Que É.
3. Traga a energia da Terra, que entra por seus pés, abrindo cada chacra.
4. Suba até o chacra da coroa, em uma linda bola de luz, e passe as estrelas do Universo.
5. Vá além do Universo, além das luzes claras, além da luz escura, além da luz clara, além da substância gelatinosa que são as Leis, até uma luz branca perolada iridescente, no Sétimo Plano da Existência.
6. Reúna o amor incondicional e faça o comando: *"Criador de Tudo o Que É, é comandado ensinar a esse objeto o sentimento de [o que você quer ensinar ao objeto], para o bem maior. Gratidão. Está feito. Está feito. Está feito".*
7. Testemunhe a cura.
8. Quando tiver terminado, conecte-se de volta à energia de Tudo o Que É, respire fundo e faça a quebra energética.

22

Manipulando o Tempo

***Antigo enigma grego*: O que é que engole o que está antes dele e o que está atrás dele, bem como qualquer um que está observando?**

***Resposta*: O tempo. Ele devora o passado e o futuro, bem como todos os observadores.**

No processo de cocriação do ThetaHealing, o tempo não existe. Ele desacelera ou se detém por completo durante o período em que a cura está sendo feita, pelo Criador de Tudo o Que É. Isso ocorre para que a incrível quantidade de trabalho que está sendo realizada tenha tempo para ser terminada, sem causar ao cliente quaisquer dificuldades nos níveis físico, mental ou espiritual. Você deve perceber que, uma vez que o comando foi feito e sua mente testemunhou e aceitou a cura, ela já se realizou fora do tempo presente e da realidade. Sendo a testemunha, você traz a cura para *esse* aspecto do tempo e da realidade. Você deve testemunhá-la sendo realizada para que realmente se materialize no mundo físico. Testemunhar uma cura instantânea é um exemplo de manipulação do tempo.

O tempo é uma ilusão, uma Lei da Gravidade, e é uma das Leis mais fáceis para se manipular. Descobri isso enquanto dirigia para o trabalho, atrasada. Fui para cima em meu espaço para visualizar um relógio. Olhando para o relógio, comandei ir mais rápido do que o relógio. Quando cheguei ao trabalho, tive de visualizar o tempo regressando a sua posição normal! Podem-se obter nove horas de sono em minutos dessa maneira. Portanto, isto deve ser aceito, ou você se sentirá cansado!

A capacidade de manipular a Lei do Tempo para mudar eventos de uma maneira consciente é aprendida pelo seguinte processo:

Processo para o Tempo

1. Centre-se em seu coração e visualize-se descendo em direção à Mãe Terra, que é parte de Tudo o Que É.
2. Visualize-se trazendo a energia da Terra, que entra por seus pés, abrindo cada chacra até o chacra da coroa. Em uma linda bola de luz, vá para o Universo.
3. Vá além do Universo, além das luzes claras, além da luz escura, além da luz clara, além da substância gelatinosa que são as Leis, até uma luz branca perolada iridescente, no Sétimo Plano da Existência.
4. Faça o comando: "*Criador de Tudo o Que É, é comandado que o tempo seja alterado através da Lei do Tempo do Sexto Plano da Existência [declare a mudança] neste mês, dia, ano, tempo. Gratidão. Está feito. Está feito. Está feito*".
5. Vá para o Sexto Plano da Existência e se conecte com a Lei do Tempo, testemunhando a Lei fazendo as alterações desejadas.
6. Quando você tiver terminado, conecte-se de volta à energia de Tudo o Que É, respire fundo e faça a quebra energética.

Quando você é capaz de fazer esse exercício, é um bom sinal de que você está pronto para o DNA 3.

23

Lembrando Seu Futuro

Há uma velha superstição que diz que um intuitivo não pode ver seu próprio futuro. Isto é uma inverdade. Não só eles podem ver o futuro deles, como podem criá-lo também.

Na visão mecanicista da realidade, você não pode ver seu futuro, porque ele simplesmente ainda não aconteceu. No entanto, acredito que passado, presente e futuro são a mesma coisa, e que um não existe independentemente do outro. Acredito que vivemos em todos os três ao mesmo tempo e, assim como podemos lembrar nosso passado, podemos também lembrar o futuro. Creio que há uma parte de nossa consciência que está além do passado, do presente e do futuro, e essa é nossa parte divina, a centelha da criação que está dentro de todos nós e que é capaz de mudar a realidade.

Se você se conectar ao Criador do Sétimo Plano e pedir para *lembrar* seu futuro, você pode vê-lo claro como um cristal. Isto requer prática. Em muitos casos, o intuitivo tenta fazer o futuro que ele quer, sem considerar os outros a seu redor e seu tempo divino (*ver capítulo seguinte*). Mas um bom intuitivo facilmente percebe que ele está criando tudo em sua vida e, ao fazê-lo, torna-se consciente das vidas e dos direitos dos outros.

Existem várias maneiras de lembrar seu futuro. Uma maneira é subir até o Criador e pedir para ser levado, pela Lei do Tempo, para os Registros Akáshicos. Prefiro subir para o Criador de Tudo o Que É e ficar na borda do Universo, onde você pode ver seu passado, presente e futuro ao mesmo tempo. Isso tem a vantagem adicional de que, uma vez que você se conecta ao Sétimo Plano, se não gostar do futuro que vê, pode simplesmente mudá-lo... ou melhor ainda, basta criá-lo.

Processo para lembrar seu futuro

1. Imagine-se subindo até o Sétimo Plano.
2. Faça o comando: *"Criador de Tudo o Que É, é comandado que eu veja e lembre meu futuro agora. Gratidão. Está feito. Está feito. Está feito"*.

Em relação a seu futuro, outra coisa a lembrar é que, por causa da linhagem genética ser uma rede conectando o passado com o presente e o presente com o futuro, a mudança de programas dentro de nós afetará tanto nossos antepassados no passado, como nossos parentes no presente, estabelecendo assim mudanças para o futuro.

24

Tempo Divino

O que quero dizer com "tempo divino"?

- Eu acredito que existimos neste plano em divindade e somos divinamente regidos.
- Eu acredito que algumas coisas são pré-programadas e que as fazemos neste mundo porque queremos fazê-las.
- Eu acredito que pertencemos a uma família de alma.
- Eu acredito que, à medida que nos desenvolvemos, nos reunimos com nossas famílias de alma em um tempo divino.
- Eu acredito que parte de nossa verdade divina está em nos reunirmos e trabalharmos em nossos sistemas de crenças.
- Eu acredito que estamos aqui para nos conectar à energia do Criador de Tudo o Que É e para *aprender*. Isto é o mais importante: aprender algo maravilhoso com essa existência.

Cada pessoa tem seu próprio tempo divino. Ele nos é dado pelo Criador e está relacionado ao tempo de todas as outras pessoas no Terceiro Plano da Existência. Ele deve ser respeitado por todos nós para nosso próprio bem. No entanto, como centelhas minúsculas de Deus, temos o livre-arbítrio e, muitas vezes, nos deixamos levar pelo egoísmo e teimosia, indo contra o fluxo do tempo divino. Então nos perguntamos por que as coisas não "saem como gostaríamos".

Em uma escala macrocósmica, o planeta Terra tem seu próprio tempo divino. É por isso que é melhor comandar para saber que tempo divino da Terra está em uma grande escala. Uma vez que você tem uma consciência desta dimensão grandiosa da divindade, ela abrirá uma nova compreensão que pode ser usada em leituras, curas e manifestações do que você quer em sua vida. Por meio desse conhecimento, quando você entender o grande esquema das coisas, saberá quando manifestar, o que manifestar e como manifestar.

O tempo divino também lhe dará um melhor entendimento do que está acontecendo quando você faz uma leitura ou uma cura em uma pessoa. Em alguns casos, é útil perguntar qual é seu tempo divino.

Lembre-se de que o tempo divino é o que foi planejado. Sempre é para o nosso bem maior, mesmo se nós não o entendamos. O Trabalho de Crenças nos ajudará a conhecer e a trabalhar com nosso próprio tempo divino.

Você pode perguntar: "É possível mudar meu tempo divino?". Mudar algumas coisas pode ser possível, mas o tempo divino é parte da razão de estarmos aqui e é o que viemos fazer aqui, de modo que alterá-lo será ir contra isto. Por exemplo, a paixão que tenho em ensinar tem a ver com meu próprio tempo divino. Não me interpretem mal – o futuro sempre pode ser melhorado se você puder percebê-lo chegar. Mas o tempo divino tem a ver com grandes eventos em sua vida, e alguns desses eventos não podem ser alterados. Alguns desses eventos têm a ver com os bebês e as almas gêmeas.

Como um exercício de tempo divino, conecte-se ao Criador de Tudo o Que É e peça para ver e conhecer seu *tempo divino*. Isto não é a mesma coisa que saber seu futuro, como foi descrito anteriormente. Se você pode ver seu futuro e seu tempo divino com precisão, é um sinal de que você está pronto para o DNA 3. Tenha em mente que isto requer prática.

Instale em você estes *downloads*:

"Eu sei o que é o tempo divino em todos os níveis."

"Eu sei como me planejar para o futuro."

"Eu sei o que é uma oportunidade."

"Eu sei como aproveitar uma oportunidade."

"Eu sei qual é a sensação de seguir adiante."

"Eu sei qual é a sensação de me planejar para o futuro."

"Eu sei como ver o futuro."

Iniciações e portas da morte

Você descobrirá que, à medida que progride intuitivamente, o Criador de Tudo o Que É pode lhe dizer que você está passando por uma "pequena iniciação". Isso significa que você está progredindo muito bem e que agora está sendo dada uma oportunidade para o próximo passo em sua evolução. Cabe a você, usando o livre-arbítrio, aceitar ou recusar essa ascensão. Muitas vezes, somos resistentes a mudanças e tornamos as coisas complicadas. Se a iniciação é aceita com graça, será um processo fácil. Retire o programa "Iniciações são difíceis", pois verdadeiramente são apenas marcos em nosso progresso como centelhas divinas do Criador de Tudo o Que É.

"Portas da morte" são uma forma de iniciação. Elas estão lá simplesmente para dizer-lhe que você realizou tudo o que veio fazer e oferecem a você a escolha de ir para outro plano. Se você escolher ficar, será dado a você outro objetivo para seguir. Só porque você tem uma oportunidade de porta da morte não significa que tenha de aceitá-la, embora, às vezes, você não tenha escolha: o Criador está chamando você de volta a casa. Temos centenas de portas da morte em nossas vidas, no entanto não somos conscientes da maioria delas. As escolhas são dadas para o Eu Superior e, de lá, para a Alma.

Quando uma pessoa recusa uma porta da morte, sua vida muda e ela cresce espiritualmente. Com essa transição, novos anjos da guarda são nomeados para ela. É um início do desenvolvimento.

Para alterar quaisquer programas negativos de portas da morte, use o trabalho de crenças. Faça o teste muscular com a pessoa e, com sua permissão, retire e substitua todos os programas que não são para seu bem maior. Faça o teste muscular para "Devo ter uma porta da morte para crescer espiritualmente". Uma substituição pode ser "É fácil para mim aprender e crescer espiritualmente sem drama".

De acordo com a Lei do Livre-arbítrio, você não pode sair por aí e fechar as portas da morte das pessoas para elas. Só elas podem optar por fechá-las. Em um nível profundo, essa escolha é delas. O que você pode fazer, no entanto, é ensiná-las a usar o trabalho de crenças e de sentimentos. Se você lhes ensinar qual é a *sensação* de ter uma vida feliz e alegre, então elas quererão viver. Por exemplo, quando você trabalha com uma mulher com câncer de mama, comece por dar-lhe essas crenças e sentimentos, e seu corpo começará a se curar:

"Tudo bem ser feliz."

"Tudo bem viver."

"Eu sou importante."

"Eu sou querida."

"Eu sou ouvida."

"Eu ouço."

"Sou capaz de me comunicar."

Porém, lembre-se sempre de que a morte é apenas outro começo.

Experiências de quase morte

A experiência de quase morte é geralmente uma iniciação de crescimento. O truque é ir além da necessidade de ter uma experiência de quase morte para se elevar espiritualmente.

A maioria das pessoas tem de passar por algum tipo de iniciação para crescer. Iniciações são normalmente ligadas diretamente a nosso tempo divino. Cada iniciação nos leva a uma relação mais profunda com o "Criador de Tudo o Que É" e a uma transformação em nível de alma. É importante permitir que essas transformações aconteçam. Elas não precisam ser dolorosas. Abra seu coração e diga: "Criador de Tudo o Que É, estou pronto para o próximo passo". Visualize a nova energia vindo do Criador sendo instalada através de todo seu corpo, nos quatro níveis de crença, e sendo enviada para o Tudo o Que É de seu campo da alma. Esse processo permitirá que você passe por uma iniciação em poucos minutos, em vez de em poucos meses.

No entanto, quanto às iniciações, fique atento a qualquer deslize negativo de seu ego em sua vida! Quando o ego não é mais seu amigo, iniciações podem ser *difíceis*.

Também não tente forçar a questão. Você irá ascender quando estiver pronto. Todos nós temos nosso próprio tempo divino e você irá ascender quando for a hora certa. Quando você vai até o Criador de Tudo o Que É", veja corretamente e aceite o que você vê, uma parte sua já está lá.

25

Crenças, *Downloads* e Sentimentos

Os *downloads* e os sentimentos a seguir são alguns dos que encontrei e considerei benéficos, a partir das sessões de trabalho de crenças dos últimos nove anos. Recomendo "baixar" esses sentimentos.

A centelha de vida

"Eu sei o que é centelha de vida na definição do Criador."
"Eu sei qual é a sensação de ser uma centelha do Criador de Tudo o Que É."

A voz do Criador

"Eu sei o que é a voz do Criador na definição do Criador."
"Eu sei qual é a sensação de ouvir a voz do Criador."
"Eu sei como é a voz do Criador."
"Eu sei como ouvir a voz do Criador."

Absorção

"Eu sei qual é a definição do Criador de absorver a força da vida."
"Eu sei qual é a definição do Criador de absorver informações."
"Eu sei qual é a sensação de absorver informações."
"Eu sei qual informação absorver."
"Eu sei como absorver informações da maneira melhor e mais elevada."
"Eu sei como viver meu dia a dia absorvendo informações."
"Eu sei que é possível absorver informações."

Acreditar em si

"Eu acredito em mim."
"Eu sou uma pessoa positiva."

"Eu sou de boa índole e os outros admiram minha confiança."
"Eu tenho grande força de convicção."
"As esperanças e os sonhos me fazem sentir bem."
"Eu tenho autoconfiança, porque sou bem-sucedido."
"Todos os dias, em todos os sentidos, cresço mais por ser bem-sucedido."
"Eu me afirmo claramente."
"Eu tomo as decisões certas, porque confio em mim."
"Ter confiança me faz sentir bem."

Ação

"Eu sei o que é ação na definição do Criador."
"Eu sei qual é a sensação de agir."
"Eu sei quando agir."
"Eu sei como agir da maneira melhor e mais elevada."
"Eu sei como viver meu dia a dia em ação."
"Eu sei qual é a melhor ação a ser tomada na perspectiva do Criador."
"Eu sei que é possível agir."

Adequação

"Eu sei o que é adequação na definição do Criador."
"Eu sei qual é a sensação de ser adequado."
"Eu sei como ser adequado da maneira melhor e mais elevada."
"Eu sei que é possível ser adequado."

Admiração

"Eu sei o que é admiração na definição do Criador."
"Eu sei qual é a sensação de me admirar sem prepotência."
"Eu sei como admirar os outros da maneira melhor e mais elevada."
"Eu sei como viver meu dia a dia admirando o mundo a meu redor."
"Eu sei o que é admiração na perspectiva do Criador."

Agonia

"Eu sei qual é a sensação de viver sem agonia."
"Eu sei como viver sem agonia."
"Eu sei como viver meu dia a dia sem agonia."
"Eu sei o que é viver sem agonia na perspectiva do Criador."
"Eu sei que é possível viver sem agonia."

Alcançar seu potencial mais elevado

"Eu sei qual é o meu potencial mais elevado na definiçãodo Criador."
"Eu sei qual é a sensação de atingir meu potencial mais elevado."
"Eu sei como alcançar meu potencial mais elevado."
"Eu sei como viver meu dia a dia alcançando meu potencial mais elevado."
"Eu sei qual é meu potencial mais elevado na perspectiva do Criador."
"Eu sei que é possível alcançar meu potencial mais elevado."

Alcoolismo

"Eu sei qual é a sensação de viver sem ser um alcoólatra."
"Eu sei como viver sem ser um alcoólatra."
"Eu sei como viver meu dia a dia sem ser um alcoólatra."
"Eu sei o que é viver sem álcool na perspectiva do Criador."
"Eu sei que é possível viver sem álcool."
"Eu posso viver sem o álcool da maneira melhor e mais elevada."

Animação

"Eu sei qual é a sensação de ser animado da maneira melhor e mais elevada."
"Eu sei quando ser animado."
"Eu sei como viver meu dia a dia animado pela vida."
"Eu sei o que é animação na perspectiva do Criador."
"Eu sei que é possível ser animado."

Anjos

"Eu sei o que é um anjo de luz na definição do Criador."
"Eu sei qual é a sensação de ser angelical."
"Eu sei como ser angelical da maneira melhor e mais elevada."
"Eu sei como viver meu dia a dia sendo angelical."
"Eu sei o que é ser angelical na perspectiva do Criador."
"Eu sei que é possível ser angelical."

Ansiedade

"Eu estou livre da ansiedade."
"Eu tenho uma perspectiva saudável da vida."
"Eu estou feliz e os outros a meu redor não podem me derrubar".
"Eu nunca desabo ou desisto."
"A vida é um desafio gratificante que aprecio."

"O bem sempre vencerá em minha vida."
"Minha vida é cheia de bondade e esperança."
"Eu sou uma pessoa responsável e acredito em mim mesmo."
"Os outros respeitam minha força."
"Meus sentidos buscam sentimentos positivos."
"Eu posso trazer uma oportunidade brilhante para meu futuro."
"O pensamento positivo controla minha mente."
"Eu nunca estou com medo ou sozinho."
"Eu sou uno com a vida, no passado, presente e futuro."
"Eu controlo meu destino."
"Eu sei qual é a sensação de estar livre da ansiedade."
"Eu sei como viver sem ansiedade."
"Eu sei como viver meu dia a dia sem ansiedade."
"Eu sei que é possível viver sem ansiedade."
"Eu sei o que é apreciar a vida na definição do Criador."
"Eu sei qual é a sensação de apreciar a vida."
"Eu sei como apreciar a vida."
"Eu sei que é possível apreciar a vida."
"Eu sei qual é a sensação de ter o controle de meus pensamentos."
"Eu sei como controlar meus pensamentos."
"Eu sei como viver meu dia a dia controlando meus pensamentos."
"Eu sei que é possível controlar meus pensamentos."
"Eu sei o que é bondade e esperança na definição do Criador."
"Eu sei qual é a sensação de ter bondade e esperança."
"Eu sei o que é bondade e esperança na perspectiva do Criador."
"Eu sei que é possível ter bondade e esperança."
"Eu sei qual é a sensação de acreditar em mim mesmo."
"Eu sei como acreditar em mim mesmo."
"Eu sei como viver meu dia a dia acreditando em mim mesmo."
"Eu sei o que é acreditar em mim mesmo na perspectiva do Criador."
"Eu sei que é possível acreditar em mim mesmo."
"Eu sei como separar os sentimentos de outra pessoa dos meus."

Apatia

"Eu sei a definição do Criador de viver sem apatia."
"Eu sei qual é a sensação de viver sem apatia."
"Eu sei como viver sem apatia da maneira melhor e mais elevada."
"Eu sei como viver meu dia a dia sem apatia."
"Eu sei o que é uma vida sem apatia na perspectiva do Criador."
"Eu sei que é possível viver sem apatia."

Apoio

"Eu sei a definição do Criador de ter apoio."
"Eu sei qual é a sensação de ter apoio."
"Eu sei o que é apoio."
"Eu sei como ser apoiado da maneira melhor e mais elevada."
"Eu sei como viver meu dia a dia com apoio."
"Eu sei o que é apoio na perspectiva do Criador."
"Eu sei que é possível de ser apoiado."

Apreciação

"Eu sei o que é apreciação na definição do Criador."
"Eu sou apreciado pelos outros."
"Eu sei qual é a sensação de apreciar os outros."
"Eu sei como ser apreciado da maneira melhor e mais elevada."
"Eu sei como viver meu dia a dia com apreço."
"Eu sei o que é apreciação na perspectiva do Criador."
"Eu sei que é possível ser apreciado."

Aprimoramentos

"Todos os dias, de todas as maneiras, sinto e vejo aprimoramentos em minha vida."
"Eu sei a definição do Criador de aprimoramento."
"Eu sei qual é a sensação de me aprimorar."
"Eu sei como me aprimorar da maneira melhor e mais elevada."
"Eu sei como viver meu dia a dia me aprimorando."
"Eu conheço a perspectiva de aprimoramento do Criador."
"Eu sei o que é aprimoramento na perspectiva do Criador."
"Eu sei que é possível me aprimorar."

Atrair a riqueza

"Eu sei como atrair pessoas e situações positivas."
"Eu sei o que é atrair riqueza na definição do Criador."
"Eu sei qual é a sensação de atrair riqueza."
"Eu sei como atrair riqueza da maneira melhor e mais elevada."
"Eu sei como viver meu dia a dia atraindo riqueza."
"Eu sei o que é atrair riqueza na perspectiva do Criador."
"Eu sei que é possível atrair riqueza."

Autoconfiança

"Eu sou autoconfiante."
"As pessoas me veem como autoconfiante."

"Eu sei o que é autoconfiança na definição do Criador."
"Eu sei qual é a sensação de ser autoconfiante."
"Eu sei como ser autoconfiante da maneira melhor e mais elevada."
"Eu sei como viver meu dia a dia com autoconfiança."
"Eu sei o que é autoconfiança na perspectiva do Criador."
"Eu sei que é possível ser autoconfiante."

Autocontrole

"Eu sei o que é autocontrole na definição do Criador."
"Eu sei o que é autocontrole."
"Eu sei qual é a sensação de ter autocontrole da maneira melhor e mais elevada."
"Eu sei quando ter autocontrole."
"Eu sei como ter autocontrole."
"Eu sei como viver meu dia a dia com autocontrole."
"Eu sei o que é autocontrole na perspectiva do Criador."
"Eu sei que é possível ter autocontrole."

Brilhante

"Eu sei qual é o brilhantismo da minha alma na definição do Criador."
"Eu sei qual é a sensação de ser brilhante."
"Eu sei como ser brilhante."
"Eu sei o que é brilhantismo na perspectiva do Criador."

Clareza mental

"Eu sei o que é clareza mental na definição do Criador."
"Eu sei qual é a sensação de ter a mente clara."
"Eu sei como ter clareza mental da maneira melhor e mais elevada."
"Eu sei como viver meu dia a dia com clareza mental."
"Eu sei o que é clareza mental na perspectiva do Criador."
"Eu sei que é possível ter clareza mental."

Colaboração

"Eu sei o que é colaboração na definição do Criador."
"Eu sei qual é a sensação de colaborar com os outros."
"Eu sei quando colaborar com os outros."
"Eu sei como colaborar com os outros."
"Eu sei como viver meu dia a dia em colaboração."
"Eu sei o que é colaboração na perspectiva do Criador."
"Eu sei que é possível colaborar."

Compreendendo

"Eu sei o que é compreensão na definição do Criador."
"Eu sei qual é a sensação de compreender os outros."
"Eu sei o que é compreensão."
"Eu sei como compreender os outros da maneira melhor e mais elevada."
"Eu sei como viver meu dia a dia compreendendo."
"Eu sei o que é compreensão na perspectiva do Criador."
"Eu sei que é possível compreender."

Compreensão

"Eu compreendo os conceitos facilmente."
"Eu sei qual é a sensação de compreender."
"Eu sei como compreender da maneira melhor e mais elevada."
"Eu sei como viver meu dia a dia com compreensão."
"Eu sei o que é compreender os outros na perspectiva do Criador."
"Eu sei que é possível compreender."

Comunicação

"Eu me comunico bem com os outros."
"Eu sei a definição de comunicação do Criador."
"Eu sei qual é a sensação de comunicar."
"Eu sei como me comunicar da maneira melhor e mais elevada."
"Eu sei o que é comunicação na perspectiva do Criador."
"Eu sei que é possível comunicar."

Confusão

"Eu sei qual é a sensação de viver sem confusão."
"Eu sei como viver sem confusão da maneira melhor e mais elevada."
"Eu sei como viver meu dia a dia sem confusão."
"Eu sei que é possível viver sem confusão."

Consideração

"Eu sei a definição do Criador de ter consideração pelos outros."
"Eu sei qual é a sensação de ter consideração."
"Eu sei quando ter consideração."
"Eu sei como ter consideração."
"Eu sei como viver meu dia a dia com consideração."
"Eu sei o que é consideração na perspectiva do Criador."
"Eu sei que é possível ter consideração."

Controlando o temperamento

"Eu sei qual é a sensação de controlar meu temperamento."
"Eu sei quando controlar meu temperamento."
"Eu sei como controlar o meu temperamento."
"Eu sei como viver meu dia a dia controlando meu temperamento."
"Eu sei que é possível controlar o meu temperamento."

Coordenação

"Eu sou uma pessoa coordenada."
"Eu sei o que é coordenação na definição do Criador."
"Eu sei qual é a sensação de ser coordenado."
"Eu sei como ser coordenado da maneira melhor e mais elevada."
"Eu sei como viver meu dia a dia coordenado com o Criador."
"Eu sei o que é ser coordenado na perspectiva do Criador."
"Eu sei que é possível ser coordenado."

Crescimento

"Eu sei o que é crescimento na definição do Criador."
"Eu sei qual é a sensação de crescer."
"Eu sei como crescer da maneira melhor e mais elevada."
"Eu sei como viver meu dia a dia em crescimento."
"Eu sei o que é crescimento na perspectiva do Criador."
"Eu sei que é possível crescer."

Criatividade

"Eu crio coisas bonitas."
"Eu tenho pensamentos maravilhosos."
"Eu tenho sonhos maravilhosos".
"Eu sou uma pessoa criativa."
"Eu tenho ideias fascinantes."
"Todos os dias, em todos os sentidos, me torno mais criativo."
"Eu sou criativo em todos os sentidos."
"Eu gosto de ser criativo."
"Eu encontro soluções criativas."
"Eu vejo novas possibilidades de criatividade."
"Eu encontro novas maneiras de fazer as coisas."
"Eu sonho coisas fantásticas."
"A cada vez que acordo, sou mais criativo."
"Eu sei o que é criatividade na definição do Criador."

"Eu sei qual é a sensação de ser criativo."
"Eu sei como ser criativo."
"Eu sei o que é criatividade na perspectiva do Criador."
"Eu sei que é possível ser criativo."
"Eu sei o que criar."
"Eu sei qual é a sensação de ter pensamentos maravilhosos."
"Eu sei qual é a sensação de ter sonhos maravilhosos".
"Eu sei como ser uma pessoa criativa."
"Eu sei qual é a sensação de fazer o *download* de ideias fascinantes vindas do Criador de Tudo o Que É".
"Eu sei como fazer o *download* de ideias fascinantes vindas do Criador de Tudo o Que É".
"Eu sei qual é a sensação de resolver situações difíceis com soluções criativas."
"Eu sei qual é a sensação de oferecer conselhos criativos."
"Eu sei qual é a sensação de ter uma visão criativa."
"Eu sei qual é a sensação de ser inteligente e brilhante".
"Eu sei qual é a sensação de ser criativo em todos os níveis do meu ser: física, emocional, mental e espiritualmente."

Culpa

"Eu estou aqui agora."
"Eu estou vivo."
"Eu vejo claramente agora."
"Eu me sinto bem agora."
"Eu me sinto bem estando em meu corpo."
"Eu sou livre."
"Eu mereço uma vida boa."
"Eu ouço claramente agora."
"Eu perdoo a mim mesmo."
"Eu respiro agora."
"Eu sei a definição do Criador de viver sem culpa compulsiva."
"Eu sei qual é a sensação de viver sem culpa compulsiva."
"Eu sei como viver meu dia a dia sem culpa compulsiva."

Cura

"Eu sou feliz."
"Eu sou saudável."
"Eu como boa comida."

"Eu gosto de exercícios."
"Eu relaxo."
"A dor se foi."
"Eu posso realizar."
"Eu sou forte."
"Eu gosto de mim."
"Tudo está bem."
"Eu estou bem."
"Meu corpo é poderoso."
"Eu sei o que é cura na definição do Criador."
"Eu sei qual é a sensação de curar os outros."
"Eu sei qual é a sensação de me curar."
"Eu sei o que é uma cura instantânea na definição do Criador."
"Eu sei quando curar os outros."
"Eu sei como curar os outros e a mim mesmo."
"Eu sei como viver meu dia a dia em regeneração."
"Eu sei o que é cura na perspectiva do Criador."
"Eu sei que é possível curar os outros e a mim mesmo."
"Eu sei como curar por meio do Criador de Tudo o Que É."

Curiosidade

"Eu sei o que é curiosidade na definição do Criador."
"Eu sei qual é a sensação de ser curioso."
"Eu sei quando ser curioso."
"Eu sei como ser curioso da maneira melhor e mais elevada."
"Eu sei como viver meu dia a dia com curiosidade em relação ao que há a meu redor."
"Eu sei o que é curiosidade na perspectiva do Criador."

Dignidade

"Eu sei o que é dignidade na definição do Criador."
"Eu sei qual é a sensação de ter dignidade."
"Eu sei quando ter dignidade."
"Eu sei como viver meu dia a dia com dignidade."
"Eu sei o que é dignidade na perspectiva do Criador."
"Eu sei que é possível ter dignidade."

Disciplina

"Eu sei a definição do Criador de ser disciplinado e alcançar meus objetivos."

"Eu sei qual é a sensação de ser disciplinado e alcançar meus objetivos."
"Eu sei quando ser disciplinado e alcançar meus objetivos."
"Eu sei como ser disciplinado e alcançar meus objetivos da maneira melhor e mais elevada."
"Eu sei como viver meu dia a dia de forma disciplinada e alcançar meus objetivos."
"Eu sei o que é ser disciplinado e alcançar meus objetivos na perspectiva do Criador."
"Eu sei que é possível ter disciplina e alcançar meus objetivos."

Divindade

"Eu sei o que é divindade na definição do Criador."
"Eu sei qual é a sensação de ser divino."
"Eu sei como ser divino da maneira melhor e mais elevada."
"Eu sei como viver meu dia a dia na divindade."
"Eu sei o que é ser divino na perspectiva do Criador."
"Eu sei que é possível ser divino."

Elegância

"Eu sei o que é elegância na definição do Criador."
"Eu sei qual é a sensação de ser elegante."
"Eu sei quando ser elegante."
"Eu sei como ser elegante."
"Eu sei como viver meu dia a dia com elegância."
"Eu sei o que é elegância na perspectiva do Criador."
"Eu sei que é possível ser elegante."

Elevação espiritual

"Eu sei o que é ser elevado na definição do Criador"
"Eu sei qual é a sensação de elevar a mim e aos outros."
"Eu sei como elevar a mim e aos outros."
"Eu sei como viver meu dia a dia elevando a mim e aos outros para o bem maior."
"Eu sei o que é elevar a mim e aos outros na perspectiva do Criador."
"Eu sei que é possível elevar a mim e aos outros."

Eloquência

"Eu sei o que é eloquência na definição do Criador."
"Eu sei qual é a sensação de ser eloquente."

"Eu sei quando ser eloquente."
"Eu sei como ser eloquente."
"Eu sei como viver meu dia a dia com eloquência."
"Eu sei o que é eloquência na perspectiva do Criador."
"Eu sei que é possível ser eloquente."

Emagrecimento

"Eu assumo a responsabilidade pelo que como."
"Eu me vejo como atraente e magro."
"Eu aprecio frutas e legumes."
"Eu gosto de exercícios."
"Eu sei como me exercitar."
"Eu gosto de comer menos."
"Eu sei qual é a sensação de comer menos."
"Eu sei como comer menos."
"Eu sei como viver meu dia a dia comendo menos."
"Eu sei que é possível comer menos."
"Eu sei a definição do Criador de comer de forma saudável."
"Eu sei qual é a sensação de comer de forma saudável."
"Eu sei como comer de forma saudável."
"Eu sei como viver meu dia a dia comendo de forma saudável."
"Eu sei o que é comer de forma saudável na perspectiva do Criador."
"Eu sei que é possível comer de forma saudável."
"Eu sei a definição do Criador de ser atraente e magro."
"Eu sei qual é a sensação de ser atraente e magro."
"Eu sei que é possível ser atraente e magro."
"Eu sei o que é emagrecimento na definição do Criador."
"Eu sei qual é a sensação de emagrecer."
"Eu sei como emagrecer."
"Eu sei qual é a sensação de emagrecer diariamente."
"Eu sei qual é a sensação de me exercitar."
"Eu sei como me exercitar de forma responsável."
"Eu sei como viver meu dia a dia me exercitando."
"Eu sei que é possível me exercitar."
"Eu sei qual é a sensação de substituir a comida pelo exercício."
"Eu sei como me sentir bem comigo mesmo."
"Eu sei qual é a sensação de comer o alimento que é bom para meu corpo."
"Eu sei como viver meu dia a dia sem excessos."

"Eu sei como viver meu dia a dia sem me sentir desanimado com meu peso."

Empoderamento

"Eu sei qual é a sensação de confiar e acreditar em mim."
"Eu sei qual é a sensação de ter as pessoas confiando e acreditando em mim."
"Eu sei qual é a sensação de ser responsável por minhas ações."
"Eu sei qual é a sensação de fazer boas escolhas."
"Eu sei qual é a sensação de tomar decisões corretas para mim e para os que me rodeiam."
"Eu sei qual é a sensação de aprender com os desafios da vida."
"Eu sei qual é a sensação de ser independente."
"Eu sei qual é a sensação de esperar pelo amanhã."
"Eu sei qual é a sensação de ter a mente sagaz e atenta."
"Eu sei qual é a sensação de ser paciente comigo mesmo."
"Eu sei qual é a sensação de ser confiável."
"Eu sei qual é a sensação de ter princípios elevados."
"Eu sei qual é a sensação de ser responsável por meu destino."
"Eu sei qual é a sensação de ser bem-sucedido."

Energia

"Eu sei o que é ter energia na definição do Criador."
"Eu sei qual é a sensação de ter energia."
"Eu sei quando ter energia e quando descansar."
"Eu sei como ter energia da maneira melhor e mais elevada."
"Eu sei como viver meu dia a dia com energia."
"Eu sei o que é ter energia na perspectiva do Criador."

Engano

"Eu sei qual é a sensação de viver sem ser enganado."
"Eu sei como viver meu dia a dia sem ser enganado."
"Eu sei que é possível viver sem ser enganado."

Enraizamento

"Eu sei o que é enraizamento na definição do Criador."
"Eu sei qual é a sensação de estar enraizado."
"Eu sei quando me enraizar."
"Eu sei como me enraizar da maneira melhor e mais elevada."
"Eu sei o que é enraizamento na perspectiva do Criador."
"Eu sei que é possível estar enraizado."

Ensino

"Eu sei a definição do Criador de ensinar os outros."
"Eu sei qual é a sensação de ensinar os outros."
"Eu sei como ensinar os outros da maneira melhor e mais elevada."
"Eu sei o que é ensinar na perspectiva do Criador."
"Eu sei que é possível ensinar os outros."

Esperança

"Eu sei o que é esperança na definição do Criador."
"Eu sei qual é a sensação de ter esperança da maneira melhor e mais elevada."
"Eu sei como ter esperança da maneira melhor e mais elevada."
"Eu sei como viver minha vida diária com esperança."
"Eu sei o que é esperança na perspectiva do Criador."
"Eu sei que é possível ter esperança."

Espiritualidade

"Eu sei o que é espiritualidade na definição do Criador."
"Eu sei qual é a sensação de ser espiritual da maneira melhor e mais elevada."
"Eu sei o que é espiritualidade na perspectiva do Criador."
"Eu sei que é possível ser espiritual."

Esplendor

"Eu sei o que é esplendor na definição do Criador."
"Eu sei qual é a sensação de esplendor."
"Eu sei o que é esplendor na perspectiva do Criador."

Espontaneidade

"Eu sei o que é espontaneidade na definição do Criador."
"Eu sei qual é a sensação de ser espontâneo."
"Eu sei quando ser espontâneo."
"Eu sei como ser espontâneo da maneira melhor e mais elevada."
"Eu sei como viver meu dia a dia de forma espontânea."
"Eu sei o que é espontaneidade na perspectiva do Criador."
"Eu sei que é possível ser espontâneo."

Estar encantado

"Eu sei o que é estar encantado na definição do Criador."
"Eu sei qual é a sensação de estar encantado."

"Eu sei como estar encantado da maneira melhor e mais elevada."
"Eu sei como viver meu dia a dia encantado com o mundo."
"Eu sei o que é estar encantado na perspectiva do Criador."
"Eu sei que é possível estar encantado."

Estar presente

"Eu sei o que é estar presente na definição do Criador."
"Eu sei qual é a sensação de estar presente."
"Eu sei quando estar presente."
"Eu sei como estar presente."
"Eu sei como viver meu dia a dia estando presente."
"Eu sei o que é estar presente na perspectiva do Criador."
"Eu sei que é possível estar presente."

Estresse

"Eu sei como relaxar."
"Eu gosto de exercícios que aliviam o estresse."
"Eu posso mudar as situações que causam estresse."
"Eu sou importante."
"Eu libero o estresse."
"Eu faço refeições regulares."
"Eu identifico o estresse e o libero."
"Eu gosto de pessoas."
"As pessoas gostam de mim."
"O sucesso é meu."

Estudar

"Eu quero o sucesso."
"Eu sei como organizar meu tempo para estudar."
"Eu gosto de estudar."
"Eu sei como relaxar em testes."
"Minha mente absorve as informações com facilidade."
"Eu lembro o que estudo."
"Lembro-me das respostas certas em testes."

Eternidade

"Eu sei o que é a minha eternidade na definição do Criador."

Existência

"Eu sei o que é a minha existência na definição do Criador."

Expansão

"Eu sei o que é expansão na definição do Criador."
"Eu sei qual é a sensação de expandir em todos os níveis."
"Eu sei quando expandir."
"Eu sei como expandir da maneira melhor e mais elevada."
"Eu sei o que é expansão espiritual e mental na perspectiva do Criador."
"Eu sei que é possível expandir."

Falar e escrever

"Eu falo e me comunico bem."
"Conversas fluem facilmente comigo."
"Eu escrevo pensamentos interessantes."
"As pessoas estão interessadas em meus pensamentos."
"As palavras vêm naturalmente para mim."
"Eu sou um orador espontâneo."
"Eu tenho pensamentos complexos e os torno simples."
"Falo e escrevo meus pensamentos com clareza."
"Falo com facilidade e sou facilmente compreendido."

Fidelidade

"Eu sei o que é fidelidade na definição do Criador."
"Eu sei qual é a sensação de ser fiel."
"Eu sei como ser fiel da maneira melhor e mais elevada."
"Eu sei o que é fidelidade na perspectiva do Criador."
"Eu sei que é possível ser fiel."

Força

"Eu sei o que é força na definição do Criador."
"Eu sei qual é a sensação de ser forte."
"Eu sei o que é força."
"Eu sei como ser forte da maneira melhor e mais elevada."
"Eu sei como viver meu dia a dia com força."
"Eu sei o que é força na perspectiva do Criador"
"Eu sei que é possível ser forte."

Frequência

"Eu sei qual é a minha frequência de vibração na definição do Criador."

Fumar

"Eu posso parar de fumar."
"Estou fumando menos até que eu pare de fumar."
"É desinteressante para mim fumar."
"Eu posso parar com o hábito de fumar."
"Eu sei qual é a sensação de parar de fumar."
"Eu sei como parar de fumar."
"Eu sei como viver sem o fumo."
"Eu sei que é possível viver sem fumar."

Generosidade

"Eu sei o que é generosidade na definição do Criador."
"Eu sei qual é a sensação de ser generoso."
"Eu sei quando ser generoso."
"Eu sei como ser generoso da maneira melhor e mais elevada."
"Eu sei como viver meu dia a dia generosamente."
"Eu sei o que é generosidade na perspectiva do Criador."
"Eu sei que é possível ser generoso."

Genética

"Eu sei o que é genética na definição do Criador."
"Eu sei o que é genética na perspectiva do Criador."

Gestão do tempo

"Eu sei como planejar meu tempo com sabedoria."
"Eu sei como criar um momento de silêncio sem interrupções."
"Eu tenho tempo de sobra."
"Eu sou o mestre de minha agenda."
"Eu sei como começar hoje e planejar o amanhã."
"Planejamento me dá mais tempo para diversão."
"Sou flexível e persistente."
"Eu reconheço e sei lidar com as demandas conflitantes do tempo."
"É sempre possível."
"Eu sei como definir minhas próprias prioridades."
"Planejamento me dá o máximo de benefícios de um tempo mínimo."
"Eu tomo as ações agora."
"Estou confiante em minhas decisões e prioridades."

Gratidão

"Eu sei o que é gratidão na definição do Criador."
"Eu sei qual é a sensação de ter gratidão."
"Eu sei quando ter gratidão."
"Eu sei como ter gratidão."
"Eu sei como viver meu dia a dia em gratidão."
"Eu sei o que é gratidão na perspectiva do Criador."
"Eu sei que é possível ter gratidão."

Habilidades

"Eu sei qual é a definição do Criador de desenvolver minhas habilidades."
"Eu sei qual é a sensação de usar minhas habilidades da maneira melhor e mais elevada."
"Eu sei como viver meu dia a dia utilizando ao máximo minhas habilidades."
"Eu sei quais são as minhas habilidades na perspectiva do Criador ."
"Eu sei que é possível realizar o pleno potencial de minhas habilidades."

Holismo

"Eu sei a definição do Criador de ver a vida de forma holística."
"Eu sei como viver meu dia a dia de forma holística."

Ilusão

"Eu sei o que é ilusão na definição do Criador."
"Eu sei qual é a sensação de ver a ilusão da vida."
"Eu sei como ver a ilusão da vida."
"Eu sei o que é ilusão na perspectiva do Criador."

Iniciativa

"Eu sei o que é ter iniciativa na definição do Criador."
"Eu sei qual é a sensação de ter iniciativa."
"Eu sei como ter iniciativa."
"Eu sei como viver meu dia a dia com a verdadeira iniciativa."
"Eu sei o que é iniciativa na perspectiva do Criador."
"Eu sei que é possível ter iniciativa."
"Eu sei como dar o próximo passo espiritual."
"Eu estou atento ao espaço do outro."

"Eu estou consciente do espaço do outro."
"Eu sei como viver meu dia a dia sem o medo do desconhecido."
"Eu sei como viver meu dia a dia sem temer nada."

Inteligência

"Todos os dias, de todas as maneiras, me torno mais inteligente."
"Eu sei o que é inteligência na definição do Criador."
"Eu sei qual é a sensação de ser inteligente."
"Eu sei como ser inteligente da maneira melhor e mais elevada."
"Eu sei como viver meu dia a dia com inteligência."
"Eu sei o que é inteligência na perspectiva do Criador."
"Eu sei que é possível ser inteligente."

Interação

"Eu sei o que é interagir em todas as situações na definição do Criador."
"Eu sei qual é a sensação de interagir."
"Eu sei quando interagir em todas as situações."
"Eu sei como interagir em todas as situações."
"Eu sei como viver meu dia a dia interagindo em todas as situações."
"Eu sei que é possível interagir em todas as situações."

Interesse

"Eu posso estar atento aos outros da maneira melhor e mais elevada."
"Eu sei o que é estar atento aos outros na definição do Criador."
"Eu sei qual é a sensação de estar atento aos outros."
"Eu sei quando estar atento."
"Eu sei como estar atento da maneira melhor e mais elevada."
"Eu sei o que é estar atento aos outros na perspectiva do Criador."
"Eu sei que é possível estar atento aos outros."

Intuição

"Todos os dias, de todas as maneiras, tenho mais intuição."
"Eu sei o que é intuição na definição do Criador."
"Eu sei qual é a sensação de ter intuição da maneira melhor e mais elevada."
"Eu sei como ser intuitivo."
"Eu sei o que é intuição na perspectiva do Criador."
"Eu sei que é possível ter intuição."

Lealdade

"Eu sei o que é lealdade na definição do Criador."
"Eu sei qual é a sensação de ser leal aos outros e a mim mesmo."
"Eu sei como ser leal da maneira melhor e mais elevada."
"Eu sei o que é lealdade na perspectiva do Criador."
"Eu sei que é possível ser leal."

Liberdade

"Eu sei o que é liberdade na definição do Criador."
"Eu sei qual é a sensação de ser livre."
"Eu sei como ser livre da maneira melhor e mais elevada."
"Eu sei como viver meu dia a dia em liberdade."
"Eu sei o que é liberdade na perspectiva do Criador."
"Eu sei que é possível ser livre."

Maestria

"Eu sei o que é maestria na definição do Criador."

Magia das fadas

"Eu sei, da maneira melhor e mais elevada, qual é a sensação da magia das fadas."

Magnificência

"Eu sei o que é magnificência na definição do Criador."
"Eu sei qual é a sensação de ser magnificente."
"Eu sei como ser magnificente da maneira melhor e mais elevada."
"Eu sei como viver meu dia a dia com magnificência."
"Eu sei o que é magnificência na perspectiva do Criador"
"Eu sei que é possível ser magnificente."

Manifestando-se

"Eu sei a definição do Criador de manifestar-se."
"Eu sei qual é a sensação de manifestar-se da maneira melhor e mais elevada."
"Eu sei quando me manifestar."
"Eu sei como me manifestar."
"Eu sei como viver meu dia a dia manifestando coisas boas."
"Eu sei o que é manifestar-se na perspectiva do Criador"
"Eu sei que é possível manifestar-se."

Maravilhas

"Eu sei a definição do Criador de estar maravilhado com a vida."
"Eu sei qual é a sensação de estar maravilhado."
"Eu sei como estar maravilhado da maneira melhor e mais elevada."
"Eu sei como viver meu dia a dia maravilhado com a vida."
"Eu sei o que são maravilhas na perspectiva do Criador."
"Eu sei que é possível ficar maravilhado."

Memória

"Eu gosto de mim."
"Minha mente absorve informações como uma esponja."
"Eu sei articular os pensamentos."
"Eu tenho uma capacidade infinita de lembrar."
"Lembro-me claramente."
"Lembro-me de imagens."
"Lembro-me de eventos como eles realmente aconteceram."
"Eu consigo lembrar rostos, nomes e eventos."
"Minha memória é aperfeiçoada diariamente."
"Estou relaxado e lembro-me facilmente."
"Lembro-me de informações para testes com facilidade."
"Eu sei o que é memória na definição do Criador."
"Eu sei qual é a sensação de ter uma boa memória."
"Eu sei como ter uma boa memória."
"Eu sei que é possível ter uma boa memória."
"Eu sei qual é a sensação de me lembrar com facilidade."
"Eu sei que é possível ter uma capacidade infinita de lembrar."
"Eu sei qual é a sensação de lembrar imagens."
"Eu sei como lembrar imagens."
"Eu sei qual é a sensação de associar memórias novas com antigas."
"Eu sei qual é a sensação de lembrar, mesmo em situações estressantes."

Metafísica

"Eu sei o que é metafísica na definição do Criador."
"Eu sei como ser metafísico da maneira melhor e mais elevada."
"Eu sei o que é metafísica na perspectiva do Criador."
"Eu sei que é possível ser metafísico sem ego."

Metas

"Eu sei o que é ter metas na definição do Criador."
"Eu sei qual é a sensação de ter metas."
"Eu sei quando ter metas."
"Eu sei como ter metas."
"Eu sei o que é ter metas na perspectiva do Criador."
"Eu sei que é possível ter metas."

Misericórdia

"Eu sei o que é misericórdia na definição do Criador."
"Eu sei qual é a sensação de ter misericórdia."
"Eu sei quando ter misericórdia."
"Eu sei como ter misericórdia da maneira melhor e mais elevada."
"Eu sei como viver meu dia a dia com misericórdia."
"Eu sei o que é misericórdia na perspectiva do Criador."
"Eu sei que é possível ter misericórdia."

Misticismo

"Eu sei o que é misticismo na definição do Criador."
"Eu sei qual é a sensação de ser místico da maneira melhor e mais elevada."
"Eu sei quando ser místico."
"Eu sei como ser místico."
"Eu sei o que é ser místico na perspectiva do Criador."
"Eu sei que é possível ser místico."

Mudança sem resistência

"Eu sei qual é a sensação de experimentar a mudança da maneira melhor e mais elevada, sem resistência."
"Eu sei quando experimentar mudanças sem resistência."
"Eu sei como experimentar mudanças sem resistência."
"Eu sei que é possível experimentar mudanças sem resistência."

Negócio

"Eu sei qual é a sensação de ter um negócio."
"Eu sei como ter um negócio."
"Eu sei que é possível ter um negócio."
"Eu sei como desenvolver meu negócio da maneira melhor e mais elevada."

Nobreza

"Eu sei o que é nobreza na definição do Criador."
"Eu sei qual é a sensação de ser nobre."
"Eu sei quando ser nobre."
"Eu sei como ser nobre da maneira melhor e mais elevada."
"Eu sei como viver meu dia a dia nobremente."
"Eu sei o que é ser nobre na perspectiva do Criador."
"Eu sei que é possível ser nobre."

O futuro

"Eu sei o que é futuro na definição do Criador."
"Eu sei qual é a sensação de me lembrar do futuro."
"Eu sei como me lembrar do futuro da maneira melhor e mais elevada."
"Eu sei o que é futuro na perspectiva do Criador."
"Eu sei que é possível lembrar o futuro."

O sistema imunológico

"Todos os dias, de todas as maneiras, meu sistema imunológico é forte e resistente."
"Eu sei a definição do Criador do que um sistema imunológico deveria ser."
"Eu sei qual é a sensação de ter um sistema imunológico forte e saudável."
"Eu sei como ter um sistema imunológico forte da maneira melhor e mais elevada."
"Eu sei como viver meu dia a dia com um sistema imunológico forte."
"Eu sei o que é um sistema imunológico forte e saudável na perspectiva do Criador."
"Eu sei que é possível ter um sistema imunológico forte e saudável."

Onipresença

"Eu sei o que é onipresença na definição do Criador."
"Eu sei qual é a sensação de ser onipresente com a criação da maneira melhor e mais elevada."
"Eu sei como ser onipresente com a criação."
"Eu sei como viver meu dia a dia sendo onipresente."
"Eu sei o que é onipresença na perspectiva do Criador."
"Eu sei que é possível ser onipresente."

Paciência

"Eu sou uma pessoa paciente."
"Paciência é tolerância."
"Paciência é compreensão."
"A paciência é natural."
"A paciência é boa."
"Eu sou paciente comigo mesmo."
"Eu sou paciente com os outros."
"Eu aprecio ser paciente."
"Eu sei o que é paciência na definição do Criador."
"Eu sei qual é a sensação de ser paciente."

Paixão

"Eu sei o que é paixão na definição do Criador."
"Eu sei qual é a sensação de me apaixonar da maneira melhor e mais elevada."
"Eu sei quando me apaixonar."
"Eu sei como me apaixonar"
"Eu sei como viver meu dia a dia com paixão."
"Eu sei o que é paixão na perspectiva do Criador."
"Eu sei que é possível ser apaixonado."

Possibilidades

"Eu sei o que são possibilidades na definição do Criador."
"Eu sei qual é a sensação de ter possibilidades."
"Eu sei que existem possibilidades disponíveis para mim."
"Eu sei quando ter possibilidades."
"Eu sei como ter possibilidades da maneira melhor e mais elevada."
"Eu sei como viver meu dia a dia com possibilidades."
"Eu sei o que são possibilidades na perspectiva do Criador."

Potencial

"Eu posso crescer em qualquer direção."
"Eu sou ilimitado em possibilidades pessoais."
"Eu sou uma pessoa positiva."
"A cada dia, ascendo mais em minha consciência pessoal."
"Meu espírito é ilimitado."
"Independência é força."
"Em meu coração, tenho só bondade."

"Outros me respeitam e acreditam em meu potencial."
"As pessoas sabem que sou uma pessoa forte."

Preciosidade

"Eu sei a definição do Criador de que a vida é preciosa."
"Eu sei o que é precioso na perspectiva do Criador."

Precisão

"Eu sei o que é precisão na definição do Criador."
"Eu sei qual é a sensação de ser preciso."
"Eu sei como ser preciso da maneira melhor e mais elevada."
"Eu sei como viver meu dia a dia com precisão."
"Eu sei o que é a precisão na perspectiva do Criador."

Preocupação

"Melhor não me preocupar."
"Preocupações desaparecem de minha mente."
"Eu sei qual é a sensação de estar livre de preocupações."
"Eu sei como viver meu dia a dia sem preocupações."
"Eu sei que é possível viver sem me preocupar."
"Eu sei qual é a sensação de ter uma perspectiva saudável na vida".
"Eu sei qual é a sensação de não permitir que os outros me coloquem para baixo."
"Eu sei qual é a sensação de nunca desistir."
"Eu sei como viver minha vida cheio de bondade e esperança."
"Eu sei qual é a sensação de ser uma pessoa responsável."
"Eu sei qual é a sensação de acreditar em mim mesmo."
"Eu sei qual é a sensação de ser respeitado pelos outros."
"Eu sei qual é a sensação de ter firmeza e sabedoria."
"Eu sei qual é a sensação de receber pensamentos produtivos e positivos do Criador diariamente."
"Eu sei que é possível meus sentidos conhecidos e desconhecidos procurarem sentimentos positivos."
"Eu sei como ter equilíbrio em todos os aspectos de minha vida."
"Eu sei a diferença entre atenção e preocupação."
"Eu sei qual é a sensação de ver o futuro positivamente."
"Eu sei qual é a sensação de estar imerso em pensamentos positivos."
"Eu sei qual é a sensação de estar em harmonia com vida passada, presente e futura."

"Eu sei qual é a sensação de controlar meu destino por meio do Criador de Tudo o Que É."

Questões de curador

"Eu sei a definição do Criador de ser responsável por meu poder."
"Eu tenho bom senso sobre minhas habilidades."
"Eu sei qual é a sensação de amar."
"Eu sei como ser completamente amado e aceito."
"Eu sei qual é a sensação de os meus colegas me aceitarem."
"Eu sei como trazer os colegas certos para mim."
"Eu sei qual é a sensação de saber em quem posso confiar."
"Eu sei como atrair as pessoas de confiança para mim."
"Eu sei o que é um amigo na perspectiva do Criador."
"Eu sei como atrair amigos que correspondam à minha vibração."
"Eu sei qual é a sensação de ter a abundância do Criador."
"Eu sei o que fazer com a abundância do Criador."
"Eu sei qual é a sensação de ter dinheiro."

Quietude

"Eu sei o que é quietude na definição do Criador."
"Eu sei qual é a sensação de ficar quieto e ouvir o Criador."
"Eu sei quando ficar quieto."
"Eu sei como ficar quieto da maneira melhor e mais elevada."
"Eu sei o que é quietude na perspectiva do Criador."
"Eu sei que é possível ficar quieto."

Radiante

"Eu sei a definição do Criador de irradiar alegria aos outros."
"Eu sei qual é a sensação de ser radiante."
"Eu sei como ser radiante da maneira melhor e mais elevada."
"Eu sei como viver meu dia a dia irradiando raios positivos."
"Eu sei o que é ser radiante na perspectiva do Criador."
"Eu sei que é possível irradiar a energia do Criador de Tudo o Que É."

Realização

"Eu sei o que é realização na definição do Criador."
"Eu sei qual é a sensação de realizar meus objetivos da maneira melhor e mais elevada."

Recompensa

"Eu sei o que é recompensa na definição do Criador."
"Eu sei qual é a sensação de ser recompensado da maneira melhor e mais elevada."
"Eu sei quando recompensar os outros."
"Eu sei como ser recompensado."
"Eu sei o que é recompensa na perspectiva do Criador."
"Eu sei que é possível ser recompensado."

Respeitar os outros

"Eu sei a definição do Criador de respeitar outra pessoa."
"Eu sei qual é a sensação de respeitar outra pessoa."
"Eu sei quando respeitar outra pessoa."
"Eu sei como respeitar outra pessoa."
"Eu sei como viver meu dia a dia respeitando outras pessoas."
"Eu sei o que é respeitar outras pessoas na perspectiva do Criador."
"Eu sei que é possível respeitar outras pessoas."

Respostas

"As respostas vêm a mim com facilidade."
"Eu sei a definição do Criador de obter as respostas para as perguntas."
"Eu sei qual é a sensação de receber as respostas pelo Criador."
"Eu sei as respostas."
"Eu sei quando obter respostas."
"Eu sei como obter a melhor e mais elevada resposta."
"Eu sei o que é obter respostas na perspectiva do Criador."
"Eu sei que é possível receber respostas por meio do Criador."

Ritmo

"Eu sei o que é ritmo na definição do Criador."
"Eu sei como sentir o ritmo da criação da maneira melhor e mais elevada."
"Eu sei como viver meu dia a dia com ritmo."
"Eu sei o que é ritmo na perspectiva do Criador."
"Eu sei que é possível ter ritmo."

Romance

"Eu sei o que é romance na definição do Criador."
"Eu sei qual é a sensação de ser romântico da maneira melhor e mais elevada."
"Eu sei quando o romance é para meu bem maior."
"Eu sei como permitir o romance em minha vida."
"Eu sei o que é romance na perspectiva do Criador."
"Eu sei que é possível ser romântico com meu parceiro."

Satisfação

"Eu sei o que é satisfação na definição do Criador."
"Eu sei qual é a sensação de estar satisfeito da maneira melhor e mais elevada."
"Eu sei quando estar satisfeito."
"Eu sei como estar satisfeito."
"Eu sei como viver meu dia a dia satisfeito."
"Eu sei o que é satisfação na perspectiva do Criador."
"Eu sei que é possível estar satisfeito."

Ser abandonado

"Eu sei como viver a minha vida sem ser abandonado."
"Eu sei qual é a sensação de viver sem ser abandonado."

Ser adorável

"Eu sou adorável para os outros."
"Eu sei a definição do Criador de ser adorável."
"Eu sei qual é a sensação de ser adorável."
"Eu sei como ser adorável da maneira melhor e mais elevada."
"Eu sei o que é ser adorável na perspectiva do Criador."
"Eu sei que é possível ser adorável."

Ser atraente

"Os outros me veem como uma pessoa atraente."
"Eu me vejo como atraente."
"Eu sei a definição do Criador de ser atraente."
"Eu sei qual é a sensação de ser atraente."
"Eu sei como ser atraente da maneira melhor e mais elevada."
"Eu sei o que é ser atraente na perspectiva do Criador."
"Eu sei que é possível ser atraente."

Ser autêntico

"Eu sei a definição do Criador de ser autêntico."
"Eu sei qual é a sensação de ser autêntico da maneira melhor e mais elevada."
"Eu sei quando ser autêntico."
"Eu sei como ser autêntico."
"Eu sei que é possível ser autêntico."

Ser bem composto

"Estou sempre bem composto."
"Eu sei qual é a definição do Criador de ser bem composto."
"Eu sei qual é a sensação de estar bem composto."
"Eu sei quando estar bem composto."
"Eu sei como estar bem composto da maneira melhor e mais elevada."
"Eu sei que é possível estar bem composto."

Ser capaz

"Eu sou uma pessoa capaz."
"Eu sei a definição do Criador de ser capaz."
"Eu sei qual é a sensação de ser capaz."
"Eu sei como ser capaz da maneira melhor e mais elevada."
"Eu sei como viver meu dia a dia sendo capaz."
"Eu sei o que é ser capaz na perspectiva do Criador."
"Eu sei que é possível ser capaz."

Ser desajeitado

"Eu sei qual é a sensação de viver sem ser desajeitado."
"Eu sei como viver meu dia a dia sem ser desajeitado."
"Eu sei que é possível viver meu dia a dia sem ser desajeitado."

Ser ético

"Eu sei a definição do Criador de ser ético."
"Eu sei qual é a sensação de ser ético."
"Eu sei como ser ético da maneira melhor e mais elevada."
"Eu sei como viver meu dia a dia de forma ética."
"Eu sei o que é ética na perspectiva do Criador."
"Eu sei que é possível ser ético."

Ser gentil

"Eu sei a definição do Criador de ser gentil."
"Eu sei qual é a sensação de ser gentil da maneira melhor e mais elevada."
"Eu sei quando ser gentil, mas firme."
"Eu sei o que é ser gentil na perspectiva do Criador."
"Eu sei que é possível ser gentil."

Ser o melhor que você pode

"Eu sei a definição do Criador de ser o melhor que posso ser."
"Eu sei qual é a sensação de ser o melhor que posso ser."
"Eu sei como ser o melhor que posso ser da maneira mais elevada."
"Eu sei como viver meu dia a dia sendo o melhor que posso ser."
"Eu sei o que é ser meu melhor na perspectiva do Criador."
"Eu sei que é possível ser o melhor que posso ser."

Ser respeitado

"Eu sei a definição do Criador de ser respeitado por meus amigos."
"Eu sei qual é a sensação de ser respeitado por meus amigos."
"Eu sei como ser respeitado por meus amigos."
"Eu sei que é possível ser respeitado por meus amigos."
"Eu sei a definição do Criador de ser respeitado por meus professores."
"Eu sei qual é a sensação de ser respeitado por meus professores."
"Eu sei como ser respeitado por meus professores."
"Eu sei que é possível ser respeitado por meus professores."
"Eu sei a definição do Criador de ser respeitados por meus alunos."
"Eu sei qual é a sensação de ser respeitado por meus alunos."
"Eu sei como ser respeitado por meus alunos."
"Eu sei que é possível ser respeitado por meus alunos."

Ser rude

"Eu sei qual é a sensação de viver minha vida sem ser rude."

Ser sensível

"Eu sei a definição do Criador de ser sensível."
"Eu sei qual é a sensação de ser sensível."
"Eu sei como ser sensível da maneira melhor e mais elevada."
"Eu sei como ser sensível."

"Eu sei o que é ser sensível na perspectiva do Criador."
"Eu sei que é possível ser sensível."

Ser um estudante

"Eu sei a definição do Criador de ser um estudante."
"Eu sei qual é a sensação de me tornar um estudante."
"Eu sei como me tornar um estudante."
"Eu sei que é possível me tornar um estudante."

Ser um gênio

"Eu sei a definição do Criador de ser um gênio."
"Eu sei qual é a sensação de ser um gênio."
"Eu sei como ser um gênio da maneira melhor e mais elevada."
"Eu sei que é possível ser um gênio."

Significado

"Eu sei a definição do Criador de ser significante."
"Eu sei qual é a sensação de ser significante."
"Eu sei quando ser significante."
"Eu sei como ser significante da maneira melhor e mais elevada."
"Eu sei como viver meu dia a dia sendo significante."
"Eu sei o que é ter significante na perspectiva do Criador."
"Eu sei que é possível ser significante."

Sinceridade

"Eu sei o que é sinceridade na definição do Criador."
"Eu sei qual é a sensação de ser sincero."
"Eu sei o que é sinceridade."
"Eu sei quando ser sincero."
"Eu sei como ser sincero da maneira melhor e mais elevada."
"Eu sei como viver meu dia a dia com sinceridade."
"Eu sei o que é sinceridade na perspectiva do Criador."
"Eu sei que é possível ser sincero."

Sofisticação

"Eu sei o que é sofisticação na definição do Criador."
"Eu sei qual é a sensação de ser sofisticado."
"Eu sei como ser sofisticado da maneira melhor e mais elevada."
"Eu sei como viver meu dia a dia com sofisticação."
"Eu sei o que é sofisticação na perspectiva do Criador."
"Eu sei que é possível ser sofisticado."

Sonhos

"Eu sei a definição do Criador de fazer meus sonhos se tornarem realidade."
"Eu sei qual é a sensação de ter meus sonhos transformados em realidade."
"Eu sei que meus sonhos se tornarão realidade."
"Eu sei quando ter meus sonhos transformados em realidade."
"Eu sei como ter meus sonhos transformados em realidade."
"Eu sei como viver meu dia a dia vendo meus sonhos se tornando realidade."
"Eu sei o que é ter sonhos transformados em realidade na perspectiva do Criador."
"Eu sei que é possível ter meus sonhos transformados em realidade."
"Eu sou digno de ter meus sonhos transformados em realidade."
"Eu sei que é seguro sonhar."
"Eu sei quando estou vivendo meu sonho."

Sucesso

"Eu sei o que é sucesso na definição do Criador."
"Eu sei qual é a sensação de ser bem-sucedido."
"Eu sei o que é sucesso."
"Eu sei como ser bem-sucedido da maneira melhor e mais elevada."
"Eu sei o que é sucesso na perspectiva do Criador."
"Eu sei que é possível ser bem-sucedido."

Unidade

"Eu sei o que é unidade na definição do Criador."
"Eu sei qual é a sensação de unidade."
"Eu sei o que é unidade."
"Eu sei o que é unidade na perspectiva do Criador."

Valor

"Eu sei o que é o valor de todas as coisas na definição do Criador."
"Eu sei qual é a sensação de ter valor."
"Eu sei o que é valor."
"Eu sei como viver meu dia a dia valorizando a vida."
"Eu sei o que é valor na perspectiva do Criador."
"Eu sei que é possível ter valor."

Versatilidade

"Eu sei o que é versatilidade na definição do Criador."
"Eu sei qual é a sensação de ser versátil."
"Eu sei o que é versatilidade."
"Eu sei como ser versátil da maneira melhor e mais elevada."
"Eu sei o que é versatilidade na perspectiva do Criador."
"Eu sei que é possível ser versátil."

Vício

"Eu sei qual é a sensação de viver sem vícios."
"Eu sei como viver sem vícios."
"Eu sei como viver o meu dia a dia sem vícios."
"Eu sei o que é viver sem vícios na perspectiva do Criador."
"Eu sei que é possível viver sem vícios."

Visão

"Eu sei a definição do Criador de ser um visionário."
"Eu sei qual é a sensação de ter visão."
"Eu sei como ser um visionário da maneira melhor e mais elevada."
"Eu sei como viver o meu dia a dia cheio de previsões."
"Eu sei o que é um visionário na perspectiva do Criador."
"Eu sei que é possível ser um visionário."

26

Pré-requisitos para o DNA 3

Esses são os pré-requisitos para utilizar as informações do DNA 3. Essas orientações e exercícios devem ser seguidos e praticados todos os dias.

Lembre-se: o curador é o Criador de Tudo o Que É

Lembre-se sempre que o verdadeiro curador é o Criador de Tudo o Que É. Nosso trabalho como curadores é ouvir e amar as pessoas com quem estamos trabalhando, orar por elas e testemunhar o Criador de Tudo o Que É fazendo a cura. Se você é motivado por qualquer outra coisa que não seja uma reverência para com toda a criação e um profundo amor ao Criador de Tudo o Que É, você estará se limitando.

Aceitar a cura

A aceitação de uma cura por ambos, praticante e cliente, é necessária para a cura acontecer.

Amar as pessoas

Sua principal diretriz como um curador é amar todas as pessoas que vêm a você, mantendo o discernimento adequado da verdade e de si mesmo.

Testemunhar a cura

O trabalho do praticante é ser testemunha da cura do Criador de Tudo o Que É e saber como reconhecer quando essa cura ocorreu. Testemunhar uma cura física, reprogramar uma crença ou ensinar um sentimento, são todas formas de cura. Reprogramar os sistemas de crenças de uma pessoa para que ela saiba que é digna do amor do Criador é uma cura em si. Ensinar uma pessoa a amar-se também é uma cura. A validade da reprogramação é evidente a partir do testemunho das diferenças que ocorrem no dia a dia das pessoas.

Faça um compromisso

Faça um compromisso de seguir com esse trabalho. Faça um compromisso de dominar os planos da existência. Esteja comprometido com a prática do ThetaHealing. Seja comprometido em fazer seu melhor. Permita-se saber que você ganhou o direito de fazer esse trabalho.

Viver em alegria

Irradie a energia da alegria para o mundo! Sinta os risos de alegria em todo o seu corpo! Saiba que o Criador de Tudo o Que É o protege e agora você está imune ao mal; ele não pode afetar você. Você é livre para irradiar o poder da alegria e do amor de Deus.

Pratique a visualização a distância

Pratique ir dentro do corpo e explorar os diferentes sistemas, até que você esteja confortável e com precisão para isso. Pratique visualização a longa distância.

Fazer leituras todos os dias

Prática é fundamental.

Fazer leituras sem raiva

Raiva compulsiva irá bloqueá-lo de obter o resultado desejado em uma leitura. Se você está com raiva, então alguma coisa dentro de você não está recebendo o que você deseja ou precisa. Como curador, você é obrigado a descobrir por que está irritado consigo mesmo ou com alguma outra pessoa. Saia da sala e rapidamente faça o trabalho de crenças ou de sentimentos em si mesmo. Sua raiva em relação a outra pessoa pode ser um reflexo de sua raiva contra si mesmo.

Você tem o desafio de ficar bem, apesar dessas situações. É importante estar aterrado, de volta a seu corpo, limpo e de bom humor até o final do dia.

Lembre-se: todo mundo está em seu próprio paradigma

Pratique leituras e curas nos outros para se acostumar a sair de seu próprio paradigma e entrar no paradigma de outra pessoa. Lembre-se: o que você *pensa* que é a realidade não está realmente acontecendo. Quando você vai para o espaço de outra pessoa, está interagindo com os paradigmas dessa pessoa, *o mundo dessa pessoa* ao longo da leitura, não o seu. Sempre peça ao Criador para deixá-lo ver a partir da maior e melhor perspectiva.

Você pode ver que as pessoas querem manter suas doenças. Como curador, seu trabalho não é julgá-los, e sim perguntar-lhes: "Como isto está servindo a você?".

Agir

Sem ação, nada acontece. Há uma clara diferença entre pensar em fazer alguma coisa (procrastinar) e realmente fazê-lo, tanto física quanto metafisicamente.

Manipular o tempo

Lembre-se de que o tempo está sob a Lei da Gravidade, uma das Leis mais fáceis de se tornar flexível. É uma ilusão. Testemunhar uma cura instantânea é um exemplo de manipulação do tempo. Pratique indo acima de seu espaço e comande o tempo para durar mais ou ir mais rápido.

Ao aprender como manipular o tempo, você é capaz de romper com a ilusão herdada de que a vida o está controlando e você é apenas um participante em tudo o que ela tem para oferecer. Na verdade, nossas vidas são um reflexo de nossos paradigmas, nossa própria criação. Podemos, na verdade, sair de nosso paradigma, comandar o que queremos criar em nossa vida e permitir que isso aconteça.

Experimente os planos

Vá até o Sétimo Plano e peça para experimentar os diferentes planos da existência através do Sétimo Plano, com o Criador como seu guia. Isso evita que você se distraia com elucubrações mentais dos planos e proporciona-lhe uma clara perspectiva de cada plano. Mantenha-se focado.

Manifeste mudanças em sua vida

O que você quer mudar em sua vida? O que você quer que aconteça no próximo ano? Você pode manifestar uma saúde ideal ou uma alma gêmea, ou pedir que uma situação financeira se torne da maneira que você escolher que ela seja. Lembre-se, você cria sua própria realidade.

Persevere!!!

Apenas siga adiante...

Envie um sonho

Vá acima de seu espaço e envie a alguém um sonho. Isto é mais bem feito às 3 horas da manhã, que é quando a pessoa está mais aberta ao sonho. Ela sonhará que está falando com você.

Manter, enviar ou retornar de um sonho irá ensiná-lo como controlar o tempo, no plano astral.

Seja aberto a aprender novas habilidades

Isso ajudará você a estar aberto a trazer mudanças em sua vida.

Envie um pensamento positivo para uma pessoa específica

Vá acima de seu espaço e envie a alguém um pensamento positivo. (Você precisará ter a validação de que essa pessoa recebeu a forma-pensamento que você enviou para ela.)

Programe-se para que todos com quem você trabalha se sintam bem e felizes

Se você tem esse programa, seus clientes irão querer voltar. Alguns curadores não gostam de pessoas doentes; alguns não gostam de pessoas em geral. Então teste você mesmo para os programas de "Eu odeio as pessoas" ou "Eu odeio as pessoas doentes".

Com o poder vem a responsabilidade...

Tenha cuidado com seus pensamentos! Esteja ciente do que você está fazendo com suas manifestações! *Quanto mais você está em Theta, mais o que você pensa irá manifestar-se em sua vida.* Então, seja claro a respeito do que você quer, não se venda por pouco e sempre peça que seja da melhor e mais elevada maneira. Se você quer o dinheiro, por exemplo, peça para recebê-lo da melhor e mais elevada maneira. Se você deseja sucesso, seja claro sobre que tipo de sucesso você deseja. Se você pedir paciência, o Criador de Tudo o Que É lhe dará pessoas que exigirão paciência. Se você pedir para ver a verdade, talvez a verdade possa não ser o que você quer ver. Se você pedir uma cura instantânea, então o Criador de Tudo o Que É irá mantê-lo na situação até que ela aconteça, por isso peça **para que seja da melhor e mais elevada maneira.**

Não se apegue

Espere uma cura, mas não se apegue ao resultado. É o Criador que é o curador e que dará o resultado. Diga a seu cliente: "Eu testemunhei o Criador de Tudo o Que É trabalhando em você. Vejamos o que acontece". Se você não conseguir os resultados que deseja, isso indica que há mais trabalho de crenças a ser feito.

Viva no agora

Muitas pessoas vivem suas vidas no passado, no futuro ou em uma ilusão. Uma pessoa pode não ser consciente de que ela está tendo um momento maravilhoso com você até que ela se lembre dele no dia seguinte!

Como seres espirituais, muitas vezes achamos a realidade deste mundo difícil. Tentamos escapar dela e, assim fazendo, perdemos a oportunidade de estar no aqui e agora. Mas toda a cura começa no presente, mesmo se formos a outras esferas durante o curso da cura.

Seja grato por estar vivo

Reafirme que você está grato, todos os dias. Respire o ar, veja as nuvens e aprecie a vida que está toda a seu redor.

Acredite, saiba, viva

Primeiro *acredite* que uma cura pode acontecer, então *saiba* que ela pode acontecer e, então, *viva* sua essência.

Trabalhe em você mesmo!

Quanto mais trabalho de crenças você faz em você mesmo, mais rápido suas habilidades de cura irão melhorar e menos bloqueios você terá no processo de se tornar um curador eficiente.

Aprenda e cresça a partir da interação com os outros e seja gentil e firme com você mesmo, pois você está indo para onde nunca foi antes...

Permita-se viver na "Sabedoria do Sétimo Plano"

Aprenda a viver sem medo e ira e na sabedoria do Sétimo Plano, sabendo que tudo ficará bem e que o Criador está disponível para você.

Nosso objetivo é alcançar a consciência do Sétimo Plano.

27

Frases de Vianna

"Fale com o Criador todos os dias."

"Agradeça ao Criador todos os dias."

"Honre a vida em todas suas formas."

"Nem tudo é o que parece."

"Pensamentos se movem mais rapidamente que a luz. Eles têm essência, por isso tenha cuidado com o que você pensa."

"Faça algo para se orgulhar todos os dias."

"Desacelere e observe o ar e a luz. Aprecie a vida."

"Ação é extremamente importante."

"É mamão com açúcar."

"Simplesmente é."

"Sempre que possível, não machuque ninguém nem nada."

"Veja a verdade nas pessoas e ainda assim as ame."

"Curadores passam por um processo: primeiro acreditamos, depois sabemos, para então vivermos."

"Muito de nosso tempo é desperdiçado em formas-pensamento inúteis. Temos de aprender a focar e dirigir nossa energia-pensamento para a consciência divina."

"Viva sua vida como se não houvesse segredos. Viva a vida como um livro aberto, de modo que você poderá contar a alguém o que fez hoje."

"Às vezes os melhores segredos são mantidos ao compartilhá-los com o mundo."

"Você pode amar todas as pessoas – inclusive as más – quando está conectado ao Criador."

"O poder profético está usando o poder do Universo."

"A realidade está sempre aí, esperando por nós para reconhecê-la. Somente quando você acredita na realidade ela se torna real em um nível pessoal."

"A maioria dos problemas que ocorrem nesta existência é causada pela ilusão de que estamos separados do Criador."

Posfácio

Por Guy Stibal

Nos dias atuais, existem literalmente milhões de pessoas em busca de respostas espirituais por meio de informações que, talvez pela primeira vez na história, estão acessíveis à humanidade de uma forma avalassadora. Uma pessoa comum tem agora acesso à literatura alternativa em uma escala que teria sido impensável cem ou mesmo 50 anos atrás. Antigos sistemas de crenças estão a nosso alcance, tanto aqueles que estão ressurgindo a partir da consciência coletiva como aqueles que são divinos.

Nós, como buscadores de conhecimento espiritual, não percebemos a incrível liberdade que temos agora. É nossa responsabilidade valorizar essa liberdade e fazer bom uso da informação que durante séculos era egoisticamente guardada por indivíduos, transmitida boca a boca e apenas em raras circunstâncias escritas, quando era prontamente oculta por sociedades secretas, escondendo daqueles que podiam fazer mau uso dela.

Por causa desse afluxo de conhecimento de muitas e diferentes tradições e modalidades, um grande bufê de ofertas é disposto diante de nós, e devemos ter cuidado para não sofrer uma indigestão espiritual. O melhor seria aprender e digerir um sistema de crenças completamente antes de passar para o próximo. Como qualquer tipo de conhecimento espiritual, uma boa dose de bom senso é sempre bem-vinda. Nunca devemos esquecer que a liberdade de que desfrutamos talvez possa nos levar agora ao excesso de estimulação, e talvez ao egoísmo.

Altruísmo e discernimento devem iluminar nosso caminho, em todos os assuntos, e isso inclui a cura energética. Se quisermos ser respeitados por nossas práticas, então nossas práticas devem ser respeitáveis. *Para que qualquer sistema de crenças resista ao teste do tempo, devemos permiti-lo e manter na pureza, e ele deve permanecer puro e inalterado tempo suficiente para trazer uma mudança na consciência da humanidade.* Para que esses ensinamentos espirituais permaneçam divinos, é necessário que transcendam a visão da mente onde o *intelecto racional* é a autoridade suprema da realidade. A pureza desses conhecimentos místicos raros pode, então, tornar-se uma gnose, um conhecimento do interior – uma ignição de iluminação que destaca e acentua a experiência, com uma clareza e objetividade que ressoam no âmago de nosso ser. Podemos, então, sentir uma profunda ressonância com esses conhecimentos que, em algum momento, facilmente transcendem os ditames da razão e são aceitos pela mente consciente como uma verdade sem conflito.

Sobre a Autora

Vianna Stibal é uma jovem avó, artista e escritora. Seu carisma natural e compaixão por aqueles que necessitam de ajuda também a têm levado a ser conhecida como curadora, intuitiva e professora.

Depois de ser ensinada a se conectar ao Criador para cocriar e facilitar o processo único chamado ThetaHealing, Vianna sabia que devia compartilhar este presente com tantas pessoas quanto pudesse. Foi esse amor e apreço ao Criador e à humanidade que lhe permitiram desenvolver a capacidade de ver claramente dentro do corpo humano e testemunhar muitas curas instantâneas.

Seu conhecimento enciclopédico dos sistemas do corpo e sua profunda compreensão do psiquismo humano com base em sua própria experiência, bem como a visão dada a ela pelo Criador, fazem de Vianna uma praticante perfeita desta técnica extraordinária. Ela tem trabalhado com sucesso em desafios médicos, tais como a hepatite C, vírus Epstain-Barr, AIDS, herpes, vários tipos de câncer e muitos outros transtornos, doenças e defeitos genéticos.

Vianna sabe que a técnica ThetaHealing é ensinável, mas e além disso, sabe que esta precisa ser ensinada. Ela realiza seminários em todo o mundo para ensinar pessoas de todas as raças, crenças e religiões. Tem professores treinados e profissionais que estão trabalhando em mais de 25 países, mas seu trabalho não para por aí! Ela está empenhada em espalhar esse paradigma de cura por todo o mundo.

www.thetahealing.com

www.brasilthetahealing.com

Sobre os Tradutores

Giti Bond e Gustavo Barros, tradutores deste livro, são os representantes oficiais do ThetaHealing no Brasil e instrutores certificados como "Master and Science" (Mestrado e Ciência) no ThetaHealing no Brasil pelo THInK® – ThetaHealing Institute of Knowledge – nos Estados Unidos.

Pioneiros da técnica no Brasil e na missão de trazer este conhecimento para o país, ambos fundaram o Instituto ThetaHealing Brasil, nas cidades do Rio de Janeiro e São Paulo, onde ministram todos os cursos de ThetaHealing para praticantes.

Além disso, ministram cursos em diversos Estados do Brasil e do mundo.

Giti Bond e Gustavo Barros são os anfitriões de Vianna Stibal no Brasil na formação de instrutores.

Livro traduzido e distribuído no Brasil pelo Instituto ThetaHealing Brasil.

ThetaHealing® BRASIL

Travessa Carlos de Sá, 10
Catete – Rio de Janeiro – RJ
Rua Benito Juarez, 70
Vila Mariana – São Paulo – SP
Tel.: 4003-3065 (Número nacional)
Tels: (21) 3071-5533/(21) 3071-4055 – RJ
(21) 98871-8913/(21) 98871-8972 – RJ
www.thetahealing.com.br
info@thetahealing.com.br

Informações Adicionais

Cursos de ThetaHealing

ThetaHealing® é uma modalidade de cura energética fundada por Vianna Stibal, com sede em Ammon, Idaho, com instrutores certificados em todo o mundo. As aulas e os livros de ThetaHealing® são projetados como guias terapêuticos para o desenvolvimento da habilidade da mente de curar.

Aulas ministradas por Vianna e instrutores certificados ThetaHealing®: (Um manual é dado em cada aula)

ThetaHealing® Curso DNA Básico (DNA 1 e 2)
ThetaHealing® Curso DNA Avançado (DNA 2)
ThetaHealing® Curso Anatomia Intuitiva
ThetaHealing® Curso Crianças Arco-íris
ThetaHealing® Curso Manifestação e Abundância
ThetaHealing® Curso Diseases and Disorders
ThetaHealing® Curso Relações Mundiais
ThetaHealing® DNA 3
ThetaHealing® Almas Gêmeas
ThetaHealing® Jogo da Vida
ThetaHealing® Ritmo – Peso Perfeito
ThetaHealing® Laços Familiares
ThetaHealing® Aprofundando no *Digging*
ThetaHealing® Planta
ThetaHealing® Animal
ThetaHealing® Planos da Existência

Aulas de certificação ministradas exclusivamente por Vianna no Instituto de Conhecimento ThetaHealing ®. (Um manual é dado em cada aula)

ThetaHealing® Curso de Instrutor DNA Básico
ThetaHealing® Curso de Instrutor DNA Avançado
ThetaHealing® Curso de Instrutor Anatomia Intuitiva
ThetaHealing® Curso de Instrutor Crianças Arco-íris
ThetaHealing® Curso de Instrutor Diseases and Disorders
ThetaHealing® Curso de Instrutor Relações Mundiais
ThetaHealing® Curso de Instrutor DNA 3
ThetaHealing® Curso de Instrutor Almas Gêmeas
ThetaHealing® Curso de Instrutor Jogo da Vida
ThetaHealing® Curso de Instrutor Ritmo – Peso Perfeito
ThetaHealing® Curso de Instrutor Laços Familiares
ThetaHealing® Curso de Instrutor Aprofundando no *Digging*
ThetaHealing® Curso de Instrutor Planta
ThetaHealing® Curso de Instrutor Animal
ThetaHealing® Curso de Instrutor Plano de Existência

Livros

Título disponível atualmente:

ThetaHealing® (Hay House, 2010/Madras, 2014)

Póximo lançamento:

ThetaHealing: *Diseases and Disorders* (Hay House, 2011)

◊◊◊◊◊

THInK®
ThetaHealing
Institute of Knowledge

Para mais informações sobre datas dos cursos deThetaHealing®, entre em contato:

Todas as atividades e ensinamentos do ThetaHealing são agora realizadas sob a proteção do Instituto, que está localizado no número 1615 Curlew Drive, Ammon, Idaho 83406.

Tel. (escritório): (208) 524-0808
Fax: (208) 524-3061
E-mail: vianna@thetahealing.com
Página da internet: www.thetahealing.com
www.brasilthetahealing.com

Todas as atividades ThetaHealing® e Ensinamentos são agora realizadas e sob o patrocínio do Instituto:

ThetaHealing Institute of Knowledge®
690 N. Meridian Rd Suite 209
Kalispell, MT 59904
Telefone: (1) (208) 524-0808 ou (406)
FAX: (1) (208) 24-3061/257-2109
E-mail: vianna@thetahealing.com
Página da Internet: www.thetahealing.com

No Brasil, todos os cursos de ThetaHealing para praticantes são encontrados **nas Sedes do** Instituto ThetaHealing Brasil:

Travessa Carlos de Sá, 10
Catete – Rio de Janeiro – RJ
Rua Benito Juarez, 70
Vila Mariana – São Paulo – SP
Tels: 4003-3065 (Número nacional)
Tels: (21) 3071-5533/(21) 3071-4055 – **RJ**
(21) 98871-8913/(21) 98871-8972 – **RJ**
www.thetahealing.com.br
info@thetahealing.com.br

O Instituto também promove cursos em diversos Estados do Brasil e do mundo.

Página da Internet: www.ThetaHealing.com
brasilthetahealing.com